HEINZ G. KONSALIK
Der Gefangene der Wüste

Buch

In den Camps der Ölbohrstationen der Sahara leben harte Männer. Keiner fragt, woher sie kommen und was sie in die Wüste trieb. Nur ihre Arbeit zählt. Eines Tages sind alle Männer eines Camps tot, an einer geheimnisvollen Krankheit gestorben, die niemand kennt. Der deutsche Arzt Dr. Bender hat den Auftrag, diese Epidemie zu erforschen. Doch als er in der Sahara eintrifft, stößt er auf eine Mauer von Misstrauen, Ablehnung und sogar Hass. Nur zwei Frauen stehen zu Dr. Bender: eine Krankenschwester und die Tochter des Oasenscheichs. Beide lieben ihn, würden einander jedoch eher umbringen, als auf ihn verzichten…

Autor

Heinz G. Konsalik, Jahrgang 1921, stammt aus Köln. Nach dem Abitur studierte er in Köln, München und Wien Theaterwissenschaften, Literaturgeschichte und Germanistik. Nach 1945 arbeitete Konsalik zunächst als Dramaturg und Redakteur; seit 1951 war er als freier Schriftsteller tätig. Konsalik ist der national und international meistgelesene deutschsprachige Autor der Nachkriegszeit. Seit dem »Arzt von Stalingrad« wurde jedes seiner weiteren Bücher ein Bestseller. Insgesamt schuf er 155 Romane mit einer Gesamtauflage von über 86 Millionen verkauften Exemplaren in 46 Sprachen! Heinz G. Konsalik verstarb im Herbst 1999.

Von Heinz G. Konsalik ist bei Blanvalet bereits erschienen:

Dschungel-Gold. Roman (35309)
Geliebter, betrogener Mann. Roman (32107)
Sommerliebe. Roman (35703)
Wen die schwarze Göttin ruft. Roman (35449)
Das Geheimnis der sieben Palmen. Roman (35564)
Schlüsselspiele für drei Paare. Roman (35793)

KONSALIK

Der Gefangene der Wüste

Roman

BLANVALET

Umwelthinweis:
Alle bedruckten Materialien dieses Taschenbuches
sind chlorfrei und umweltschonend.

Blanvalet Taschenbücher erscheinen im
Goldmann Verlag, einem Unternehmen der
Verlagsgruppe Random House.

2.Auflage
Taschenbuchausgabe August 2003
© 1970 by GKV, Feldafing und AVA-Autoren und Verlags-
Agentur GmbH, München-Breitbrunn
Umschlaggestaltung: Design Team München
Umschlagfoto: Look/Martin/LOOK
Satz: Uhl+Massopust, Aalen
Druck: Elsnerdruck, Berlin
Verlagsnummer: 35565
UH · Herstellung: Heidrun Nawrot
Made in Germany
ISBN 3-442-35565-6
www.blanvalet-verlag.de

Es war kurz vor der Abzweigung nach Bou Akbir, als es Bob Miller schlecht wurde. Mit zurückgelehntem Kopf saß er da, presste die flachen Hände gegen den Leib und stöhnte leise auf. Luciano Pella, der neben ihm hockte und den schweren Lastwagen fuhr, blickte kurz zur Seite und bremste dann scharf. Eine gelbweiße Staubwolke hüllte sie ein und blieb in der heißen Luft hängen wie ein Vorhang.

Um sie herum war die Wüste, die glühende Sahara, die »unendlich Schweigende«, wie der Araber sie nennt. Leicht gewellte Sandhügel, in die der Wind schlangenförmige Muster gegraben hatte. Geröllstreifen, gebleichte Felsen, flimmernde Einsamkeit. Und darüber ein weißblauer Himmel, aus dem die Sonne gnadenlos eine Glut schleuderte, in der alles verbrannte, zusammenschrumpfte, erstarb, was nicht aus feinem Sand war oder sich retten konnte in die Nähe von Wasser.

Die Straße, schnurgerade durch diese Grenzenlosigkeit gezogen, auf dem Reißbrett konstruiert, mit Bulldozern ausgeschaufelt und von riesigen Walzen festgestampft, nur sichtbar an den Masten, die sich scheinbar völlig sinnlos durch den Sand zogen... links die Elektrokabel, rechts die Telefonleitung... diese verhasste, verfluchte, bespuckte, aber lebensnotwendige Straße von Zaouia el Kahla nach Bou Akbir, der Oase, schälte sich jetzt wieder langsam aus der Staubwolke. Der aufgewirbelte Sand sank zurück und puderte den schweren Lastwagen ein.

»Was ist?«, fragte Luciano Pella und stieß Bob Miller in die Seite. Bob stöhnte wieder und verdrehte die Augen.

»Der Magen, Junge. Verdammt, der Magen. Ich muss kotzen...«

»Dann raus! Ich hab was gegen gegorenen Brei im Wagen!« Luciano Pella öffnete die Tür an seiner Seite und sprang aus der hohen Fahrerkabine in den Sand. Er war ein junger, kleiner, aber ungemein muskulöser Italiener. Ein fröhlicher Kerl, der gern sang – welcher Italiener singt nicht gern? –, im Lager einmal wöchentlich Spaghetti kochte oder eine Riesenpizza buk und ab und zu, vor allem an den Abenden, am Fenster der Baracke saß und von Messina träumte. Warum er in die Wüste gekommen war, hier Lastwagen durch die glühende Sahara fuhr, in einem Ölcamp lebte, drei Monate lang keine Frau sah und trotzdem mit allem zufrieden war, wusste niemand. Man fragte auch nicht. Hier, in der Wüste, waren Fragen Luxus. Woher einer kam, wie er wirklich hieß, warum er bei 60 Grad in der Sonne nach Öl bohrte … das war ohne Bedeutung. Nur die Arbeit galt, das Durchhalten in dieser glutenden Hölle, das Zusammenbeißen der Zähne, das Herunterklappern der Stunden am Bohrturm, in der Energiestation, an der Pumpstation, an der Pipeline, im Magazin … oder im Lastwagen, dessen Steuer man nur mit Handschuhen anfassen konnte, weil sonst die Haut an den Händen in Fetzen abging und am heißen Lenkrad kleben blieb.

Auch Bob Miller hieß nicht Bob Miller … wen kümmerte das? Als er sich bei der Hauptverwaltung der französisch-amerikanischen Ölgesellschaft »Sahara-Petrol« vorstellte, ein Bulle von Kerl, dessen Armmuskeln den Anzug sprengten und dessen Hemd beim tiefen Einatmen jedesmal aufklaffte, notierte man seinen Namen Miller, ließ ihn den Verpflichtungsschein unterschreiben und schickte ihn dann mit einem Flugzeug von Marseille über Algier direkt in die Wüste, nach Hassi-Messaoud, der Zentrale für die Verwaltung der Außenstellen.

Das war ein vornehmer Name für die elenden Bohrcamps

mitten in der Sahara, für diese armseligen, auf dem Rücken des Satans lebenden Gruppen von Männern, die, verstreut im glutenden Sand wie weggeschüttelte Schweißtropfen Gottes, in die Tiefe der Wüste bohrten und dort das schwarze, stinkende Gold an die Oberfläche holten: Erdöl... die Energie, die eine ganze Welt in Bewegung hält.

Bob Miller kletterte nun auch aus dem Glutkasten des Fahrerhauses und lehnte sich draußen gegen den Wagen. Er würgte, dicker Schweiß stand auf seiner Stirn, und Luciano wunderte sich darüber. Noch nie hatte einer Bob schwitzen gesehen, selbst nicht in der Sonne am Bohrgestänge. »Er muss alle Flüssigkeit auspissen, sonst ist's nicht erklärbar«, hatte einmal Pierre Serrat, der Vorarbeiter, gesagt. Aber jetzt, hier auf der Wüstenpiste, im mageren Schatten des Lastwagenaufbaues, krümmte sich Bob Miller, schwitzte, als sei seine Haut ein Sieb, und dann presste er die Stirn gegen das gelb gestrichene Holz der Ladeklappe und keuchte.

Luciano steckte sich eine Zigarette an und hob die Schultern.

»Das kommt vom Saufen«, sagte er. »Zwei Tage in el Kahla, und schon lasst ihr euch voll laufen wie die Wassersäcke. Und dann noch die verdammten Ouled Nail-Huren! Irgendwo nagt das an den Knochen, Bob.«

Bob Miller schüttelte den Kopf. Er hatte keine Kraft mehr, zu sprechen... ein widerlich saurer Brei stieg ihm in der Speiseröhre hoch und drängte in die Mundhöhle.

Er beugte sich zu den hohen Zwillingsrädern vor, umklammerte das heiße Schutzblech und erbrach. Sein ganzer, massiger Körper zuckte dabei... dann lehnte er wieder am Aufbau und atmete kaum. Luciano kam näher und zog kräftig an seiner schwarzen Zigarette – algerisches Kraut, scharf wie Möbelbeize – und betrachtete das, was Bob erbrochen hatte.

»Da ist ja Blut drin –«, sagte er plötzlich. »Mensch, Bob… das ist Blut! Junge!« Er schob die Zigarette in den linken Mundwinkel und fasste seinen Freund an der Schulter. Mühelos ließ sich Bob herumdrehen, als stände er auf einer Drehscheibe. Miller hatte die Augen geschlossen, sein breites Gesicht war verzerrt und merkwürdig leer. Das Braun der Haut war fahl geworden, wie gebleichtes, altes Leder. Er hatte noch immer die Hände auf den Leib gedrückt und schien überhaupt nicht mehr zu reagieren.

»Bob –«, sagte Luciano leise. Seine sonst so klingende Stimme war plötzlich dumpf und heiser. »Das ist Blut. Bob, mein Gott, wenn du die verdammte Hadjar-Krankheit hast… Wir müssen sofort zurück! Wir schaffen es noch bis el Kahla. Du musst sofort ins Hospital.«

Bob Miller schüttelte den Kopf. Er atmete ein paarmal tief durch, und es klang, als sauge ein riesiger Blasebalg Luft ein. Mit merkwürdig staksigen Schritten ging er zum Fahrerhaus zurück und hielt sich dabei an der Wagenwand fest.

»Es ist schon besser«, sagte er. »Los, du italienischer Floh, fahr weiter! Darf ein ausgewachsener Mensch nicht mal kotzen? Das war gestern zu viel… das ist alles. Der verfluchte Calvados, und dann die Weiber!« Er blieb an den beiden Trittstufen, die hinauf in die Kabine führten, stehen und drehte sich zu Luciano um. Der Italiener folgte ihm; in seinen großen, dunkelbraunen Kinderaugen hockte die Angst um Bob Miller.

Die Hadjar-Krankheit! Gnade uns Gott! Wenn sie mit Bob jetzt zu den Ölcamps kommt, kann das große, unrettbare, qualvolle Sterben beginnen. Dann werden sie an den Bohrtürmen zusammenbrechen, sich im Sand wälzen und brüllen vor Schmerzen, und keiner wird ihnen helfen können, weil man nicht weiß, woher diese Krankheit kommt. Sie werden sich in Krämpfen winden und dann Blut spucken, so lange Blut, bis der Körper nicht mehr mitmacht und kapituliert.

So war es in In Adeb… in Qued el Fezzan… in Azaoua und in Massif.

Die Männer starben wie die Fliegen. Ein ganzes Bohrcamp war ausgelöscht, ehe man in der nächsten Station etwas merkte und erst nach zwei Tagen nachsah, was eigentlich los war. Kein Telefon mehr, keine Funkverbindung, kein Tagesbericht für Hassi Messaoud.

Als ein Ingenieur mit einem Hubschrauber landete, fand er einen Haufen verwesender Leichen. Zuerst dachte man an einen heimtückischen Überfall fanatisierter, nationaler Araber… aber dann fand man keine äußeren Verletzungen an den Körpern, aber überall Erbrochenes, durchsetzt mit Blut.

Einen Tag später schafften zwei Hubschrauberstaffeln alle Toten in Zinkkisten weg nach Hassi Messaoud und von dort mit einer großen Maschine der »Sahara-Petrol« nach Algier. Von da ab hörte man nichts mehr… nur langsam sickerte etwas durch und kroch wie Sirup von Oase zu Oase, von Bohrloch zu Bohrloch, von einer Wasserstelle zur anderen, die Pipeline entlang, bis in die fernsten, einsamsten Wüstenwinkel, wo selbst die Sandflöhe vor Einsamkeit weinen: Es ist eine neue Krankheit! Niemand kennt sie. Es gibt kein Medikament dagegen. Keine Pillen, keine Tropfen, keine Spritzen. Man kann nur sterben. Die Hadjar-Krankheit nennen sie dieses hilflose Sterben, nach dem Wadi Hadjar mitten im Großen Östlichen Erg, wo die Krankheit zuerst entdeckt wurde.

Luciano Pella betrachtete seinen Freund Bob Miller kritisch, wie sich dieser in das Fahrerhaus zog und auf den Sitz plumpsen ließ.

»Fahr los!«, sagte Bob und wischte sich mit dem Handrücken den Mund. »Zu Hause leg ich mich hin und fress

Haferschleim. Dieser verdammte Schnaps und die Weiber! Vier auf einmal kamen ins Zimmer. Puppen wie aus dem Katalog! Aber Bob Miller hat sie geschafft! Los, du traurige Spaghetti – steig ein!«

Luciano kletterte hinter sein Lenkrad und ließ den Motor an. Wohin, dachte er. Zurück nach el Kahla? Das kann mit Bob eine wüste Auseinandersetzung geben. Was der Bulle einmal will, das setzt er auch durch. Weiter nach Bou Akbir? »Nach Hause –« hat Bob gesagt. Welch ein Wort für diesen Mistfleck auf dieser Erde! Zu Hause … das war Messina, das blaue Meer, der Geruch von Fisch und Teer, die untergehende Sonne in den Wellen, die weißen Boote, der Gitarrenklang aus den Tavernen … Nach Hause!

Zwei Bohrtürme, zehn Baracken, eine Energiestation, ein Magazin, eine Krankenbaracke aus Wüstensteinen, das Haus des Ingenieurs Alain de Navrimont, dieses versoffenen Loches, der nur aufsteht aus seinem dreckigen Bett, um eine neue Flasche zu holen. Drei Garagenhallen mit Lastwagen und zwei Jeeps. Die Abzweigung der Pipeline. Ein Badehaus.

Und drum herum der weißgelbe Sand, der glühende Himmel und genau neun Geier, die über diesem Camp kreisen und darauf warten, dass alles, was da unten durch die Wüste kriecht, einmal krepiert.

Das ist »Zuhause«. Die Bohrstation XI, Sektion Zaouia el Kahla, Hauptstelle Hassi Messaoud. Gelegen mitten im Erg Tifernine, ein Stück Land, das sowohl Gott wie auch der Teufel vergessen haben. Nur Erdöl gibt es in der Tiefe dieser Wüste. Und die Oase Bou Akbir, ein grüner Fleck inmitten von Gelb. Rätselhaft quillt hier gutes, kühles, trinkbares Wasser aus dem Sandboden und verzaubert die Sandhölle zu wogenden Palmen, blühenden Gärten und weißen, aus Sandstein gebauten Häusern.

Luciano entschloss sich, ins Camp zu fahren. Pierre Serrat, der Vorarbeiter, sollte entscheiden, was mit Bob geschah. Er konnte in el Kahla anrufen, und vielleicht war's wirklich nur ein verdorbener Magen. Aber das Blut? Woher kam das Blut? Rotwein war es nicht... Bob Miller hatte in seinem Leben noch nie Rotwein angerührt.

In der Nacht erreichten sie ihr »Zuhause«, die Bohrstation XI. Aber da war Bob Miller bereits ohnmächtig und lag hinten im Wagen auf den Ersatzteilen für eine Turmplattform und sechs neuen Bohrköpfen.

Zwei Stunden später starb Bob Miller. Er verblutete nach innen. Seine ganze Bauchhöhle musste ein Blutsee sein... wenn man ihm auf den Unterbauch drückte, war es, als drücke man auf eine Wärmflasche aus Gummi. Als er seinen letzten, lang gezogenen Seufzer ausstieß, war sein Gesicht bleich, als wäre es nie drei Jahre der Saharasonne ausgesetzt gewesen.

Pierre Serrat, der Vorarbeiter, ein Kerl wie ein pamplonaischer Stier, stand vor Bob Millers Bett und starrte Alain de Navrimont an, den Chef der Station. Da es gegen vier Uhr morgens war, schien der Ingenieur ansprechbar zu sein... die erste Flasche Pernod trank er erst gegen sieben Uhr zum Frühstück.

»Was nun?«, fragte Serrat.

»Das fragen Sie mich, Pierre?« De Navrimont setzte sich auf einen Stuhl und sah den toten Bob Miller an. »Was schlagen Sie vor?«

»Er hatte die Hadjar-Krankheit.« Serrat wischte sich über das Gesicht. »Nach allem, was wir bisher von ihr hörten... sie war es! Die Magenwände werden zerfressen... sie platzen auf. Eine schöne Scheiße ist das, Chef! Wenn wir den Fall nach el Kahla melden, wirbeln die uns hier durcheinander wie im Sandsturm! Ansteckungsgefahr, für alle Quarantäne, Untersuchungen –«

»Was sein muss, muss sein, Pierre.«

»Aber in der Quarantäne gibt's keine Flasche, Chef! Und keine Weiber! Nicht mal ein Araberweib aus der Oase.«

Ingenieur de Navrimont verzog die Lippen. Keine Flasche… wie soll man da leben? Er blinzelte dem toten Bob zu und schüttelte den Kopf.

»Man soll Unannehmlichkeiten vermeiden, Pierre. Unser Leben ist dreckig genug… wozu noch die Quarantäne. Ich errate Ihre Gedankengänge… tun Sie, was Sie vorhaben, Pierre!« De Navrimont erhob sich. Er starrte auf Bob Miller hinunter und schluckte ein paarmal. »Armer Kerl – wissen Sie, wo er seit drei Jahren den Hauptteil seines Geldes lässt?«

»Nein. Er muss ein Vermögen gespart haben. Bob war nie einer, der die Francs aus dem Fenster warf. Selbst bei den Huren handelte er den Preis herunter.«

»Er ließ 75 Prozent seines Lohnes direkt von Algier aus in die USA überweisen. Nach Tuscon-Valley. Ein kleines Nest im Westen. Für seine Schwester, eine Miss Watson. Sie ist seit zwanzig Jahren gelähmt. Kinderlähmung.« De Navrimont wandte sich ab und ging zur Tür. »Wenn Sie Bob Miller verschwinden lassen, Pierre… tun Sie es mit Würde –«

Als der Morgen über die Sahara stieg und die Wüste zweifarbig wurde… goldrot dort, wo die Sonne auf den Sanddünen glänzte und blauschwarz in den noch unbeleuchteten Senken… gab es keinen Bob Miller mehr.

Leo Domaschewski, der Pole, und Laslo Nemecz, der Ungar, begruben ihn hinter dem Magazin in der Wüste und ebneten dann das Grab ein, häuften Steine darüber und stapelten alte Benzinfässer aufeinander. Niemand würde auf den Gedanken kommen, dass darunter ein Mensch begraben läge.

Nur die neun Geier kreisten noch ein paar Stunden geduldig über dem Grab, ehe sie wieder abstrichen und sich auf ihre Warteplätze zurückzogen … das Dach der Sanitätsbaracke. Ihr Vorhandensein war wie eine Medizin … niemand blieb länger im Krankenrevier als unbedingt nötig.

Luciano Pella aber berichtete am Telefon dem fassungslosen Oberingenieur der »Sahara-Petrol« in Hassi-Messaoud, dass der Ölmineur Bob Miller anscheinend in einem Anfall von Blödheit kurz hinter el Kahla den Lastwagen verlassen und mit einer Kamelkarawane in anderer Richtung weitergezogen sei. Alles Bitten habe nichts geholfen. So sei er, Luciano Pella, allein zurück zur Station XI gefahren, weil man dort dringend die neuen Bohrköpfe brauchte.

Bob Miller blieb verschollen. Sein letztes Gehalt – für 19 Tage – wurde noch nach Tuscon-Valley in die USA überwiesen. Dann senkte sich das große Schweigen über ihn. Wie soll man auch einen einzelnen Mann in der Wüste suchen?

Auf der Station XI allerdings wartete man, und jeder beobachtete jeden. Wer hatte Magenschmerzen? Wer krümmte sich, mit den Händen vorm Bauch? Spuckte einer heimlich Blut? Veränderte jemand seine Hautfarbe?

Wer ist der nächste? Wen muss man wie Bob verschwinden lassen? Oder gehen wir alle drauf wie die armen Kerle von Hadjar? Ist diese Mistkrankheit überhaupt ansteckend? Lohnt sich dieses Warten? Warum ziehen wir nicht alle nach el Kahla und sagen: »Schluss jetzt! Ölbohren, gut. Schwitzen, gut. Keine Weiber, nur Schnaps, Hitze, Sand und Wüstensturm und Jules, den Schwulen aus Lyon, der einen Narren ausgerechnet an Pierre Serrat gefressen hat, diesen männlichsten Mann, den es im Umkreis von 500 km Sahara überhaupt gibt … auch gut. Und der Lohn ist sehr gut. Aber krepieren an dieser Magenkrankheit … nein!

Nach acht Tagen Warten und Belauern legte sich die Angst schnell wieder. Der heiße Alltag schluckte alles auf.

eine Frau genommen, eine wunderschöne Ouled Nail aus Ghardaia. Ein reiches Mädchen, das seinen Wohlstand in langen Ketten aus goldenen Münzen um den Hals trug, ein Beweis ihres Fleißes und ihres Könnens. Denn wie viele ihrer Stammesgenossinnen hatte auch Damira in einem Bordell gedient… erst in Bou Saada, wo sie mit zweihundert anderen Ouled Nail-Mädchen ausgebildet wurde, dann in Touggourt und schließlich in Ghardaia, wo Seradji Achmed das Mädchen kennen lernte. Sie war die erfolgreichste aller Liebesdienerinnen und legte ihr Geld – wie es Sitte war bei den Ouled Nails – in Ketten aus goldenen Münzen an. Als Damira 10 Goldketten zusammengearbeitet hatte, holte sie Achmed aus Ghardaia nach Bou Akbir in sein Haus und heiratete sie.

Das war vor einundzwanzig Jahren. Zwei Jahre später wurde Saada geboren, und Achmed klagte nicht tagelang laut und herzergreifend, weil das Kind ein Mädchen, sondern weil seine geliebte Damira bei der Geburt gestorben war. Seit diesem Tage lebte der Scheich von Bou Akbir allein in seinem großen, weißen Haus am Rande der Oase, zog seine Tochter groß und sah mit Wohlgefallen, dass sie noch hübscher wurde, als Damira gewesen war. Und so behandelte er Saada wie seinen Augapfel, ließ sie reiten wie einen Sohn, war stolz auf sie, als sei sie ein Held, und war so ganz anders als andere arabische Väter.

In der Oase gewöhnte man sich daran, dass Saada wie ein Mädchen aussah, aber wie ein Junge lebte, und als die große Auseinandersetzung mit den Franzosen begann, war Saada als halbes Kind noch mit nach dem Norden gezogen, um die Verwundeten zu pflegen, die nach den Überfällen auf die Forts der französischen Soldaten aus der Wüste zurückkehrten.

Achmeds Haus war von einer hohen Mauer umgeben,

über die in üppiger Pracht wilder Wein und Malven mit roten Riesenblüten wucherten. Ein Garten mit einem sprudelnden Brunnen war der ganze Stolz des Scheichs, und oft saß er mit Freunden unter den großen, schlanken Palmen und sah Saada zu, wie sie die Blumen beschnitt und etwas außerordentlich Kostbares in dieser goldgelben, vor Hitze flimmernden Wüste besprengte... eine Wiese, eine richtige grüne, saftige Wiese, wie sie Seradji Achmed drüben in Europa bei einer seiner Reisen gesehen und auf einem Farbfilm fotografiert hatte.

»Wenn der Prophet Saada gesehen hätte, er würde anders über die Frauen gesprochen haben«, sagte Achmed einmal zu seinen Freunden. »Ist sie nicht wie eine Houri im Siebten Himmel des Paradieses?«

Die Freunde nickten und bewunderten Saada. Sie trug lange, schwarze offene Haare, die ihr bis zu den Kniekehlen reichten, und sie ging unverschleiert, was eigentlich ungeheuerlich war. Aber auch daran hatte man sich in Bou Akbir gewöhnt. Achmed, der Scheich, hatte Fotos aus den großen Städten mitgebracht, vor allem aus Kairo. Dort liefen die Weiber in kurzen Röcken und mit blankem Gesicht durch die Straßen. Saada dagegen trug noch die langen Gewänder, unter denen man ihre Schlankheit und das Ebenmaß ihres Körpers nur ahnen konnte. Es war eben alles in der Wandlung begriffen, die neue Zeit stürzte vieles um. O Allah, da kein Feuer vom Himmel fällt, muss es also auch dein Wille sein...

In einer dieser Nächte – um genau zu sein, es war vier Tage nach dem Tode Bob Millers – hatte Saada einen Traum. Sie erzählte ihn sofort am Morgen ihrem Vater, und Seradji Achmed wurde sehr nachdenklich.

»Ein Mann kam in unseren Ort«, sagte Saada und goss ihrem Vater dampfenden Kaffee in die schlanke, hohe Tasse.

»Ein Fremder. Ein Europäer. Er sah mich an, mit wundervollen blauen Augen, und da öffnete sich meine Brust, mein Herz löste sich heraus und flog allein, wie ein Vogel, zu ihm hin, in seine Hand, die er offenhielt wie eine Schale. Aber dann wehte eine Wolke von Sand heran, und als sie sich verzogen hatte, war der Fremde fort... und mein Herz mit ihm. Da habe ich geweint und bin aufgewacht.«

»Ein dummer Traum«, sagte Achmed. »Vergiss ihn, Saada.«

»Ich habe noch nie so geträumt wie gestern. Ich habe sogar seine Stimme gehört...«

»Welche Stimme?«

»Die Stimme des Fremden.«

Seradji Achmed vermied es, mit Saada weiter darüber zu sprechen. Aber als sie auf den Markt ging, um ein Stück Hammelrücken zu kaufen, rief er den uralten Kebir, einen Priester, zu sich und erzählte ihm davon.

Kebir runzelte die Stirn. »Nimm es nicht leicht hin, Seradji«, sagte er. »Seitdem die Weißen hier sind und nach Öl bohren, hat Allah keine Macht mehr, das Unglück abzuwenden. Ich sage dir: Es wird einmal ein weißer Mann kommen und deine Saada wegnehmen in die Ferne.«

»Nie!« Achmed richtete sich im Sitzen auf. »Ich töte ihn vorher.«

»Er wird heimlich kommen wie die Hyäne. Mit dem Öl bricht das Verderben über uns herein! Zuerst haben wir gegen die Franzosen gekämpft, ein Jahrhundert lang... dann wurden wir ein freier Staat, aber man entdeckte das Öl unter unserer Wüste. Nun ist alles schlimmer als zuvor, der Profit verdunkelt die Augen, und wir werden verkauft für eine Tonne Benzin. Warum lasst ihr euch das gefallen?! Warum duldet ihr es, dass die Bohrtürme in unserem Land stehen wie – Geschwüre? Allah gab uns die Wüste, rein wie eine

Mädchenhaut nach dem Bade... was hat man aus ihr gemacht? Und auch deine Saada wird man holen... irgendein Weißer wird sie verführen und ihr Herz brechen. Allah schickte den Traum zur Warnung... denk an mich in den nächsten Wochen, Seradji –«

Achmed gab dem alten Kebir zehn Francs und ein Töpfchen mit kandierten Datteln, begleitete ihn bis vor das Haus und drückte ihm die Hand.

»Es wird vieles anders werden«, sagte er dabei fast feierlich. »Es gibt noch mutige Männer in der Wüste. Die Sonne und der Sand ziehen ein starkes Geschlecht, Kebir. Ich werde die Augen offenhalten.«

Von diesem Tage an war Saada nie mehr allein. Wenn Seradji Achmed nicht in ihrer Nähe war, wurde sie von einer alten Frau begleitet, die hinter oder neben ihr herlief wie ein Hündchen.

Zwei Tage nach dem Traum zeichnete Saada auf ein Blatt Papier das Gesicht des Mannes, von dem sie geträumt hatte. Am nächsten Morgen war das Blatt verschwunden, Achmed ließ es suchen, stellte das Haus und den Garten auf den Kopf und fluchte Allahs Zorn über alle Hausbewohner. Aber man fand die Zeichnung nicht. Das war verständlich, denn sie lag im Dienstzimmer Achmeds im Aktenschrank abgeheftet unter »Bauvorhaben«, und wer sucht schon im Büro des Scheichs?

Achmed aber beschäftigte sich intensiv mit dem Bild. Er prägte sich die Gesichtszüge ein, er saugte sie in sich auf wie ein Kamel Wasser in seinen Höcker. Bald war ihm das Gesicht so geläufig wie sein eigenes, und es kam die Nacht, in der auch er von diesem Manne träumte... nur war dieser jetzt das Opfer, das von der Klinge Achmeds durchbohrt, sein Leben aushauchte.

»Er entgeht mir nicht!«, sagte er stolz später zu dem alten

Kebir. »Ich werde ihn erkennen, wenn er die Oase betritt. Er lebt schon nicht mehr, denn ich habe ihn aufgefressen –«

Aber der Fremde kam nach Bou Akbir.

Er war schon unterwegs, als Seradji Achmed noch das Bild Saadas in sein Herz presste.

Haben Sie sich das so vorgestellt?«, fragte Léon Boucher, der Hubschrauberpilot aus Ouargla und flog noch einen weiten Kreis über den Erg Tifernine.

Dr. Ralf Bender blickte hinunter auf die Wüste. Die Trostlosigkeit der Sanddünen, die Unendlichkeit des gelben, gewellten Meeres, die flimmernde Luft, die wie eine Wand aus Kristall stand, der weißblaue Himmel, aus dem die Glut geschleudert wurde, alles das ergriff ihn mit einer prickelnden Unruhe.

Als sie weiterflogen, hinüber zu den Erhebungen der Wüstenberge von Issaouane, über Geröllhalden und Felsen, die aussahen wie riesige, gebleichte Gerippe von Urwelttieren, als er plötzlich, auftauchend aus dem Nichts, wie geboren aus heißer, zitternder Luft, die beiden Bohrtürme, die staubüberzogenen Baracken und die Fahnenstangen mit den träge hängenden Flaggen von Algerien, Frankreich und den USA in der Wüste auftauchen sah, nickte er und drückte die Stirn gegen die gläserne Kanzel des Hubschraubers.

»Genauso, nicht anders, habe ich mir das gedacht«, sagte er.

»Sie waren noch nie in der Sahara?«

»Nein.«

»Blödsinn, Sie ausgerechnet nach Bou Akbir zu schaffen.«

»Ist die Sahara nicht überall so wie hier?«

»O nein! Es gibt auch Perlen in diesem Meer aus Sand, Geröll und Salzseen. In Sallah, oder Bou-Saada oder El-Goléa, Ouargla kennen Sie ja jetzt… . auch dort lässt es sich gut leben. Aber hier, Monsieur docteur… ich kenne nichts Trostloseres als den Erg Tifernine. Wie die Kerle das da unten an den Öltürmen aushalten, ist ein Rätsel. Ich würde wahnsinnig, bestimmt, Monsieur.«

Der Hubschrauber flog eine Schleife über die Station XI; Dr. Bender hatte Zeit genug, sein neues Wirkungsfeld zu betrachten. Das muss die Krankenbaracke sein, dachte er, als sie über das weiße Steinhaus flogen. In drei Tagen wird mit einer Lastwagenkolonne die Laboreinrichtung aus Hassi Messaoud eintreffen. Von Marseille ist sie nach Algier geflogen worden, von dort mit einem Transporter der »Sahara-Petrol« nach Hassi Messaoud. Die Kolonne ist schon unterwegs… bis el Kahla sind es 421 km durch Glut und Sand, und von el Kahla noch einmal 96 km bis zur Station XI… 517 Kilometer durch ein Land, das geschaffen wurde, Menschen zu vernichten.

»Sollen wir landen, docteur?«, fragte Léon Boucher sarkastisch. »Oder soll ich umdrehen? Noch können Sie nein sagen. Haben Sie erst Ihre Schuhe auf den Sand gesetzt, sind Sie verloren.«

»Landen Sie, Léon.« Dr. Bender lächelte etwas verzerrt. »Ich habe eine Aufgabe übernommen und wusste, wohin sie führt. Kneifen gibt es nicht. Schließlich bin ich gekommen, um zu helfen.«

»Für ein elendes Drecksgehalt, nicht wahr, docteur?«

»Wie man's nimmt. Ich verdiene mehr als in Deutschland. Dort ist ein junger Arzt mit eigenen Ideen noch immer ein Sohn des Beelzebubs.«

»Und da musste es ausgerechnet die Sahara sein?«

»Die Krankheiten, mein Lieber, suchen sich nicht immer ein gemütliches Bett aus.« Dr. Bender blickte wieder hinunter auf die Station XI, diese lächerlich kleine Warze am Körper der großen Wüste. Sie kreisten jetzt um den Wasserturm und sahen, dass die wenigen Männer, die zwischen den Baracken herumliefen, nicht einmal den Kopf hoben und zu ihnen hinaufstarrten. Es war, als seien sie alle taub und hörten nicht das Gedröhn der Rotorflügel. »Das scheinen merkwürdige Kerle zu sein. Ein Flugzeug interessiert sie gar nicht.«

»Man hat Sie avisiert, docteur...«

»Was heißt das?«

»Die Verwaltung in Hassi Messaoud hat telefonisch Ihr Kommen angemeldet.« Léon Boucher ging tiefer und flog den gewalzten Landeplatz zwischen Bohrturm I und II an. »Glauben Sie nicht, dass man Sie unten mit Girlanden und Ehrenjungfrauen empfängt. Auch das Ölbohrer-Orchester wird keinen Triumphmarsch blasen. Sie kommen als Außenseiter, als Schnüffler, als Störenfried... als unerwünschte Person, um es milde auszudrücken.«

»Aber das ist doch idiotisch. Ich will ihnen doch nur helfen.«

»Sie wollen aber nicht geholfen haben.« Boucher schwebte über dem Landeplatz. Er blieb in der Luft stehen und sank Meter um Meter tiefer. Die Motoren brüllten. »Sie werden sich wundern, docteur, was das für Menschen sind. Der einzige, der Sie beachten wird, kann Jules sein, aber nur, weil er schwul ist. Die anderen... na, erleben Sie das mal selbst! Gut, dass es ein Telefon gibt... ich hole Sie sofort ab, wenn Sie anrufen: Léon, ich hab die Schnauze voll!«

Der Hubschrauber sackte ab, die Kufen bekamen Grund, staubfeiner Sand wirbelte hoch und hüllte alles in einen körnigen Nebel ein. Erst als die Propeller ausliefen und die

Sandwolke zusammensank, öffnete Boucher die Glaskanzel und winkte Dr. Bender zu.

»Bitte, docteur, Sie zuerst! Aha... das Empfangskomitee.«

Dr. Bender sprang aus der Kanzel in den Sand. Zehn Meter vor ihm stand ein einzelner Mann, breitbeinig, wie in die Wüste gerammt, ein Denkmal von Kraft und Trotz: die Eroberer der Wüste. Ein Kerl wie ein Schrank, auf dem Kopf ein weißes Käppi, ähnlich denen der Fremdenlegion, aber zerknautschter, ölbeschmiert, vom Wüstensand gepudert. Hellblaue Hosen, ein kariertes Hemd und darunter ein Berg aus Muskeln.

»Hallo, Léon!«, sagte der Mann und hob kurz die Hand. Dann schwieg er wieder und sah Dr. Bender mit zusammengekniffenen Augen an.

»Das ist Pierre Serrat, der Vorarbeiter«, erklärte Boucher und lud die Koffer Dr. Benders aus. »Wenn er Ihnen die Hand drückt, gehört die Wüste Ihnen... soviel ist das wert. Aber er wird nicht drücken.«

Dr. Bender sah sich um, ohne Pierre Serrats herausfordernde Haltung zu beachten. Die Trostlosigkeit dieses Camps war bedrückend... dass Menschen hier monatelang lebten, war fast ein Wunder. Was tut man nicht alles für Geld, dachte er. Oder haben sie alle einen Grund, die Einsamkeit als neue Heimat anzusehen? Das hier ist ein kannibalisches Land... wer es überlebt, muss ein noch größerer Kannibale sein!

»Schön!«, sagte Dr. Bender zur großen Verblüffung Bouchers. »Es gefällt mir hier.«

»Das ist doch nicht Ihr Ernst, docteur?«

»Mein vollster, Léon. Ich habe immer einen Ort gesucht, wo Ruhe ist. Nun habe ich ihn gefunden... hier haben selbst die Menschen ihre Stimme mit Sand verklebt.«

Pierre Serrat verstand. Sein dicker Bullenkopf senkte sich angriffslustig.

»Wir haben niemanden angefordert!«, sagte er rau. »Einen Arzt schon gar nicht! Was hier krank wird, versorgen wir allein! Sie werden sich langweilen.«

»Das glaube ich nicht.« Dr. Bender kam auf den riesigen Serrat zu. Kurz vor ihm blieb er stehen und streckte ihm die Hand hin. »Sie waren Legionär?«

Pierre übersah die Hand. »Ja –« antwortete er kurz.

»Ich sehe es an Ihrem Käppi. Wie lange?«

»Fünfzehn Jahre. Corporal…«

»Dann kann ich Ihnen einen Gruß ausrichten. Ich habe ein Bataillon von Ihnen auf Korsika gesehen.«

Über das breite Gesicht Serrats zuckte es. Aber er starrte über Dr. Bender hinweg in die Wüste. »Sie sind nur noch ein Schatten der Legion«, sagte er dann dumpf. »Frankreich hat uns verraten!« Und plötzlich wandte er sich ab, ergriff die Koffer Dr. Benders, wuchtete sie auf seine breiten Schultern und trug sie davon zur Krankenbaracke. Mit offenem Mund starrte Léon Boucher ihm nach.

»Das ist Geschichte«, sagte er und fasste Dr. Bender an den Ärmel der Leinenjacke. »Das ist Wüstengeschichte! Pierre trägt Ihre Koffer! Wenn ich das in Hassi Messaoud erzähle, verprügelt man mich als elenden Lügner.«

Dr. Bender hob stumm die Schultern und ging Pierre Serrat nach. Wie ausgestorben lag das Camp unter der glühenden Sonne. Nur von den Bohrtürmen schallte das rhythmische Gepolter der schweren Pumpen herüber, und irgendwo hinter einem der gelben Sandhügel kreischte ein Bohrgestänge in den Halterungen.

Als sie kurz vor der Krankenbaracke waren, flog die Tür auf und krachte gegen die Steinwand. Und dann erlebte Dr. Bender seine erste große Überraschung in der Sahara: In der

Tür stand eine Frau. Sie trug wie Serrat hellblaue Hosen, eine ausgebleichte Bluse und dicke Schuhe gegen die Sandflöhe. Ihr fahlblondes, kurzgeschnittenes Haar hatte sie mit einem roten Band durchzogen... und um die Hüfte trug sie einen breiten Ledergürtel mit einem offenen Pistolenhalfter. Der Griff einer schweren Armeepistole leuchtete schwarz in der Sonne.

»Das ist Cathérine«, sagte Pierre Serrat und warf die Koffer vor der Tür in den Staub. »Oder genau gesagt: Schwester Cathérine... unsere Krankenschwester!«

Dr. Bender schluckte. »Ich freue mich –« sagte er dann.

»Wir nicht.« Cathérine gab die Tür frei und trat zur Seite. »Kommen Sie rein... wenn's schon sein muss.«

Was Dr. Bender nicht wusste, war die große Aufregung, die seinem Eintreffen vorausgegangen war.

Wie eine Bombe schlug in Station XI der Anruf der Distriktsverwaltung in Hassi Messaoud ein. Der Leiter des Gesundheitswesens Südost verlangte den Ingenieur Alain de Navrimont, aber der lag bereits wieder in seinem Bett und soff, betrachtete in amerikanischen Magazinen nackte Mädchen und warf Pierre eine halbleere Flasche an den Kopf, als dieser die Tür aufriss und brüllte: »Chef! Telefon!«

»Der Herr Ingenieur ist auf einer Inspektionsreise zu den beiden neuen Bohrstellen«, log Serrat später am Telefon. »Um was geht es denn?«

»Ihr werdet morgen einen Gast bekommen.«

»Einen was?«

»Es wird ein Arzt zu euch eingeflogen.«

»Wir sind hier eine Bohrstation!«, schrie Serrat in den Hörer. »Erholungsreisende sollen an der Küste bleiben!«

»Die Krankenstation von XI ist die beste im ganzen Umkreis. Ihr seid die einzigen, die sogar eine ausgebildete Schwester haben –«

»Wenn du dieses geschlechtslose Wesen als Schwester bezeichnest, – deine Sache. Hier wagt keiner krank zu werden, nur um mit ihr nicht in Berührung zu kommen.«

»Halt mal den Mund, Serrat, und hör zu!« Der Verwaltungsbeamte in Hassi Messaoud räusperte sich. Ihm unterstand die Abteilung Hygiene, aber er hatte wenig Ahnung davon. Er war gelernter Buchhalter, verwaltete gewissenhaft die verschiedenen Apotheken… aber mit der ärztlichen Versorgung der über 600 wilden Männer, die da verstreut in der glühenden Sahara nach Öl bohrten, war er restlos überfordert. Zwar gab es zwei Ärzte, aber die saßen in Ouargla und in der Wüstenstadt In Aménas, dem Punkt, wo zwei Pipelines aus den südlichen Bohrgebieten zusammenliefen und zur Küste gepumpt wurden. Für die Gesundheit sorgten sonst in den Camps ausgebildete Sanitäter; schwere Fälle wurden mit dem Flugzeug abgeholt und in das Hospital von Ouargla gebracht. Nun kam ein neuer junger Arzt in die Wüste – die Idioten sterben nicht aus! – wollte bei Bou Akbir eine Krankenzentrale aufbauen, und nun war auch das wieder nicht richtig in den Augen Pierre Serrats. Der Teufel trete ihn in den Hintern!

»Es ist ein deutscher Arzt«, sagte der Mann in Hassi Messaoud. »Die Hauptverwaltung in Marseille hat ihn engagiert. In einigen Tagen werden alle Distrikte neu aufgeteilt, und ihr werdet Zentrale für die am weitesten liegenden Außenstellen. Ihr seid die Vorposten der Kultur, Pierre. Die Pioniere der neuen Zeit!«

»Spar dir den Pflaumenbrei… was will der Kerl bei uns?«

»Ein Krankenhaus aufbauen, die Hygiene überwachen und… sich um die Hadjar-Krankheit kümmern –«

»Aha!« Serrat zog die buschigen Augenbrauen zusammen. »Bei uns gibt es keine Hadjar-Krankheit.«

»Das wissen wir… aber sie ist auf dem Vormarsch. Dr. Bender, der sechs Wochen in Algier im Labor war, meint, es müsse sich um Viren handeln, die die Magenwände durchfressen.«

»Keine Sorge.« Serrat starrte gegen die rohe Holzwand der Schreibbaracke. »Ich will keinen Arzt hier haben. Uns genügt die Cathérine. Schickt ihn zu V oder VIII… da gibt's auch was zu tun.«

»Es geht nicht, Pierre. Befehl von oben. Morgen trifft Dr. Bender bei euch ein. Empfangt ihn nett –«

»Darauf könnt ihr euch verlassen.«

Serrat knallte den Hörer zurück und lief hinüber zu Alain de Navrimont. Der Ingenieur saß auf der Bettkante und pinkelte in einen Eimer. »Kannst du Affe nicht anklopfen?«, schrie er, als er Serrats massige Gestalt in der Tür sah. Er schob den Eimer unters Bett und knöpfte seine Hose zu.

»Ein Arzt kommt aus Algier! Morgen schon!«, brüllte Pierre.

»Na und?«

«Begreifen Sie nicht, Chef? Ein Arzt! Wegen der Hadjar-Krankheit! Irgend jemand muss uns verpfiffen haben. Dem Schwein drehe ich den Hals rum wie eine Spirale! Wenn die Sache mit Bob Miller herauskommt, haben wir hier die Sandflöhe am Tanzen!«

Ingenieur de Navrimont sah Pierre aus wässrigen, betrunkenen Augen an. Sein Gehirn arbeitete langsam… es war schwer für die Gedanken, sich durch den Alkohol durchzuwühlen.

Ein Arzt. Der Fall Miller. O verdammt, verdammt, das gibt Unruhe in der Wüste.

»Was sollen wir tun?«, fragte er hilflos.

»Das einzige, was uns übrig bleibt: Wir werden den Deutschen wegekeln. Für ihn wird die Wüste nicht aus Sand, sondern aus Beton sein. Keiner von uns wird mit ihm sprechen… und wenn's sich nicht vermeiden lässt, werden es Unfreundlichkeiten sein. Er soll bei 60 Grad Hitze das Frieren lernen. Und wenn er auf Inspektionsreise geht, wird genau dort, wo es kein Wasser gibt, der Motor aussetzen.«

»Das kannst du nicht tun, Pierre.«

»Ich kann alles.« Serrat ballte die riesigen Fäuste. »Wir brauchen keinen Schnüffler hier. Am besten ist es, Sie halten sich aus allem heraus.«

Er brachte de Navrimont eine neue Flasche Pernod und einen Krug Wasser, stellte beides auf den Nachttisch und verließ das Zimmer.

Das war morgens um 10 Uhr. Um 12 Uhr war der Ingenieur wieder unansprechbar, und Pierre hielt eine Versammlung mit seinen Leuten ab.

»Er ist Luft für uns!«, brüllte er und starrte dabei Jules aus Lyon, den Schwulen, an. »Auch für dich, du Süßer! Ich schlage jedem die Hirnschale ein, der sich um den Doktor kümmert.«

Das war vor 24 Stunden gewesen. Nun saß Dr. Ralf Bender in der steinernen Krankenbaracke, im Zimmer von Schwester Cathérine. Ein großer Ventilator drehte sich an der Decke, vor den Fenstern hingen dichte Vorhänge, es war angenehm kühl im Vergleich zu der Glut, die draußen über den Sanddünen brütete. Nur die Geier auf dem Dach hörte man… ihr heiseres Krächzen durchdrang jede Mauer.

»Ihr Zimmer ist vorbereitet«, sagte Cathérine und goss ein Glas mit kaltem Tee voll. »Sie können es beziehen, wenn Sie bleiben wollen.«

»Natürlich bleibe ich.« Dr. Bender blickte Serrat an. Der

Riese stand an der Tür und rauchte nervös. »Ich packe sofort aus und besichtige dann die Krankenstation.«

»Die erste Chefvisite!«, sagte Serrat anzüglich. »Sie werden sich wundern!«

»Ich glaube nicht. Ich habe alles, was möglich ist, erwartet.«

»Sie wissen gar nicht, was in der Wüste alles möglich ist.«

»Vielleicht. Man lernt nie aus... und ich lerne gern.«

Serrat schob die Unterlippe vor, tippte an sein verbeultes, altes Legionärskäppi und verließ das Zimmer. Draußen im Flur warf er die halb gerauchte Zigarette an die Wand, zertrat sie dann mit dem Stiefel und sagte laut: »Scheiße!« Dr. Bender hörte es durch die Tür und lächelte Schwester Cathérine an.

»Er hat Manieren wie ein Büffel –«

»Wundert Sie das? Er ist seit zwanzig Jahren in der Wüste. Da trägt man keinen Brillantring mehr am kleinen Finger. Hier können Sie mit einer Konversation über das Mystische in Sartres Dramen nichts erreichen, wohl aber mit einem Faustschlag unters Kinn. Ölbohren in der Sahara... das ist eine Welt für sich.«

»Aber sie alle hier sind Menschen.«

»Doch was für welche!«

Eine Stunde später, nachdem Dr. Bender seine Koffer ausgepackt und von seinem Zimmer Besitz ergriffen hatte, inspizierte er die Krankenstation. Der Pilot Léon Boucher war wieder abgeflogen, nicht ohne vorher noch einmal zu Dr. Bender gesagt zu haben: »Docteur... steigen Sie ein und kommen Sie mit. Sie sind nicht der zähe Bursche, der diese Hölle aushält. Sand, Wind und Sonne allein... das lässt sich noch ertragen... aber die zweiundvierzig Kerle hier, diese zweiundvierzig Teufel... die schaffen Sie nie!«

Dr. Bender hatte stumm den Kopf geschüttelt, Boucher

die Hand gedrückt und war ins Haus zurückgegangen. Dort half ihm niemand beim Einräumen seines Gepäckes. Er musste die Kisten mit den wichtigsten Laborgeräten allein hereinschleppen, und vier Männer aus dem Camp standen draußen herum, die Hände in den Hosentaschen, und grinsten ihn an.

Die Krankenbaracke war ein elender Stall, nach europäischen Begriffen. Die Wände waren weiß getüncht, nur im Untersuchungszimmer gab es fließendes Wasser, das mit einer Pumpe aus dem Wasserturm angesogen wurde. Die Betten, einfache, aus ungehobeltem Holz gezimmerte Gestelle, hatten Auflagen aus Seegrasmatratzen und waren mit Decken überzogen. Nur Schwester Cathérine und jetzt auch Dr. Bender hatten weiße Bettwäsche.

Als er seine Visite begann, erlebte Dr. Bender eine neue Überraschung: Schwester Cathérine erwartete ihn auf dem Flur in Schwesterntracht, mit einem blauweiß karierten Kleid, einer weißen Schürze und einem etwas verbeulten Häubchen auf den fahlblonden, kurzen Haaren. Erstaunt stellte Dr. Bender fest, dass sie weibliche Formen hatte: einen kleinen, spitzen Busen, schöne, runde Hüften und schlanke, ziemlich lange Beine.

Was allein an diesem Bild störte, war wieder der breite Ledergürtel mit der offen getragenen Pistole… Cathérine hatte ihn über die weiße Schürze geschnallt… der schwarze Pistolenknauf lag griffbereit.

Dr. Bender vermied, jetzt schon Fragen zu stellen. Er nickte ihr zu und knöpfte seinen weißen Arztmantel zu. Cathérine lächelte ihn schief an. Weißer Kittel, Membranstethoskop in der Tasche, Blutdruckmesser in der linken Hand… als ob das hier eine Station in der Mayo-Klinik wäre! Brüllen vor Lachen werden die Kerle, wenn sie ihn so sehen. Über Hämorrhoiden werden sie klagen, nur um ihm ihren ungewaschenen Hintern zeigen zu können! Wie war das damals, als sie nach Station XI kam, zusammen mit dem Sanitäter Felice? Da standen die Kerle grinsend Schlange vor der Ambulanz und klagten über Schwellungen am Unterleib. Felice prügelte sie aus dem Zimmer. Der gute Felice... er verdorrte vor einem Jahr, trocknete buchstäblich aus, und als man ihn nach Ouargla flog, war's schon zu spät. Aber Cathérine blieb, und alle hatten höllischen Respekt vor ihr.

»Na, dann wollen wir mal!«, sagte Dr. Bender mit krampfhafter Fröhlichkeit. »Wieviel Kranke haben wir?«

»Vier.«

»Von allen Bohrstationen?«

»Ja. Leichte Unfälle werden gar nicht mehr gemeldet... die versorgen sich selbst. Jeder Bohrturm hat einen Verbandskasten.«

»Und diese vier?«

»Eine Gelbsucht, eine Fußquetschung, ein Malariaanfall und na ja –«

»Na ja? Eine neue Krankheit? Kenne ich noch nicht...«

»Ein Tripper«, sagte Cathérine mürrisch. »Das Schwein hat ihn aus el Kahla mitgebracht.«

Dr. Bender schielte aus den Augenwinkeln zu Cathérine. Ist sie so völlig mannhaft, oder spielt sie nur das Mannweib? Wenn sie die Haare länger wachsen ließe, in weichen Wellen bis zur Schulter... sie könnte hübsch aussehen. Hat sie noch nie ihren Körper im Spiegel gesehen? Ihr Mund beleidigt ihn mit jedem Wort.

»Gehen wir!« Dr. Bender riss die Tür zum ersten Krankenzimmer auf. Zigarettenrauch und der Geruch von abgestandenem Bier und Schnaps quollen ihm wie eine Wolke entgegen. »Wieso wird in einem Krankenzimmer geraucht und gesoffen?«, fragte er laut über die Schulter.

Cathérine stand dicht hinter ihm. Er spürte ihren Atem in seinem Nacken, als sie antwortete.

»Bringen Sie den Ochsen bei, dass sie es nicht dürfen.«

»Nichts einfacher als das.«

Dr. Bender trat in das Zimmer, ging zum ersten Bett und nahm von dem Holzstuhl, der als Nachttisch diente, die Zigaretten und die Bierflasche weg. Der Kranke – es war die Fußquetschung – sprach kein Wort, er drehte sich nur auf die Seite, streckte Dr. Bender seinen Hintern unter die Nase und ließ einen streichen. Der Kranke im Nebenbett – die Gelbsucht – lachte meckernd.

Dr. Bender nickte ungerührt. »Das ist gut«, sagte er und klopfte dem Mann vor sich auf das Gesäß. »Ein Arzt freut sich immer, wenn bei den Kranken die Verdauung klappt. Aber zu viel Blähungen sind ungesund, mein Freund. Schwester, freimachen zur Injektion!«

Cathérine fragte nicht lange. Sie griff die Hose des Mannes, zog sie mit einem Ruck herunter, Dr. Bender nahm eine Spritze aus einem kleinen blinkenden Kasten, den er in der rechten Kitteltasche trug, und ehe der Kranke noch reagieren konnte, saß die Nadel in seiner Hinterbacke und Dr. Bender drückte zu.

»Verdammt!«, schrie der Gespritzte. »O verflucht.« Er drückte die Hände vor den Unterleib, aber es half nichts mehr … es wurde nass unter ihm, er hatte in die Hose gemacht.

»So geht es«, sagte Dr. Bender gemütlich, ja fast väterlich und reichte Cathérine die leere Spritze. »Große Fresse, aber dann ins Bett pinkeln vor Angst. Der Nächste…« Er wandte sich um zu dem Gelbsüchtigen, der eben noch gelacht hatte. Nun lag er wie in strammer Haltung auf dem Bett und starrte den Arzt mit seinen gelbgefärbten Augäpfeln lauernd an. »Und Sie?«

»Alles in Ordnung, Doktor.«

»Sie haben Gelbsucht und saufen Schnaps! Wollen Sie krepieren?«

»Das werden wir alle in der verfluchten Wüste! Da ist Schnaps noch das beste!«

»Auch eine Philosophie.« Dr. Bender setzte sich ans Bett, untersuchte den Kranken, tastete die harte, geschwollene Leber ab und maß den Blutdruck. Cathérine murmelte die Medikamente herunter, die sie gegeben hatte. Es war erschreckend. Medizin des Mittelalters.

»Sie müssen eine Bärennatur haben, um das bisher überstanden zu haben«, sagte Dr. Bender. »Aber jetzt wird ein anderer Wind wehen. Sie werden versorgt werden wie im Krankenhaus von Paris.«

»Eine Pariserin wäre mir lieber, Doktor.«

»Beim nächsten Urlaub, mein Lieber. Erst müssen wir Ihre Leber hinkriegen…«

Es war eine trostlose Visite. Auch die beiden anderen Kranken sperrten sich gegen den jungen Arzt… seine Worte flossen an ihnen vorbei wie fauliges Wasser. Sie ließen sich die Zigaretten und Flaschen wegnehmen, aber als er das Zimmer verlassen hatte, griffen sie unter die Matratzen und zogen die versteckten Packungen hervor.

So ein dämlicher Affe, dachten sie. Krankenhausdrill wie in Paris. Hier leben wir in der Wüste, docteur, in einem Meer von glühendem Sand. Du hast noch keinen Sandsturm erlebt, wenn die Welt untergeht in einer Wolke aus feinkörnigem Staub, der dir den weißen Kittel vom Leib reißen wird wie Lokuspapier! Du kennst die Sahara nicht, docteur… die unendlich Schweigende, sagen die Araber… aber manchmal brüllt sie auf wie zehn Vulkane. Dann wirst du dir in die Hose machen, docteur –

»Was haben Sie da vorhin gespritzt?«, fragte Schwester

32

Cathérine, als sie wieder im Untersuchungszimmer saßen und Dr. Bender die Krankenkartei durchblätterte, die Cathérine gewissenhaft geführt hatte.

»Einfaches Calcium. Sie wissen doch... wenn man schnell statt ganz langsam injiziert, kommt eine Hitzewelle über den Patienten, und schließlich muss er in die Hose machen, ob er will oder nicht.« Dr. Bender blickte von den Karteiblättern auf. »Wie weit ist Bou Akbir?«

»24 Kilometer. Warum?«

»Ich werde die Oase inspizieren und alle Einwohner untersuchen. Der geheimnisvolle Hadjar-Virus ist nicht eingeschleppt worden... er muss aus der Wüste, aus den Oasen kommen...«

»Das wird Schwierigkeiten mit Seradji Achmed geben.«

»Wer ist denn das?«

»Der Scheich von Bou Akbir. Ein König in seiner Oase.«

»Ich werde mit ihm sprechen. Morgen fahren wir hin...«

»Wie Sie wollen, Doktor.« Cathérine hob die Schultern, streifte das Häubchen vom Haar und strich die weiße Schürze glatt. Ihre spitzen, kleinen Brüste drückten sich durch den Stoff. »Sie werden dabei das Phantastische dieser Wüste kennen lernen: Wir arbeiten für das Jahr 2000 und leben doch im Altertum!« Abrupt, als habe sie zu viel Menschliches gesagt, stand sie auf. »Ist noch etwas, Doktor?«

»Nein. Sie können gehen, Schwester. Vergessen Sie nicht die Medikamente für die einzelnen Kranken. Sie haben sich nichts notiert.«

»Ich vergesse nie etwas!«

Sie ging hinaus, mit einem festen Schritt und doch mit einem fraulichen Wiegen der Hüften. Das Pistolenhalfter wippte auf ihrem Oberschenkel.

Am Abend trafen sie sich vor der Tür der Krankenbaracke.

Im Camp war das Abendessen vorüber. Die Küche hatte für den neuen Doktor einen Topf herübergeschickt. Nudeln mit Backpflaumen. Luciano, der kleine Italiener, brachte ihn und stellte ihn stumm vor Dr. Bender hin. Das Essen für die Kranken und für sich selbst holte Schwester Cathérine mit einem kleinen Handwagen von der Küche. Dr. Bender hielt Luciano am Ärmel des weiten Pullovers fest.

»Sagen Sie dem Koch, dass ab morgen das Essen für die Krankenstation pünktlich gebracht wird! Ab sofort wird Schwester Cathérine nicht mehr mit dem Handwagen kommen. Haben Sie verstanden.«

»Ich schon, dottore«, sagte Luciano grinsend. »Aber ob der Koch…?«

»Das wird sich zeigen.«

Nun saß Cathérine auf einer Holzbank, in einem dicken Pullover und mit Stiefeln an den schlanken Beinen. Die Wüstennacht war kalt und sternenklar. Die Sanddünen glitzerten schwarz, nur die Kuppen schienen wie mit Silber gestrichen. Auf dem Dach flatterten stumm die Geier. Wie zwei Totenfinger, die Gott anklagten, ragten die beiden Bohrtürme zu den Sternen empor. Weit weg hörte man das heisere Bellen von Schakalen.

»Sie kommen von der Oase«, sagte Cathérine, als sich Dr. Bender neben sie auf die Bank setzte.

»Wer?«

»Diese Viecher. Der Koch, René Bourgès, ist ein perverser Kerl… er lockt die Schakale mit den Küchenabfällen ins Lager. Er nennt sie ›meine Mülleimer‹.«

»Warum sprechen Sie so, Cathérine?«

»Was meinen Sie damit?« Ihr Kopf wandte sich zur Seite.

»Sie reden wie ein Clochard… aber Sie sind eine hundertprozentige Frau.«

»Blödsinn. Ich bin ein Sandfloh in der Wüste.« Ihre Stimme war rau geworden, aber sie flatterte auch ein wenig. »Lassen Sie mir meine nächtliche Stunde, Doktor. Ich will mich nicht unterhalten… ich will Ruhe haben und in die Sterne sehen.«

»Warum tragen Sie eine geladene Pistole?«

»Sie ist nötig bei fast fünfzig Männern in der Wüste. Männern, die monatelang keine Frau sehen. Als ich hierher kam, habe ich Schlachten geschlagen… zuerst mit einem Brett, dann mit einer Eisenstange… schließlich schoss ich drei Kerlen in die Beine. Da hatte ich endlich Ruhe! Jetzt rührt mich keiner mehr an.« Sie wandte den Kopf und sah Dr. Bender aus graugrünen Augen an. »Ist das klar, Doktor?«

»Ganz klar, Cathérine. Aber Sie sollten sich die Haare wachsen lassen. Sie könnten wunderbare Haare haben… goldgelb und matt glänzend wie die Pferde in der Camargue…«

Er stand auf und ging, ohne sich umzublicken, ins Haus zurück. Cathérine starrte ihm nach, ihr schmaler Mund zuckte… dann krallte sie beide Hände in den Seidenschal um ihren Hals und zerriss ihn mit einem Ruck.

Zum erstenmal nach sechs Jahren spürte sie ihr Herz.

Am nächsten Tag, sieben Uhr früh, erreichten sie die Oase Bou Akbir. Die Fahrt mit dem Jeep über die Wüstenpiste war kein Problem gewesen. Zwei Geier von Station XI begleiteten sie, bis von Bou Akbir andere Geier herüberkamen und das Geleit übernahmen.

»Das ist sie«, sagte Cathérine, als Dr. Bender anhielt und

auf den großen grünen Fleck blickte, der dort mitten in der Sandwüste auftauchte. Eine Laune der Natur. Blühendes Leben inmitten eines toten Landes. Gärten und Palmen, weiße Häuser und Blüten, aus dem Sand gezaubert durch das Geheimnis des Wassers. »Seit 35 Jahren herrscht hier Seradji Achmed. Es ist die fortschrittlichste Oase im ganzen Süden der Sahara. Achmed ist ein hochintelligenter Kopf... Sie werden es ja gleich erleben.«

Langsam fuhren sie in die Oase ein, zwischen schwer bepackten Eseln und Lastkamelen, die schon an diesem frühen Morgen große Steine von den nahen Wüstenfelsen in den Ort schleppten. Baumaterial für eine neue Planung Achmeds... er wollte eine neue, schöne, große Moschee in Bou Akbir errichten.

Saada war auf dem Rückweg von dem alten Priester Kebir, der jeden Morgen einen Korb voll Früchte von Achmed bekam, als sie den Jeep durch die Hauptstraße fahren sah. Sie blieb stehen, strich ihr langes, schwarzes Haar aus der Stirn und lehnte sich an eine Gartenmauer.

Ab und zu kamen Männer von den Bohrstellen in die Oase, meistens von der Küche, um Obst einzukaufen und frisches Gemüse. Die Bauern von Bou Akbir begrüßten sie stets mit Stolz und deutlichem Widerwillen, aber sie verkauften ihnen doch das Gemüse für gute Francs, denn sie nahmen überhöhte Preise, und die weißen Hohlköpfe bezahlten sie, ohne zu handeln.

Keine sechs Meter stand Saada von Dr. Bender entfernt, als dieser seinen weißen Korkhelm abnahm und sich Luft zufächelte. In diesem Augenblick schlug das Schicksal in Saadas Herz wie ein gewaltiger Blitz.

Dieses Gesicht... diese Haare... diese blauen Augen...

Er ist es! Er ist gekommen!

Das Wunder eines Traumes wurde Wirklichkeit.

Der Mann war gekommen, der Saadas Herz aus der Brust nahm und es behielt.

Sie drückte den Korb gegen ihre Brüste, wirbelte herum und lief fort. Als verfolge der Teufel sie, jagte sie über die Straße, erreichte die Gartentür ihres Hauses, stürzte in das sichere Viereck der hohen Steinmauern und fiel dort auf die grüne Wiese, auf der sich, welch königlicher Luxus, ein Rasensprenger drehte.

»Er ist es…«, stammelte sie. »Er ist es. O Allah, er ist gekommen. Und er ist herrlicher, viel herrlicher als mein Traum. Wie eine Flamme traf mich sein Blick. Er ist gekommen –«

Sie drückte das heiße Gesicht in das feuchte Gras und presste beide Hände auf das zuckende Herz.

Das große Schicksal Saadas begann.

Dr. Ralf Bender brauchte nicht lange zu warten. Er wurde sofort von Scheich Seradji Achmed empfangen. Cathérine war schon öfter bei ihm gewesen, und immer handelte es sich um die »verdammte Geilheit der Männer«, wie sie es in ihrer Art ausdrückte. Beschwerden über Mädchen der Oase, die – obgleich das verboten war – doch mit Ölbohrern hinter die Büsche und in die Sanddünen gegangen waren und dann allerlei Krankheiten hinterließen… von einer widerlich juckenden Krätze bis zu einer ausgewachsenen Gonorrhoe. Achmed hatte dann immer großzügig abgewunken. »Warum schlafen sie mit unseren Weibern?«, fragte er hochmütig.

»Unsere Männer werden nicht krank! Es muss an dem merkwürdigen Blut der Weißen liegen –«

»Wenn Sie etwas erreichen wollen, Doktor«, hatte Cathérine vor der Fahrt nach Bou Akbir gesagt, »dann müssen Sie mit dem Scheich reden. Er ist Alleinherrscher in der Oase. Und er möchte uns Eindringlinge in seine Wüste am liebsten fressen.«

Nun stand also Dr. Bender vor Seradji, und Achmed erkannte ihn sofort. Er brauchte erst gar nicht aus dem Aktenschrank die Traumzeichnung Saadas zu holen, diese Augen, dieses stolze Gesicht, die blonden Haare – er war es! Ohne Zweifel. Allah hatte ihn im Traum angemeldet, und Achmed schämte sich vor seinem Gott, dass er daran gezweifelt hatte, dass es diesen Mann überhaupt geben konnte.

Der Empfang im Haus des Scheichs war höflich, aber eisig. Seradji bot Dr. Bender ein rundes Lederkissen als Sitz an, streifte Cathérine mit einem abweisenden Blick, als auch diese sich ohne Aufforderung setzte, und hockte sich dann selbst auf den dicken Teppich. Ein Diener brachte ein kupfernes Tablett, auf dem eine schmale Kaffeekanne, ein Topf mit Kamelstutenmilch und ein Gefäß mit Honig standen. Drei kleine, runde Tassen wurden auf ein aus Messing getriebenes Tischchen gestellt.

Die Höflichkeit, einen Gast zu bewirten, verletzte Seradji nie... aber nach dem Schluck heißen, dickflüssigen Kaffee folgte die dicke Quaderwand der Ablehnung.

Er ist es, dachte er immer wieder. Bei Allah, er wird mir meine Tochter wegnehmen. Was kann ich tun?

Er flüsterte mit dem Diener und war danach zufrieden. Saada wurde eingesperrt, solange der Fremde in der Oase war. Wer sich nicht sieht, kann sich auch nicht lieben – das ist eine furchtbar einfache Weisheit.

»Was führt Sie zu mir?«, fragte Achmed in einem einwandfreien klassischen Französisch. Er war ein gebildeter Mann, und es war gut, das auch mitten in der glutenden Wüste herauszustellen. Dr. Bender stellte die Tasse mit dem dampfenden, herrlich duftenden Kaffee zurück auf den Messingtisch.

»Es sind zwei Dinge, Scheich«, sagte er. »Zunächst wollte ich mich vorstellen als der neue Arzt für diesen Bohrdistrikt. Ich wohne auf Station XI.«

»Ich sehe es an Ihrer Begleitung«, antwortete Achmed zurückhaltend. »Seien Sie willkommen, Doktor.«

»Zum anderen möchte ich einen Kranken ansehen.«

»Bei mir?« Die Lippen Achmeds wurden schmal.

»In Ihrer Oase. Schwester Cathérine sagte mir, dass seit zehn Tagen ein Mann mit heftigen Magenkrämpfen in seinem Haus liegt und auch Blut spuckt.«

»Schwester Cathérine liebt es, zu übertreiben.« Ein harter Blick traf die Krankenschwester. »Der Mann ist längst wieder gesund. Er hatte verdorbenes Fleisch gegessen. Wir heilten ihn mit Kräutersaft. Unser Arzt in Bou Akbir ist gut.«

»Sie haben einen Arzt hier?«, fragte Dr. Bender erstaunt. Er blickte Schwester Cathérine an, aber diese schüttelte missmutig den Kopf.

»Was sie hier so Arzt nennen«, sagte sie grob. »Der Kerl hat irgendwo im Norden eine Art Sanitäterausbildung gemacht. Erste Hilfe und so. Dann hat er im Algerienkrieg die verwundeten Berber versorgt. Sogar amputiert hat der Kerl. Seitdem nennt er sich Hakim.«

»Er ist einer!«, warf Achmed dazwischen. »In Bou Akbir gibt es keine Kranken.«

»Weil sie rechtzeitig sterben…«

»Es war ein Fehler Allahs, die Frauen mit einem Mund zu erschaffen.« Achmed klatschte in die Hände. Der Diener erschien wieder, lautlos, wie ein Schatten aus der Wand, und räumte das Geschirr ab. Die Höflichkeit wurde weggetragen… nun blieb die verborgene Feindschaft übrig. »Ich habe keinen Kranken hier, Doktor, der zu Ihrer Beschreibung passt.«

Dr. Bender sah auf seine Hände. Was Cathérine von Bauern aus der Oase gehört hatte, war die Wahrheit. Die Symptome glichen genau denen der Hadjar-Krankheit. »Wir müssen sofort hin!«, hatte Dr. Bender gesagt. »Wenn in Bou Akbir diese verfluchte Krankheit ist, kann hier bald der Teufel los sein! Ich habe für diesen Fall alle Vollmachten der Gesellschaft und der Regierung in Algier.«

»Trotzdem möchte ich den Magenkranken einmal sehen«, sagte er jetzt und sah Seradji Achmed freundlich an. »Zur Sicherheit.«

»Für die Sicherheit meiner Oase sorge ich selbst.«

»Es kann eine ansteckende Krankheit sein.«

»Sie ist es nicht.«

»In einem halben Jahr kann Bou Akbir eine Leichenstadt sein.«

»Wenn es Allahs Wille ist – wer kann ihn hindern?«, sagte Achmed und blickte an die Decke des großen Audienzzimmers.

»Ich werde es verhindern, Scheich.«

»Er will Allah zwingen… welch ein Frevel!« Seradji sprang auf, seine schwarzen Augen glühten. »Ich spreche kein Wort mehr mit Ihnen, Monsieur! Verlassen Sie mein Haus. Sofort! Sie beleidigten meinen Gott!«

Dr. Bender und Cathérine erhoben sich von ihren runden Sitzkissen. »Das hat er gut hingekriegt«, sagte sie. »Wenn ein Gespräch bei Allah endet, gibt es keinen Rückweg mehr. Gehen wir, Doktor –«

»Noch nicht.« Dr. Bender trat einen Schritt auf Achmed zu, der in stolzer Haltung, die Hände am Gürtel seines Untergewandes, wie ein Nachfolger der fanatischen Derwische wirkte. Die Dschellabah, den weiten Umhang, hatte er über die Schultern zurückgeschlagen. »Wenn in Ihrer Oase die Hadjar-Krankheit ist, wird sie auch Sie nicht verschonen, Scheich.«

»Auch das liegt in Allahs Hand...«

»Sie sturer Hund!«, schrie Bender plötzlich. Achmed zuckte vor dem Ton zusammen, aber rührte sich sonst nicht. Außerdem hatte Bender deutsch gebrüllt, merkwürdige Töne, die Achmed noch nie gehört hatte. »Wissen Sie, dass ich Ihnen befehlen kann, mir den Kranken zu zeigen?«, fuhr Dr. Bender wieder auf Französisch fort.

»Erst will er Allah befehlen, jetzt Seradji Achmed. Was ist das für ein wunderlicher Mensch?« Achmed wandte sich an Cathérine. Seine Augenbrauen waren hochgezogen. Was an Spott möglich war, lag in seinem Blick.

»Das ist leicht zu erklären.« Dr. Bender nahm aus seiner Gesäßtasche eine dünne Brieftasche und holte daraus einen Brief hervor. Es war ein Schreiben des Gesundheitsministers von Algerien, der Dr. Bender bevollmächtigte, im Namen der Regierung zu handeln, was er auch tat. Nur weil die Hadjar-Krankheit so unheimlich und gefährlich war, konnte diese Vollmacht für einen Weißen zustande kommen. Man hatte in Algier lange gezögert, bis man den Brief unterschrieb.

Seradji Achmed las das Schreiben. Kein Muskel zuckte in seinem Gesicht. Wortlos gab er die Vollmacht an Dr. Bender zurück und blickte dann an ihm vorbei.

»Ein unangenehmer Mensch«, sagte er stolz. »Mein Diener wird Ihnen den Weg aus dem Haus zeigen, Monsieur –«

Zwei Minuten später standen Dr. Bender und Cathérine wieder auf der Straße vor ihrem Wagen. Kinder spielten auf der Kühlerhaube und benutzten die hinteren Kotflügel als Rutschbahnen. Kinder, unbeschreiblich schmutzig, in zerfetzten Kleidern, in den Augenwinkeln Fliegen, als hätten sie dort ein Nest.

»Das war ein vollendeter Rausschmiss«, sagte Cathérine sarkastisch. »Was wollen Sie tun, Doktor?«

»Den Kranken suchen.«

»Wie?«

»Mit meiner Vollmacht. Gehen wir zur Moschee. Der Priester wird den Kranken auch kennen.«

»Ihre dumme Vollmacht aus Algier können Sie sich einrahmen lassen als Bildnis von der Blödheit der Behörden! In der Wüste gilt das Gesetz Allahs ... wie vor tausend Jahren! In Bou Akbir sind Sie ab heute ein Aussätziger ... weil es Seradji Achmed will. Sie vergessen eins: Diese glühende Sonne trocknet die Hirne nicht aus, sondern lässt einen Stolz wachsen wie einen Urwaldbaum.«

»Auch wenn sie an der Hadjar-Krankheit reihenweise krepieren werden –«

»Auch dann! Was Allah macht, ist gut.«

»Aber was ich machen werde, ist besser!« Dr. Bender setzte sich in den Jeep. Was jetzt, dachte er. Die offene Feindschaft Achmeds war ihm unerklärlich. Man hatte ihm erzählt, der Scheich von Bou Akbir sei ein gebildeter Mann, der gerade Reformen gegenüber sehr aufgeschlossen war. Nun erlebte er gerade das Gegenteil ... das graue Mittelalter in der Wüste. Warum? Schon als er ins Haus kam, hatte Dr. Bender die Gegnerschaft gespürt. Es war, als knisterte die Luft vor elektrischer Spannung.

»Was raten Sie mir, Cathérine?«, fragte er plötzlich.

Cathérine zuckte zusammen. Wie er das sagt, dachte sie. Wie mein Name so ganz anders klingt, wenn er ihn ausspricht. Es ist, als gleite seine Hand über meine Haut, und das ist ein verzauberndes Gefühl.

Sie strich sich mit beiden Händen durch die kurzen, fahlgelben Haare und schürzte die Lippen.

»Wenn Sie zurückfahren, gestehen Sie Ihre Niederlage

ein… bleiben Sie, müssten Sie Berge versetzen können, um ans Ziel zu kommen. Suchen Sie eins aus, Doktor.«

»Ich bleibe und fahre rund um die Oase.«

»Und wozu soll das gut sein?«

»Abwarten. Auch ein Seradji Achmed hat Nerven. Nichts regt mehr auf als ein Feind, der nichts tut. Achmed erwartet von mir eine Aktion… aber ich fahre spazieren. Das wird ihn verrückt machen.«

»Nicht übel.« Cathérine sah Dr. Bender von der Seite an, hinter halb gesenkten Lidern. Ihr Herz schlug schneller als sonst; sie spürte ihr Blut wie Sprudelwasser. Welche Dummheit, dachte sie dabei. Welcher Irrsinn, Cathérine. Seit zwei Jahren hältst du die Kerle mit der Pistole von dir fern… und bei diesem Mann merkst du, dass du ein weibliches Herz hast! Gib dem Herzen einen Tritt und sag ihm, es soll still sein. Was käme schon dabei heraus? Ein Abenteuer, das eines Tages der Wüstensand zuweht. Eine Liebe, die in der Sonne verdunstet. Verdammt, ich hasse die Männer. Bisher haben sie sich mir gegenüber benommen wie die wilden Tiere…

»Fahren wir –« sagte Cathérine mit plötzlich rauer Stimme. »Ich bin gespannt, wie das alles ausläuft…«

Und sie meinte es doppelsinnig und blickte dabei auch nach innen, wo es kochte und brodelte wie in einem Dampftopf.

Dr. Bender fuhr mit dem Jeep davon, und Seradji Achmed sah ihm durch die Gartenhecke nach. Er war in großer Erregung. Saada, die bis zur Abfahrt des Arztes eingesperrt bleiben sollte, war verschwunden. Die Diener hatten sie fieberhaft im Haus und im Garten gesucht, um den Befehl des Scheichs auszuführen. Vergeblich. Saada hatte das Haus verlassen, ehe Achmed die Einschließung anordnen konnte.

»Dann bewacht ihn!«, schrie Seradji die Diener an. »Lasst ihn nicht aus den Augen! Verhindert, dass ihn Saada sieht!

O bei Mohammed – ich hänge euch an den Bärten auf, wenn Saada ihm auch nur von weitem ins Auge blickt!«

Nach zwei Stunden wurde die Sache für Seradji rätselhaft. Seine Diener meldeten ihm, dass der weiße Hakim um die Oase fahre … draußen herum, wo der fruchtbare Boden überging in Geröll und Sandwüste.

»Sein Wagen hüpft durch den Palmenwald wie ein Floh!«, sagte einer der Bewacher. »Immer rundherum. Er ist verrückt, Scheich …«

Seradji Achmed wurde unruhig. Was soll das, dachte er angestrengt. Nur ein Irrer fährt um die Oase. Was hat er davon, Bou Akbir zu umkreisen?

Nach drei Stunden noch dasselbe.

Auch nach vier Stunden.

»Er fährt noch immer rundherum«, sagten die Diener. »Einmal hat er schon nachgetankt aus den Kanistern.«

Es war um die Mittagszeit, die Stunden, in denen sich auch in Bou Akbir alles vor der Hitze verkroch, in den kühleren fensterlosen Zimmern der Steinhäuser lag oder in den Gärten zusammenhockte und auf dem Boden eine Art Domino spielte, ein Privileg der Männer, während die Frauen im Haus blieben, als an der zerbröckelnden Mauer eines Gartens ein Mädchen stand und Dr. Bender zuwinkte. Das Mädchen trug ein kurzes, europäisches, weißes Kleidchen mit großem Blumenmuster. Darüber hatte sie einen großen, durchsichtigen Umhang gelegt, der auch die langen schwarzen Haare bedeckte. Dr. Bender bremste sofort.

»Sehen Sie da –« sagte er. Cathérine nickte mit schmalen Lippen.

»Fahren Sie weiter, Doktor. Es kann eine Falle sein.«

»Wenn das ist, so ist die Falle wenigstens entzückend.«

Über der Nasenwurzel Cathérines erschien eine tiefe, steile Falte.

»Sie will betteln«, sagte sie rau.

»Danach sieht sie nicht aus. Sie trägt sogar ein modernes Kleid.« Dr. Bender stieg aus, Cathérine sprang aus dem Jeep wie ein Soldat, der aus dem Hinterhalt beschossen wird.

»Jetzt erkenne ich sie«, sagte sie heftig atmend. »Es ist Saada. Die Tochter Achmeds.« Sie packte plötzlich den Arm Dr. Benders und hielt ihn fest. »Gehen Sie nicht weiter! Kehren wir zum Wagen zurück. Der Scheich hat uns deutlich gesagt, was er von uns denkt ... jetzt ohne seine Erlaubnis mit seiner Tochter zu sprechen, wäre eine grobe Beleidigung. Sie wissen noch nicht, was das in der Wüste bedeutet.«

»Nicht ich will mit ihr sprechen, sondern sie mit mir. Sie winkt mir ja zu.« Dr. Bender befreite sich aus dem Griff Cathérines. Er sah sie verwundert an, denn ihr Gesicht war gerötet, ihre Brust flog vom schnellen Atmen, und ihre graugrünen Augen sprühten eine nie geahnte Leidenschaft. »Was haben Sie denn, Cathérine?«

»Ich muss Sie vor Dummheiten bewahren. Kommen Sie zurück ...«

Aber es war zu spät. Das Schicksal, das Saada im Traum gesehen hatte, vollzog sich unaufhaltsam. Saada wehrte sich nicht dagegen, lief nicht mehr vor ihm weg, versteckte sich nicht mehr ... es ist so vorbestimmt, dachte sie, ich kann mich verkriechen, wo ich will ... er wird mich immer erreichen. Warum soll ich weglaufen, welchen Sinn hätte es? Mein Herz läuft ja mit, ich kann es nicht aus der Brust reißen ... und solange mein Herz in mir ist, wird es zittern bei seinem Anblick, wird es jauchzen in seiner Nähe ...

Vier Stunden lang hatte sie an der alten Mauer gesessen und den fremden Mann beobachtet. Wenn er vorbeigefahren war, hatte sie Obst gegessen und sich ins Gras gelegt, in den bleiernen Himmel gestarrt und hinüber zu den Sanddünen, über deren Kämme der ständige Wüstenwind flache Nebel aus weißgoldenem Staub trieb. Kam dann aus der Ferne der Wagen wieder heran, sprang sie auf und versteckte sich hinter dem Stamm einer dicken Palme. Mit großen, schwarzen Augen betrachtete sie den weißen Mann, und das Gefühl in ihr war so selig, dass sie den rauen Stamm der Palme umschlang und die Rinde küsste. In der fünften Stunde trat sie dann hervor und winkte… Allah wollte es ja so.

Und dann standen sie sich gegenüber, sahen sich eine Weile stumm an, und es war ihnen, als seien sie keine Fremden, sondern wären sich immer und überall schon begegnet.

»Ich habe Ihr Gespräch mit meinem Vater gehört«, sagte Saada ohne Einleitung. Ihre Stimme war hell, von einem Ton wie melodisch schwingendes Glas. »Es gibt eine dünne Tür in der Wand, davor hängt ein Seidenvorhang. Ich stand dahinter. Mein Vater ist ein unhöflicher Mann… ich bitte um Entschuldigung, Monsieur docteur…«

»Nicht alle Menschen finden sich gegenseitig sympathisch. Dabei bin ich gekommen, um zu helfen. Wenn es Sie beruhigt, Mademoiselle… ich nehme Ihrem Vater nichts übel.«

»Sie sind Arzt?«

»Ja. Dr. Ralf Bender.«

»Welch ein Name.« Sie lächelte, und es war, als blühe eine Rose auf. »Wo kommt er her?«

»Ich bin aus Deutschland.«

»Deutschland?« Saadas Blick ging an Dr. Bender vorbei in die Unendlichkeit. »Ist es das Land, wo es weiß regnet?«

»Ja. Im Winter. Wir nennen es Schnee.«

»Ich habe davon gelesen. In einem Märchenbuch aus Frankreich. Es war schwer, sich das vorzustellen. Weißer Regen. Da habe ich ihn gemalt… auf schwarzes Papier

46

weiße Tupfen... da erkannte ich es, und es war so schön. Hier sind nur Sand und Sonne –«

»Ich beginne sie zu lieben.«

»Sie wollten einen Kranken suchen, docteur?«

»Ja. Aber Ihr Vater sagt, es gibt keinen.«

»Er lügt. Der Kranke ist Abdallah ibn Rahman, ein Kesselschmied. Er schreit vor Schmerzen. Dreimal am Tage ist der Hakim bei ihm und gibt ihm Tropfen. Danach schläft er ... aber Ali, Abdallahs Sohn, hat gesehen, dass der Hakim ihm einfach mit einem hölzernen Hammer auf den Kopf schlägt, damit er still liegt.«

»Eine einfache Behandlung.« Dr. Bender wandte sich zu der bisher stillen Cathérine um. Ihr Gesicht war verkniffen und wirkte älter, als sie war. »Ich sage Ihnen, Cathérine, das kann eine Katastrophe geben. Ein Kesselschmied... mein Gott, mit wieviel Personen ist er als Virusträger schon zusammengekommen! Diese idiotischen Selbstmörder!«

»Nicht schimpfen, docteur.« Saadas Augen glänzten wie poliert.

»Ich führe Sie zu Abdallah. Ich habe mit Ali, dem Sohn, gesprochen. Er erwartet Sie.«

»Was sagen Sie nun, Cathérine?« Dr. Bender streckte Saada beide Hände entgegen. »Ich danke Ihnen, Mademoiselle.«

»Ich heiße Saada Aisha Sinah. Aber ich werde nur Saada gerufen.«

»Drei Namen wie Musik.«

»Ihr Vater wird Sie auspeitschen, wenn er davon erfährt«, sagte Cathérine laut.

»Er wird es nie erfahren! Wo liegt der Kranke, Saada?«

»Hinter dieser Mauer, docteur. Kommen Sie –«

Sie schob ein paar lose Steine aus dem alten Mauerwerk, und ein Loch wurde frei, groß genug, um bequem hin-

47

durchzusteigen. Ein verwilderter Garten mit verfilzten Büschen nahm sie auf… im Hintergrund, zu einer Nebenstraße hin, stand ein niedriges, von der Sonne gebleichtes Haus mit einem schiefen, eingebrochenen Dach. Dahinter ragte ein zweites, flaches Dach auf, auf dem an einer Leine Wäsche wehte. Zwei verschleierte Frauen saßen wie Lehmfiguren dazwischen, anscheinend unbeweglich.

»Das vordere ist Abdallahs Werkstatt«, sagte Saada und ergriff Dr. Benders Hand, als müsse sie ihn durch ein Labyrinth führen. »Dahinter auf dem Dach des Wohnhauses sitzen seine Frau und seine Tochter. Ali ist bei ihm im Haus und bewacht seine Schmerzen. Kommen Sie schnell, docteur –«

Abdallah Ibn Rahman lag im Sterben.

Dr. Bender sah es sofort, als er in das halbdunkle, karg möblierte Zimmer trat. Die fahle, graue, stumpfe Haut, die blutleeren Lippen, die Erschlaffung aller Muskeln… Abdallah verblutete nach innen. Seine Magenwand war zerrissen, zerfressen von den unheimlichen Viren, die plötzlich in der Wüste aufgetaucht waren und von denen niemand wusste, woher sie kamen.

Ali, der Sohn, hockte neben Abdallah auf dem festgestampften Boden. Ein Teppich aus Palmfasern war alles, was den Raum wohnlich machte.

»Ist das der fremde Hakim?«, fragte Ali und starrte Dr. Bender kritisch an. Seitdem er heimlich beobachtet hatte, wie der Hakim von Bou Akbir den stöhnenden Vater durch einen Hieb mit einem Holzhammer einschläferte, hatte er ein tiefes Misstrauen gegenüber der Medizin.

»Ja.« Saada nickte und winkte Ali, den Platz neben Abdallah frei zu machen. »Er wird dir helfen –«

»Ich fürchte, dazu ist es jetzt zu spät.« Dr. Bender kniete neben Abdallah auf die Palmmatte und schob die unteren Lider von den geschlossenen Augen.

Eine helle, fast weißliche Schleimhaut. Das Gleiche im Mund, als er die Oberlippe hochklappte.

Totaler Blutverlust. Dafür schwappte es im Unterbauch, als sei er ein gefüllter Wassersack.

Abdallah spürte von all dem nichts mehr... er lag im Koma, und nur sein gutes Herz schlug noch, unregelmäßig und schwach, aber es arbeitete, solange noch ein Tropfen Blut zu pumpen war.

»Die Tasche –«

Cathérine reichte Dr. Bender die Arzttasche. Er klappte sie auf und entnahm ihr den Spritzenkasten. Mit hochgezogenen Brauen sah sie zu, wie er eine Spritze aufzog und dann die Nadel aufsteckte.

»Ich würde es nicht tun«, sagte sie.

»Warum?«

»Abdallah liegt im Sterben. Wenn Sie jetzt injizieren, wird man sagen, Sie hätten ihn getötet. Der Kerl, der hier Arzt spielt, wird alle Schuld auf Sie schieben. Warten Sie noch etwas... es wird sich alles von allein regeln...«

»Ich kann als Arzt nicht untätig herumsitzen und zusehen, wie jemand stirbt.«

»Können Sie ihm helfen?«

»Nein.«

»Hat er Schmerzen?«

»Jetzt nicht mehr.«

»Also, was wollen Sie noch?«

Dr. Bender legte die aufgezogene Spritze zurück in den Sterilkasten. »Sie bleiben mir ein Geheimnis, Cathérine –«

»Wollen Sie immer so schnell Klarheit? Wir kennen uns kaum vierundzwanzig Stunden.«

»Warum tut er nichts?«, fragte Ali im Berberdialekt Saada. »Er steht auch nur herum wie unser Hakim.«

»Es ist zu spät, Ali.« Saada kniete neben dem sterbenden Abdallah, aber Dr. Bender riss sie zurück, so plötzlich, dass sie leise aufschrie.

»Nicht berühren! Es ist ansteckend. Sagen Sie Ali, dass ich ihm und allen Bewohnern des Hauses ein Serum spritzen muss. Ob es hilft, weiß ich nicht... wir haben noch keine Erfahrung damit. Um sie zu sammeln, bin ich ja hier. Sagen Sie ihnen, sie sollen keine Angst haben... ich will ihnen nur helfen.«

Eine Stunde später starb Abdallah Ibn Rahman. Es war ein stilles Sterben... das Herz setzte einfach aus, es gab kein Blut zum Pumpen mehr in den großen Adern. Er starb allein, denn Dr. Bender impfte Saada, Ali, die Frau Ibn Rahmans und die beiden Töchter, die irgendwoher aus den Winkeln des Hauses hervorkrochen wie blinde Hühner. Als alle zurück in das Wohnzimmer kamen, lag Abdallah erlöst auf der Palmblättermatratze. Sein farbloser Mund stand offen, und ein Schwarm dicker Fliegen umkreiste sein spitzes, zu einer Kindergröße zusammengeschrumpftes Gesicht.

»Ich brauche die Leiche«, sagte Dr. Bender später zu Saada. Im Zimmer klagten die Weiber laut neben dem Toten und erfüllten das Haus mit ihren schrillen Schreien. Es war keine echte Trauer, denn Abdallah war immer ein Tyrann gewesen, aber jetzt gönnte man ihm die ewige Ruhe und schrie laut im Chore, denn je lauter man einen Toten beweint, um so mehr rührt man das Herz Allahs und öffnet das Paradies.

»Was wollen Sie denn damit?« Cathérine ahnte, was Dr. Bender plante. Die Komplikationen, die daraus im Lager XI entstehen konnten, waren unüberblickbar.

»Ich will ihn genau untersuchen.«

»Obduzieren?«

»Ja.«

»Bei uns?«

»Natürlich. Ich werde eine Isolierstation einrichten. Alles ist vorbereitet. Ich nehme an, dass jetzt gerade einige Hubschrauber aus Hassi Messaoud landen und alles Material ausladen. Ich habe von Algier einen kompletten kleinen OP mitgebracht. Dass ich direkt bei meiner Ankunft einen Hadjar-Fall vorfinde, ist ein ungeheures Glück. Ich kann sofort mit meiner Arbeit beginnen.«

»Wie Sie wollen!« Cathérine hob die Schultern. Die Bluse spannte sich dabei wieder über ihren Brüsten, und Dr. Bender stellte erneut fest, dass sie eigentlich sehr hübsch sein könnte, wenn sie mehr Wert auf ihr Äußeres legen würde. »Pierre wird Ihnen Schwierigkeiten machen, Doktor.«

»Serrat geht mich nichts an!«

»Unterschätzen Sie ihn nicht. Er ist in unserem Gebiet die Faust, gegen die niemand ankommt.«

In der Nacht geschah etwas Seltsames.

Ein Kamel, beladen mit einer Rolle aus Palmmatten, verließ die Oase Bou Akbir und trottete hinaus auf die Wüstenpiste. Ali saß vorne am Hals des Kamels, eingewickelt in seine dicke Dschellabah, und betete die Sterbesuren aus dem Koran.

Zehn Kilometer von Bou Akbir entfernt, wartete Dr. Bender mit einem kleinen Kastenwagen auf das einsame Kamel. Als es gegen den sternenübersäten Himmel auf dem Kamm der Sanddünen auftauchte, wie ein Holzschnitt gegen eine silberbesprenkelte Wand, winkte er dreimal kurz mit einer Taschenlampe.

»Er kommt tatsächlich«, sagte Cathérine, die im Wagen saß und trotz des dicken Pullovers in der kalten Wüstennacht fror.

»Ich habe ihm ja auch 400 Francs gegeben ...«

»Was haben Sie?«

»Ich habe ihm den Vater abgekauft. So viel hätte er selbst für den Lebenden nicht bekommen.«

»Jetzt bleiben Sie mir ein Rätsel, Doktor.«

»... weil wir uns erst vierunddreißig Stunden kennen!«

Er lächelte und ging Ali ein paar Meter entgegen. Das Kamel hob den Kopf und brüllte dumpf. Dann blieb es stehen und ging in die Knie ... zuerst mit den Vorderbeinen, dann hinten. Ali sprang in den Sand und legte die Hand auf die Mattenrolle.

»Hier ist er, Hakim ...«

»Danke, Ali.«

Dr. Bender gab ihm ein Bündel Geldscheine, die Ali schnell in seiner unsichtbaren Tasche unter seiner Dschellabah verschwinden ließ. Dann banden sie die Rolle vom Kamelsattel und trugen sie hinüber zum Wagen.

So kam Abdallah Ibn Rahman auf die Station XI und wurde in eine elektrisch gekühlte Spezialwanne gelegt, eine Art Tiefkühltruhe, die ein paar Stunden vorher mit dem Hubschrauber in die totale Einsamkeit der Sandwüste geflogen worden war.

Der nächste Morgen brachte den Besuch Pierre Serrats in der Krankenbaracke. Dr. Bender saß gerade beim Frühstück, als die Tür aufflog und der Bulle von Mensch hereinkam, dass die Dielen zitterten.

»Was ist das nebenan?«, bellte er ohne Begrüßung. »Isolierstation. Abgeschlossen! Merken Sie sich eins, Doktor: Bei mir gibt es keine abgeschlossenen Türen!«

»Aber die bleibt zu!« Dr. Bender lehnte sich zurück. »Und auch die Krankenbaracke wird nur von dem betreten, der krank ist!«

»Oho! Und wer bestimmt das?«

»Ich!«

»Einen Scheißdreck tun Sie!« Pierre Serrat warf die Tür mit einem Fußtritt zu, dass die Wände knirschten. »Was im Camp XI geschieht, bestimme ich!«

»Zuerst doch wohl Ingenieur de Navrimont –«

»O Gott! Den sehen wir nur viermal am Tag, wenn er auf den Lokus rennt.« Serrat baute sich breitbeinig vor Dr. Bender auf, ein Gebirge aus Fleisch und Knochen, das unüberwindbar schien. »Geben Sie den Schlüssel her!«

»Welchen?«

»Fragen Sie nicht so dämlich! Den vom Isolierraum. Ich will sehen, was Sie da verstecken. Ist es wahr, dass Sie gestern nacht mit dem Wagen V unterwegs waren?«

»Ja.«

»Auch das hört sich auf! Wer einen Wagen braucht, hat sich bei mir zu melden!«

»Nun hören Sie mal zu, Serrat –«

»Den Schlüssel!«, brüllte Pierre wie ein Stier. »Ich höre Ihnen nicht zu! Ich klebe Sie an die Wand wie einen Kalender, wenn Sie aufsässig werden!«

Dr. Bender sah Pierre Serrat ruhig an. Die große Kraftprobe war gekommen. Bisher hatte alles nach den Befehlen Serrats gehandelt, er war der Herr über sechs Bohrtürme und drei Camps, von denen Nr. XI die Zentrale war. Er regierte mit der Faust und es war bisher immer gut gegangen. Vielleicht war es anders auch nicht möglich, in der Wüste Ordnung zu halten bei einer Horde Männer, von denen keiner vom anderen wusste, wer er wirklich war. Nur das galt: die Arbeit am Bohrturm, das Schuften unter glühender Sonne, das Durchhalten bei 50 Grad Hitze, das Überleben im Sandsturm, das Ertragen der Einsamkeit zwischen Wüstensand und gnadenlos glutendem Himmel. Wer hier ausbrach, einen Koller bekam und durchdrehte, den brachte nur die Faust Serrats wieder zur Vernunft. Ein paarmal hatte man es erlebt, zuletzt bei dem Polen Leo Domaschewski. Vor sechs Wochen lief er mit einer Sprengladung durch das Lager und drohte, sich und die ganze Bande – wie er die Kameraden nannte – in die Luft zu jagen. Keiner wagte es, sich ihm zu nähern, denn er hielt sein Feuerzeug an die Zündschnur… da kam Pierre Serrat mit einem Jeep von Station XII, sprang heraus, zog im Laufen seine Jacke aus und zeigte die riesigen Pakete seiner Muskeln. Das war so faszinierend, dass Leo Domaschewski ganz vergaß, die Zündschnur anzustecken… als er es dennoch tat, war es schon zu spät, er flog von einem mörderischen Schlag waagrecht durch die Luft und ließ die Sprengladung fallen. Drei Wochen lag er dann mit schiefem Gesicht im Krankenrevier und ließ sich von Cathérine pflegen. Kurz vor seiner Entlassung heulte er wie ein getretener Hund… er hatte Cathérine zufällig durch die Ritze einer Tür beobachtet, wie sie sich wusch… Nackt stand sie vor einem Holzkübel und goss sich das Wasser über ihre festen, spitzen Brüste.

Von da an war Leo Domaschewski wie ein Kater. Er strich um Cathérine herum, sooft er dazu Zeit hatte, besorgte alles, was sie brauchte, spielte den Hausknecht und benahm sich wie ein Halbidiot. Und er wartete. Wartete auf die Stunde, in der selbst ein Weib wie Cathérine es müde war, immer nur die Männer abzuwehren.

»Sie ist gebaut wie jede Frau«, sagte er zu sich. »Sie hat oben alles und unten alles… ich hab's ja gesehen! Und getan hat sie's auch schon, ganz sicher! Einmal wird sie weich... Wer's schon mal gemacht hat, kann auf die Dauer nicht darauf verzichten –«

Doch nun war der Arzt gekommen. Ein Hauch der fernen, heilen Welt wehte mit ihm in die Wüste. Er trug weiße Anzüge, weiße Hemden und hatte gepflegte Hände. Und er wollte befehlen, die Macht Pierre Serrats aufweichen. Das war unmöglich!

Pierre schürzte die dicken Lippen, als Dr. Bender keinerlei Anstalten machte, sich zu erheben und den Schlüssel des Isolierraumes herauszugeben. Im Gegenteil, er sagte:

»Was glauben Sie, passiert wohl, wenn ich über Sie eine Beschwerde nach Ouargla schicke?«

»Nichts!«, brüllte Serrat. »Einen Dreck ist Ihre Beschwerde wert. Ärzte gibt es genug, die werden von den Universitäten nur so ausgespuckt... aber Mineure, Bohrfachleute, Vorarbeiter wie mich, die suchen Sie mal! Für die Gesellschaft ist ein Serrat wertvoller als hundert Ärzte! Ich bohre ihnen das Öl, mit m i r verdienen sie Geld, i c h verrecke für sie in der Wüste... Sie kosten nur Geld, Doktor. Sie sind nur ein Aushängeschild der Humanität. Weil es sich so schön anhört. Ärztliche Betreuung in der Wüste! Der Albert Schweitzer der Wüste! Alles Scheiße! Geld muss aus der Wüste kommen. Geld! Dafür bin ich da!« Pierre Serrat hielt die riesige Pranke offen hin. »Wie ist das nun? Wo bleibt der Schlüssel?!«

»In meiner Tasche«, sagte Dr. Bender ruhig.

Pierre Serrat zog den Kopf ein und atmete tief auf. Mit einem gewaltigen Schritt war er vor dem Tisch Dr. Benders, hob ihn mit allem Geschirr hoch und warf ihn gegen die Wand. Krachend zerbarst der Tisch, das Geschirr klirrte über den Boden.

Drei Räume weiter, in der Ambulanz, die Schwester Cathérine jeden Morgen um 8 Uhr allein durchführte, hoben die vier Männer, die zum Verbandswechsel kamen, die Köpfe und grinsten breit.

»Pierre stellt sich vor«, sagte einer. »An der Visitenkarte wird der Doktor noch lange zu tragen haben.«

»Ihr wartet einen Augenblick.« Cathérine legte die Verbandspäckchen hin, holte die Pistole aus dem Halfter, entsicherte sie und steckte sie wieder ein. Plötzlich war es still im Zimmer, das Grinsen auf den Gesichtern erfror.

»Cathérine, lassen Sie den Blödsinn«, stotterte Leo Domaschewski, der jeden Tag zum Verbinden kam, denn immer hatte er irgendwo an seinem Körper eine leichte Verletzung, die es ihm erlaubte, sich von Cathérine anfassen zu lassen.

»Kümmert euch um euren eigenen Dreck!«, fauchte sie grob, verließ mit großen Schritten die Ambulanz und warf die Tür zu.

»Jetzt gibt's Kleinholz«, sagte einer der Ölbohrer und suchte in seinen Taschen nach einer Zigarette. »Verdammt, wer die heiratet, muss Eisen fressen können!«

Pierre Serrat stand vor Dr. Bender, der nun einsam mitten im Zimmer saß, wie ein Delinquent auf dem elektrischen Stuhl. Er wird mich nicht angreifen, dachte Dr. Bender. Er blufft nur mit seiner Stärke. Er wird es niemals wagen, seinen Arzt zu schlagen. Er weiß genau, wie schnell es passieren kann, dass er mich braucht. Und außerdem, er weiß nicht, dass ich Judo und Karate kann. Auch dieses Gebirge aus Muskeln ist mit einem Schlag zu fällen, mit einer Bewegung umzuwerfen. Ich werde ihn damit besiegen, aber es wird eine Todfeindschaft entstehen, gnadenloser als der glühende Sand der Sahara.

Pierre Serrat schien diese Gedanken nicht zu haben. Er streckte die Arme vor, dick wie der obere Teil eines Elefantenrüssels, krallte die Hände in den Anzug Dr. Benders und hob ihn hoch wie eine Puppe.

»Den Schlüssel!«, brüllte er. »Oder Cathérine muss Sie von der Wand kratzen –«

Dr. Bender wurde einer Antwort enthoben. Von der Tür krachte ein Schuss und fuhr vor Pierres Stiefelspitzen in die Dielen. So knapp war der Einschlag, dass die Sohle an der Kappe des linken Stiefels noch gestreift wurde.

Serrat ließ Dr. Bender fallen und wirbelte herum wie ein von hinten gestochener Stier.

»Du Satansaas!«, schrie er dumpf, aber er blieb stehen, wo er war. »Du verfaulte Hure! Nimm das Ding weg!«

»Raus!« Cathérine winkte mit der Pistole zur Tür. Ihr Gesicht war von wilder Entschlossenheit. Serrat kannte es... so war es damals, als er sie ins Bett ziehen wollte und er zum erstenmal Respekt vor ihrer Pistole bekam, die sie unter dem Rock hervorzog. »Raus, du Büffel... oder ich schieße dir das weg, was du am liebsten hast!«

»Man sollte dich ans Bett nageln und dann ein ganzes Bataillon drüberjagen!« Pierre Serrat trommelte mit den Fingern gegen seine Schenkel. Er wusste, dass Cathérine schießen würde, wenn er auch nur eine falsche Bewegung machte... noch saß die Kugel im Bein, die er sich damals eingehandelt hatte.

»Gehen Sie hinaus, Doktor!«, sagte Cathérine. »Ich muss mit dem Ochsen allein reden.«

»Nein. Das hier ist mein Zimmer. Ich bin der Ansicht, dass Eindringlinge zu gehen haben.«

»Und wenn ich Sie bitte –?«

Dr. Bender zögerte. Dann sah er die Augen Cathérines, und sie waren wieder von jenem grünen Glanz, den er schon am ersten Abend bewundert hatte.

Er hob die Schultern, wandte sich an Serrat, sagte: »Das

war noch nicht alles!« und verließ sein Zimmer. Cathérine senkte die Pistole, als die Tür zugefallen war. Serrat tappte grunzend zum Fenster wie ein geschlagener Tanzbär.

»Was willst du?«, fragte er.

»Lass ihn in Ruhe!« Cathérine stand breitbeinig an der Tür.

»Er ist ein Lackaffe!«

»Er ist anders als du, als ihr alle. Das ist er. Ihr seid Wüstensäue, – er ist ein Herr. Er kommt aus der Welt, die euch ausgestoßen hat, weil ihr ihre Ordnung zerstören wolltet. Ihr seid Außenseiter der Menschheit... er aber ist ein Mensch.«

»Welch ein Gesang!« Serrat lachte dumpf. »Wo juckt es denn, meine Süße?!«

»Genau dort, wo du es annimmst.« Cathérine sagte es in einem Ton, der nichts Anstößiges hatte, sondern nur die Wahrheit. »Ich liebe ihn!«

»Du?«

»Ja.«

»Unfassbar! Cathérine mit einem Mann im Bett. Eher wird die Wüste grün!«

»Ich habe auf ihn gewartet, die ganzen Jahre, ohne es zu wissen. Ihr habt mich angeekelt, ihr schweißstinkenden Böcke! Jeder Mann war Brechreiz für mich. Warum – meine Sache! Und dann kam er. Ich stand am Fenster, als er aus dem Hubschrauber kletterte. Und ich wusste sofort: Bei ihm fühle ich wieder wie eine Frau. Euch habe ich mit der Pistole von meinem Bett weggeschossen... ihn könnte ich mit der Waffe hineinzwingen.«

»Verdammt, bin ich ein Pfarrer? Was soll die Beichte! Sag's ihm...« Pierre Serrat starrte auf die Trümmer des Tisches an der Wand. »Weiß er's schon?«

»Nein. Und ich bringe dich um, wenn du ein Wort sagst!«

Sie hob wieder die Pistole. Serrat nickte grunzend wie ein Eisbär. »Wie kompliziert. Die Weiber mit ihrer verdammten Seele. Geh zu ihm, zieh dich aus und leg dich ins Bett. Alles andere läuft von selbst. Nur ein Problem wirst du haben, Schätzchen.«

»Welches?«

»Saada, die Blume der Wüste.«

Cathérine ließ die Pistole sinken. Ihre grüngrauen Augen wurden dunkel. »Was ist mit ihr?«

»Sie ist gestern nacht gesehen worden. In der Nähe von Camp X. Auf einem Pferd. Anscheinend war sie auf dem Weg zu uns. Als man sie anrief, wendete sie das Pferd und raste in die Wüste zurück. Jules, vom Magazin, hat sie erkannt.«

»Saada –« Cathérine blickte Pierre Serrat an. »Welch ein kleines Luder –«

»Es wird ein Wettrennen geben, Schätzchen.« Serrat lachte fett. »Beeil dich! Trainiere! Hol dir den Doktor in die Kissen, bevor er sich auf samtweicher Araberhaut ausruht! Du weißt ja: Wer einmal orientalisch geliebt hat, ist für die zivilisierte Form verloren. Ein Idiot, wer ein Rennpferd gegen einen Ackergaul eintauscht. Das wird ein Problem, Süße!«

»Raus!« Cathérine winkte wieder mit der Pistole. Pierre Serrat trottete an ihr vorbei und legte die Hand auf die Klinke. Die Stimme Cathérines hielt ihn noch einmal zurück. »Ich schieße dir ein Loch in die blöde Stirn, wenn du einen Ton sagst!«

»Schon gut. Schon gut, mein Schätzchen.« Serrat öffnete die Tür. Aus dem Ambulanzraum schauten vier Köpfe, die sofort verschwanden, als Serrat aus dem Zimmer kam. Er schnaufte, trat die Tür nach draußen auf und verließ die Lazarettbaracke.

Cathérine ging zum Fenster und sah hinaus in die Wüstenberge. In ihrem Inneren war ein Druck, der ihr das Atmen schwer machte.

Saada, dachte sie.

In der Nacht wollte sie zu ihm.

Warum?

Sie kennt ihn doch gerade ein paar Stunden...

»Ich werde es verhindern«, sagte sie leise und blickte Pierre Serrat nach, der mit dem schaukelnden Gang eines Bären hinüberging zur Küchenbaracke. »Ich werde dem kleinen Hühnchen den Hals umdrehen, bevor es zu gackern beginnt...«

Seradji Achmed hatte eine furchtbare Nacht hinter sich. Erst beim Morgengrauen, als der Himmel über der Wüste rosa wurde und die Sanddünen violette Kämme bekamen, als seien sie ein Meer aus geronnenem Blut, beruhigte er sich: Saada war zurückgekommen. Auf dem Hengst Nama ritt sie in den Innenhof des Hauses und sprang leichtfüßig ab wie ein Berberreiter.

»Wo warst du?«, brüllte Achmed. Er tat es nur der Diener wegen, die hinter ihm standen. Sie hatten erlebt, wie ihr Herr sich wie ein Irrer gebärdete, als man ihm gemeldet hatte, dass das Zimmer Saadas leer sei, dass sie aus dem Fenster geklettert sein musste, an den Rosenstöcken herunter, deren Astwerk bis zum Dach reichte und die täglich viermal begossen wurden. Seradji hatte getobt, ließ die Rosenstöcke aus dem Boden reißen und verbrennen und verfluchte die Wachen in die tiefste Hölle. Mahmud, der für den Garten und den Stall zu sorgen hatte, bekam Ohrfeigen, weil er das Wegführen von Nama, dem Hengst, nicht

60

gehört hatte, und überhaupt hatte sich Achmed benommen, als ginge die Welt unter.

Nun war Saada wieder zurückgekommen und warf die Zügel dem unglücklichen Mahmud zu, der dankbar ihre kleine Hand ergriff und sie küsste. Furchtlos ging sie ihrem Vater entgegen, mit hochaufgerichtetem Haupt. Sie trug Männerhosen und handgearbeitete, mit Goldritzereien verzierte Stiefelchen, eine Männerjacke und einen Gürtel mit dem Festtagsdolch Achmeds. Nur die schwarzen, flatternden Haare ließen erkennen, dass sie ein Mädchen war.

»Komm herein!«, schrie Achmed wieder. »Tochter einer räudigen Hyäne!« Dann schwieg er betroffen, denn er hatte Damira, sein unvergessenes Weib, beleidigt.

Er ging voraus in den großen Audienzsaal, warf die geschnitzte Tür zu, als Saada an ihm vorbeistiefelte und sich auf einen der tiefen, mit Seide bezogenen Sessel setzte, in denen Seradji seine offiziellen Besuche empfing.

»Mein Herz ist fast verblutet –« sagte Achmed milder und rannte um Saada herum wie ein Löwe um seine Herde. »Wo warst du? Warum reitest du heimlich in der Nacht davon? Hast du den Teufel in dir?«

Saada schwieg. Sie sah mit verschleierten Augen wie in weite Ferne und schien die Worte ihres Vaters nicht zu hören.

Was ist mit mir? dachte sie. Ich kenne mich nicht mehr. Mein Herz ist wie mit Musik gefüllt. Mein Blut ist ein kochender Bach. Meine Augen sehnen sich nach seinen Augen… meine Ohren lauschen seiner Stimme… meine Hände zittern unter dem Druck seiner Hand…

O Allah, mein Herz ist wie in Honig getaucht –

Die vergangene Nacht.

Als Dr. Bender wieder abgefahren war, hatte sie ihm nachgeblickt, bis der kleine Jeep in der Staubwolke auf der

Wüstenpiste unterging. Dann hatte sie ihre Hand an die Lippen gelegt, die Hand, die er berührt hatte, und so träumte sie lange und war so selig glücklich-unglücklich, bis Ali, der Sohn des toten Abdallah, sie anstieß, scheu, unterwürfig, denn sie hatte auf mehrmalige Fragen nicht reagiert.

»Was soll ich tun, wenn der Hakim kommt?«

»Sag ihm, Abdallah schläft. Er soll ihn nicht stören.«

»Und morgen? Wenn mein Vater nicht mehr im Haus ist?«

»Dann schreist du, man habe ihn gestohlen.«

»Einen sterbenden Mann?«

»Es wird ein großes Rätsel sein. Du musst nur Mut haben zu lügen.« Als sie nach Hause kam, schwieg Achmed von dem Besuch des weißen Arztes. Aber er ließ sie einschließen, als es dunkel wurde, so wie man einen Edelstein in einem eisernen Schrank versteckt. An den dicken Rosenstöcken kletterte sie herunter, holte Nama aus dem Stall, sattelte ihn und schlich in die Kleiderkammer ihres Vaters, um das Reitzeug zu holen. Auch den Dolch nahm sie mit und ein Gewehr mit silberbeschlagenem Kolben. Dann war sie losgeritten, den Spuren Alis nach, der mit dem Kamel den toten Vater zu dem weißen Hakim brachte.

Ich will ihn sehen, hatte sie gedacht. Nur sehen, von weitem belauschen. Und mein Herz wird in der Brust tanzen.

Seradji Achmed blieb vor Saada stehen. Er stampfte auf den Boden und holte sie damit in die Wirklichkeit zurück.

»Er ist gekommen –« sagte sie schlicht. Achmed gab es einen Stich. Er stöhnte auf.

»Du hast ihn gesehen?«

»Ja.«

»Und gesprochen?«

»Ja.«

»Wo?«

»Irgendwo –«

»Und er hat dein Herz weggenommen.«

»Ich habe es ihm nachgeworfen, Vater.«

»Du warst in der Nacht bei ihm?«

»Ich wollte zu ihm. Aber dann verließ mich der Mut.«

»Ich werde ihn zermalmen!« Achmed ballte die Fäuste und schüttelte sie hoch über seinem Kopf. »Ich werde ihn zerfleischen wie ein Geier! Stückweise werfe ich ihn den Hyänen vor! Bei Allah schwöre ich es!«

»Das ist ein dummer Schwur.« Saada schnallte den Gürtel mit dem Dolch ab und warf ihn auf den Boden. »Sein Leben ist mein Leben. Du müsstest mich auch töten.«

»Du bist verrückt, Saada!«

»Ich liebe ihn wie die Erde den Wassertropfen, wie der Vogel die Luft, wie die Sterne den Himmel.«

Seradji Achmed raufte sich die Haare, er brüllte noch vieles an diesem frühen Morgen, aber Saada hörte ihn nicht. Sie saß am Fenster und starrte hinaus in die Wüste, über der die Sonne aufging, gnadenlos und doch herrlich in ihrer tötenden Pracht.

Zitternd vor Wut und väterlicher Angst, rannte Seradji Achmed hinaus.

Seine Rache folgte sofort, eine Rache der Ohnmacht.

Um zehn Uhr vormittags tauchten plötzlich vor dem Camp XII vierzig vermummte Reiter auf. Mit ohrenbetäubendem Geschrei jagten sie von allen Seiten heran, ritten ein paar verdatterte Ölarbeiter nieder, warfen Brandfackeln auf die Barackendächer, zündeten das Magazin an und sprengten den Ölturm »Liberté II« in die Luft. In dem schreienden Durcheinander des Überfalls hatten vier Reiter Zeit genug, die Sprengladung anzubringen und zu zünden. Zwei Minuten, nachdem die unbekannte wilde Horde wieder in der Wüste verschwunden war, krachte der Bohrturm zusammen und begrub drei Arbeiter unter den verbogenen Eisengerüsten.

Die Telefone klingelten, der Telegraf in der Funkbude rasselte.

Überfall auf Camp XII. Drei Schwerverletzte, neun Leichtverletzte. Keine Toten. Unbekannte Reiter zerstörten Bohrturm und zwei Baracken.

In Hassi Messaoud gab die Distriktleitung Alarm. Von Ouargla aus setzte sich eine Kolonne von zehn Lastwagen mit Soldaten der algerischen Volksarmee in Marsch. Öl – das war auch flüssiges Gold für die Regierung in Algier. So schön der Patriotismus ist... Geld in den Kassen ist wichtiger.

In Algier bat der Direktor der »Sahara-Oil« um eine Besprechung mit dem Verteidigungsminister. In Marseille trat die Generaldirektion zu einer außerordentlichen Versammlung zusammen.

Auch in Camp XI klingelte das Telefon. Ingenieur de Navrimont, um diese Morgenstunde noch ansprechbar, begriff erst nicht, was seine Außenstelle meldete. »Überfall?«, stotterte er. »Wieso? Warum? Das ist ja verrückt!« Dann stürzte er in das Büro, stieß den Schreiber zur Seite und zog an der elektrischen Sirene.

Gellend schrie vom Dach der Alarm über die schweigende Wüste. Von den Bohrtürmen rasten die Männer heran. Aus dem Schuppen rasselte ein Feuerwehrwagen, denn Alarm bedeutete bisher immer Brand.

Pierre Serrat war es, der Dr. Bender entgegenprallte, als dieser nach dem Sirenengeheul die Krankenbaracke verlassen wollte. Cathérine war nicht da... sie verhandelte drüben in der Küche mit René Bourgès, dem Koch, wegen einer Diät für den Gelbsuchtkranken. René stand auf dem Standpunkt, man solle Krepierende nicht aufhalten.

»Ein Überfall«, sagte Serrat mit breitem, bösem Grinsen. »Ihre Freunde, die Araber. Aber jetzt ist die Geduld zu Ende! Jetzt werden wir sie aufreißen wie ein Backhuhn! Packen Sie Ihre Klamotten, Doktor! Jetzt gibt es endlich Arbeit für Sie, die sich lohnt –«

Schon von weitem sahen sie die riesige, schwarze, fettige Wolke des brennenden Ölturmes »Liberté II«. Ein verkohlter Blumenkohl, so hing der Rauchpilz im fahlblauen glutenden Himmel der Sahara.

Mit vier Wagen waren sie von Camp XI weggefahren… zwei Jeeps und zwei Feuerwehrautos, die völlig sinnlos waren, denn brennendes Öl kann man mit Wasser nicht löschen. Nun hielten sie auf der Kuppe eines Hügels, von dem die Wüstenstraße zu Camp XII ziemlich steil abfiel, und blickten hinüber zu der mit lodernden Flammen durchsetzten Wolke.

»Hunde!«, knirschte Pierre Serrat. Er stand vorne im Jeep und hatte die Hände um die Windschutzscheibe gekrallt. »Jahrelang war es hier ruhig… und jetzt fängt der Mist wieder an. Wissen Sie, was das bedeutet, Doktor? Leben auf der Spitze eines Dolches. Keine Nachtruhe mehr, überall kracht und brennt es, die Brunnen werden voll Sand geschüttet, oder man kippt tote Kamele hinein, damit das Wasser verseucht wird. Ich kenne das alles… ich lebe lange genug in diesem Mistland.«

»Und warum sind Sie dann noch immer hier, wenn Sie die Wüste so hassen?« Dr. Bender blickte den beiden Feuerwehrwagen nach, die in einem irrsinnigen Tempo an ihnen vorbeirasselten und die Wüstenpiste hinunterschossen. »Sie hätten hundertmal die Möglichkeit gehabt, nach Europa zurückzukehren.«

»Hätte ich.« Serrat setzte sich. Er stemmte die säulenförmigen Beine in den alten, ausgebleichten Stiefeln gegen den eisernen Boden des Jeeps und starrte auf die wabernde Lohe über dem Bohrturm. »Was wissen Sie von diesem Land, Doktor? Was Sie gelesen haben in Reisebüchern, was Sie gelernt haben in der Schule. Das sind Märchen für Hirnkrüppel! Wer kann die Wüste kennen, wenn er sechs Wochen auf einem zahmen Kamel herumgeritten ist? Man muss hier gelebt, gedurstet, geblutet, am Rande des Grabs gestanden haben, um die Wüste zu lieben und zu hassen!« Er senkte den Kopf, und plötzlich war seine harte, tiefe Stimme leise und wie erwürgt. »Ich hatte eine Frau und zwei Kinder.«

»Hier?«

»Ja, hier, in diesem Satansland. Nach der Entlassung aus der Fremdenlegion heiratete ich. In der Oase Bir Gusbah machte ich ein Lokal auf. Eine Bar, wie man hier so sagt. Der Laden ging gut … Bir Gusbah hat eine Pumpstation für sauberes Wasser, liegt an der großen Straße nach Timbuktu, besteht aus drei großen Karawansereien, einem Hotel, einer Tankstelle, einer Funkstation, vierhundertneunzehn Häusern und rund siebentausend Palmen. Ein in die Wüste gespuckter grüner Flecken, eigentlich ein Witz der Natur. Aber ich fühlte mich wohl dort. Ich bekam zwei Kinder, Jules und Henriette. Und ich fühlte mich als Sohn dieser Wüste. Das ist nämlich ganz komisch, Doktor. Erst fürchtet man sich vor diesem Land, dann verflucht man es, und schließlich kommt man nicht mehr von ihm los. Die Wüste hat das Herz aufgesaugt, so ist es. Ja, und eines Tages …« Serrat ballte die Fäuste, die Erinnerung durchschüttelte seinen massigen Körper … »da waren sie da. Es war in den Jahren des Algerienkrieges, als man alles kaputtschlug, was wir Franzosen hier in Jahrzehnten aufgebaut hatten. Fünf Lastwagen der algerischen Befreiungsarmee kamen nach Bir Gusbah, verhafteten alle Europäer, machten aus meiner Bar Kleinholz, prügelten mich besinnungslos – zehn dieser braunen Flöhe fielen über mich her – und schleppten mich weg. Nach sieben Wochen ließen sie mich laufen, traten mich in den Hintern und warfen mich auf die Straße. Das war in Tabbera, einem elenden Bergnest im Salzgebiet von Chaanba. Doktor... ich bin drei Monate gewandert, bis ich wieder Bir Gusbah erreichte... zu Fuß durch die Wüste, wissen Sie, was das heißt? Als ich ankam, lief ich auf dem blanken Fleisch... aber ich war zu Hause!«

Pierre Serrat wischte sich über die Augen. Er weinte nicht, aber die Augen brannten und wurden rot. Fasziniert betrachtete ihn Dr. Bender. Ein Felsen zeigt Rührung...

»Mein Haus war abgebrannt, meine Frau und die beiden Kinder verschwunden. Niemand wusste, wo sie waren. Mitgenommen... das war alles, was sie mir sagen konnten. Mitgenommen! Bis heute habe ich nichts mehr von ihnen gehört. Das war vor elf Jahren!« Der Kopf Serrats fuhr zu Dr. Bender herum. Eine erschreckende Wildheit lag in den rotumränderten Augen. »Können Sie noch verlangen, dass ich dieses Land liebe – und verstehen Sie noch immer nicht, warum ich diesen Teufelsdreck nicht verlassen kann?!«

»Ich kann Sie verstehen, Serrat.« Dr. Bender nickte zu dem fettigen Rauchpilz, der immer breiter und höher wurde. »Aber ob Rache die richtige Antwort ist? Ihre Frau und Ihre Kinder machen Sie damit nicht wieder lebendig.«

»Und das da!« Serrat zeigte auf das brennende Camp XII. »Wenn es wieder losgeht? Sollen wir uns abschlachten lassen wie die Lämmer?«

»Sie glauben doch nicht, dass der Überfall das Signal für einen neuen Aufstand ist?«

»Nein. Dazu ist der Regierung in Algier unser Öl viel zu wertvoll. Hier sprudeln Milliarden aus der Erde. O nein... da ist wieder so ein fanatischer Scheich, der Lust hat, den großen Befreier zu spielen. Das ist nur eine kleine Gruppe... und deshalb schlage ich ihnen jetzt den Schädel ein.«

Serrat ließ den Motor wieder an und raste den anderen Wagen nach, die wie hüpfende Käfer in der Weite der Wüste wirkten.

Es war ein Unglück für den Kaufmann Abu ben Gossarah, dass seine kleine Karawane, bestehend aus vierzehn Last- und sechs Reitkamelen der guten Hedschasrasse, gerade zu dieser Stunde die Piste kreuzte, die zum Bohrturm »Liberté II« führte. Abu ben Gossarah war auf dem Weg nach Bou Akbir, er hatte Gewürze und Töpfe geladen, Stoffe und Duftwässer, Werkzeuge und drei junge Huren vom Stamme der Ouled Nails, zierliche, wendige und in der Dirnenschule von Bou Saada im Atlasgebirge bestens ausgebildete Mädchen, auf die man in Bou Akbir mit heißem Herzen wartete. Die jetzige Besetzung des »Tanzhauses« war überaltert. Es macht keine Lust, sich von welken Körpern verführen zu lassen.

Pierre Serrat stieß ein tiefes Grunzen aus, wie ein Bär, der einen Bienenstock erschnüffelt hat. Er gab Gas, drückte die Schultern hoch und warf einen schnellen Blick auf Dr. Bender. Dieser klammerte sich im Jeep fest. Der Wagen tanzte über die Waschbrett-Piste, als sei er ein immer wieder auftupfender Gummiball.

»Sind Sie verrückt, Serrat?«, schrie Dr. Bender, als Pierre kurz vor der Karawane bremste, eine Maschinenpistole vom Hintersitz riss und mit einem mächtigen, raubtierhaften Satz in die aufquellende Staubwolke sprang. »Serrat! Halt! Machen Sie keine Dummheiten!«

Aber es war schon zu spät.

Noch während die dichte, aufgewirbelte Staubwolke sich träge verzog und Dr. Bender, ein Taschentuch vor den

Mund gedrückt, Serrat nachrannte, hörte er das trockene, abgehackte Hämmern der Schüsse.

»Serrat!«, brüllte er noch einmal. »Sie Irrer!«

Pierre Serrat stand seitlich der Karawane, die einmal der Stolz und der Reichtum Abu ben Gossarahs gewesen war. Nun lagen die Kamele in einem wilden Haufen über- und nebeneinander, die Beine hochgestreckt in den glutenden Himmel, andere wälzten sich noch in Todeskrämpfen und schrien mit fürchterlichen, bis ins Mark gehenden Stimmen. Und noch immer schoss Serrat... ein feuerspuckender Klotz, breitbeinig dastehend, mit verzerrtem Gesicht und glänzenden fiebrigen Augen.

Die Berber waren von ihren Tieren gesprungen und saßen nun stumm neben den sterbenden Kamelen. Sie hatten die Dschellabahs eng um sich und über den Kopf gezogen und schienen zu beten. Wie eine Reihe weißer Steine hockten sie da, unbeweglich, durch Schlitze ihrer Gewänder auf die Leiberknäuel ihrer Tiere starrend. Nur die drei Ouled Nails-Mädchen rannten schreiend herum und verkrochen sich dann hinter den Kadavern der toten Kamele.

Mit einem mächtigen Hieb, den sich Dr. Bender selbst nicht zugetraut hatte, schlug er den Lauf der ratternden Maschinenpistole nach unten. Die letzte Garbe zischte in den Sand. Es sah aus, als koche vor ihnen der Boden und spritze über.

Serrat, wie von Sinnen, wirbelte herum und drückte den Lauf Dr. Bender in den Magen.

»Soll ich ein Sieb aus Ihnen machen?«, brüllte er. Er war kaum zu verstehen, der Rausch der Vernichtung lähmte sogar seine Zunge. Nur ein tierisches Gebrüll kam aus seinem Mund. »Zurück!«

»Was haben Ihnen die Leute getan?«, schrie Dr. Bender. Er umfasste den Lauf der Maschinenpistole mit beiden

Händen und hob sie höher an sein Herz. »Drücken Sie ab, los … los … Bauchschüsse sind nicht sicher … aber hier ist genau das Herz! Los doch!«

Serrat schien in sich zusammenzufallen. Er ließ die Waffe sinken, und ein heftiges Zittern durchlief seinen gewaltigen Körper.

»Was haben ihnen Louise, Jules und Henriette getan?«, stammelte er. »Was haben ihnen unsere Kameraden dort drüben getan?«

»Diese Menschen hier sind unschuldig. Ihr ganzes Vermögen haben Sie ihnen genommen.«

»Es trifft immer die Unschuldigen.«

»Und der Hass, den Sie jetzt wieder aussäen?«

»Hass ist die einzige Lebensform, die sinnreich ist. Da weiß man, was man hat und was man zu erwarten hat. Alles andere ist Lüge, Verstellung, Theater, schleimige Scheiße! Hass – das ist greifbar. Merken Sie sich das, Doktor. Die Weltanschauung der Wüste heißt: Überleben. Wie – das bleibt jedem selbst überlassen.«

Er wandte sich ab, stapfte zum Jeep zurück und warf sich auf den heißen Sitz.

Dr. Bender trat zögernd an die im Wüstensand hockenden weißen Gestalten heran, an diese regungslosen Menschenknäuel, die starr auf ihre erschossenen Kamele blickten. Die ersten Geier kamen von Bou Akbir herüber und kreisten über dem Leichenfeld. Wo geschossen wird, das wussten sie, da gibt es Aas. Mit heiserem Kreischen überflogen sie die Wegkreuzung. Die Köpfe mit den spitzen Hakenschnäbeln zeigten nach unten.

»Wem gehört die Karawane?«, fragte Dr. Bender auf Französisch. Die weißen Gestalten rührten sich nicht … nur ein Gewand bewegte sich, ein Kopf kam aus den Tüchern hervor, schwarze Augen starrten ihn feindselig an. Der

Mann hockte neben einem weißen Hedschaskamel im Sand und hatte beide Hände auf den zuckenden Hals des sterbenden Tieres gelegt.

»Ich bin Abu ben Gossarah«, sagte er. »Was wollen Sie noch, Monsieur. Die Arbeit von dreißig Jahren ist vernichtet –«

»Ich wollte Ihnen sagen, dass ich es bedauere. Ich verabscheue diese Tat.«

»Worte sind wie Tropfen, die verdunsten. Aber die Toten bleiben.«

»Ich rate Ihnen, nach Ouargla zurückzugehen und dort alles anzuzeigen. Die Ölgesellschaft wird Ihnen vielleicht eine Entschädigung zahlen.«

»Keinen Dinar, Monsieur.« Abu zeigte hinüber zu der fettigen, schwarzen Qualmwolke, die groß geworden war wie ein Gebirge. »Sie werden uns das da vorrechnen. Was soll ich ihnen sagen? ›Ich war es nicht, Messieurs…‹ Es waren meine Brüder. Allah hat es so gewollt.«

»Und Sie werden Rache nehmen?«

Abu ben Gossarah schwieg. Er sah Dr. Bender lange an, schob dann sein weißes Gewand langsam über seinen Kopf und wurde wieder einer der weißen Steine, die neben den toten Kamelen hockten.

Dr. Bender wandte sich schaudernd ab. Die stumme Antwort Abus war deutlich genug.

Im Jeep wartete Pierre Serrat und startete sofort, als Dr. Bender neben ihm saß.

»Er wird Rache nehmen«, sagte Dr. Bender laut.

Serrat zuckte die Schulter. »Ich weiß. Man muss sich darauf vorbereiten.«

»Und ich werde Sie in Algier anzeigen, Serrat.«

»Tun Sie es, Doktor. Ich sage Ihnen, was geschehen wird: Nichts. Man braucht Pierre Serrat. Es gibt im ganzen Ölgebiet keinen besseren Fachmann für die Mineure. Das weiß ich. Wenn man mich wegjagt, kostet das die Gesellschaft ein Vermögen. Das sind ein paar Kamele nicht wert.« Serrats breites Gesicht war ausdruckslos und leer von allen Regungen. »Aber Ihnen rate ich, nach Algier zurückzugehen, Doktor. So schnell wie möglich. Die Wüste wird Sie auffressen... Sie sind genau der Typ, der sich mit Hosiannah auf den Lippen abschlachten lässt.«

Zehn Minuten später waren sie im Camp XII. Der Bohrturm »Liberté II« stand in hellen Flammen. Aus dem Bohrloch schlug die fettige Lohe, die Eisengestänge glühten und bogen sich in der fürchterlichen Hitze. Es war unmöglich, näher als vierzig Meter an den Turm heranzukommen, selbst der Sand schien zu schmelzen. Hilflos standen die beiden Feuerwehren herum und spritzten ein bisschen Schaum durch die Gegend. In einem weiten Kreis umstanden die Männer von Camp XII den riesigen schwarzen Rauchpilz.

»Gut, dass Sie so schnell kommen, Doktor«, sagte ein Mann mit einem weißen Schutzhelm über dem dreckigen, schwitzigen, ölverschmierten Gesicht. »Die Verwundeten liegen in der Schreibbaracke. Ich bin Henry Watteau, Vorarbeiter dieser Scheißstelle. Haben Sie alles bei sich?«

»Alles.«

Henry Watteau atmete sichtlich auf. »Dann kommen Sie. Welch ein Glück, dass wir endlich wieder einen Arzt hier haben –«

Pierre Serrat blickte ihnen mit einem dumpfen Grinsen nach.

Die Zerstörungen an den Wohngebäuden waren nicht so stark, wie man nach dem Überfall zuerst geglaubt hatte. Auch die Verwundeten hatten keine lebensbedrohenden Verletzungen davongetragen, bis auf einen kleinen, weinenden Italiener, dem Dr. Bender einen Steckschuss aus der Schulter operieren musste.

»Er hat viel Blut verloren«, sagte Dr. Bender zu Henry Watteau, der den Untersuchungen zusah. »Die Kugel sitzt im Schulterblatt. Ich möchte ihn hier operieren, um ihm den Transport nach Ouargla zu ersparen. Vor allem aber muss er frisches Blut haben. Ich werde die Blutgruppe feststellen, und dann können die Spender antreten.«

»Für Luigi legen wir uns alle hin, Doktor. Seine Blutgruppe hat er im Pass.«

»Sehr gut.« Dr. Bender suchte in der Jacke Luigis und fand die verbeulte, durchgeschwitzte Brieftasche mit den Papieren. Blutgruppe B 1. »Lassen Sie ausrufen, wer B 1 hat. Ich fange sofort an.«

Watteau rannte aus der Baracke. Luigi weinte noch immer. Er umklammerte mit beiden Händen den Arm Dr. Benders, als sie jetzt allein waren. Wie ein Junge sah er aus, ein schwarzer Krauskopf aus Palermo, mit braunen Augen wie ein Reh.

»O Mama –« weinte er. »O Mama… ich will nicht sterben. Dottore… ich will nicht sterben. Sie warten auf mein Geld… ganze Familie… Mama, Papa und neun Geschwister. Sie werden verhungern, wenn Luigi stirbt. O Madonna mia… ich will nicht sterben…« Er tastete über seine nackte Brust, riss das goldene Medaillon, das er an einem Kettchen um den Hals trug, an den Mund und küsste es immer und immer wieder. Dabei rollten die Tränen über sein zuckendes Gesicht.

»Du wirst nicht sterben, Luigi.« Dr. Bender zog eine Spritze mit Cliradon auf. »Die Schmerzen sind gleich wie weggeblasen… du wirst dich leicht fühlen und schlafen. Und wenn du aufwachst, fliegst du bereits nach Ouargla –«

»Sie garantieren mir das, dottore?«

»Ja, Luigi.«

Während Dr. Bender alles für eine Notoperation vorbereitete, klingelte im Nebenzimmer pausenlos das Telefon und tickte der Telegraf.

Von Hassi Messaoud bis Algier waren alle Verwaltungsstellen der Ölgesellschaft alarmiert. Der Ölbrand war nicht mit normalen Mitteln zu löschen. Es war unmöglich, an den Herd heranzukommen, und solange aus der Tiefe der Erde das Rohöl durch das mit Stahlrohren ausgekleidete Bohrloch an die Oberfläche schoss, brannte das flüssige Gold ohne Unterbrechung. Und es würde in fünfzig Jahren noch brennen!

Dr. Bender trat hinaus aus der Verwaltungsbaracke und suchte den Horizont ab. Die Wüstenpiste war deutlich zu sehen bis zu dem Punkt, wo sie über dem Hügel verschwand. Dazwischen lag das Tal, in dem Serrat die Karawane erschossen hatte. Die Geier unter dem hitzeflimmernden Himmel waren verschwunden. Sie hockten jetzt auf den Kadavern und rissen die Leiber in Stücke. Die Berber waren also weitergezogen, zu Fuß nach Bou Akbir. 30 Kilometer durch glühenden Sand, im Herzen den Brand der Rache… welch ein Weg!

Dr. Bender atmete auf, als auf der Hügelkuppe ein schwarzer Punkt erschien und schnell näher kam. Dann tauchte er in das Tal.

»Endlich!«, sagte Dr. Bender leise und ging zurück in die Baracke.

Schwester Cathérine kam. Mit einem Lastwagen, mit vier Tragen, dem transportablen Narkosegerät, das gestern eingeflogen worden war, mit Infusionsflaschen und Plasma.

Bis zur Ankunft des Lastautos bereiteten Dr. Bender und Henry Watteau das Zimmer für die Operation vor. Ein Tisch wurde mit Seifenlauge geschrubbt, der Sanitäter von

Camp XII besprühte ein Betttuch mit Karbol. Die anderen Verwundeten waren gut versorgt worden; Dr. Bender hatte sich davon überzeugt. Zwar mussten die Verbände gewechselt und die Wunden mit Wundpuder behandelt werden, aber das hatte Zeit. Wichtig war jetzt allein Luigi, der nach der Cliradon-Injektion dahindämmerte und keine Schmerzen mehr hatte, nur noch einen dumpfen Druck in der rechten Schulter.

»Was macht Serrat?«, fragte Dr. Bender den Vorarbeiter Watteau, während sie auf einem kleinen Tisch, über das ein mit Karbol getränktes Handtuch gebreitet war, das Instrumentarium aufbauten.

»Er will das Feuer löschen.«

»Will er hineinspucken?«

»So ähnlich. Er will den Schacht zusprengen –«

»Verrückt! Er kommt ja mit der Sprengladung nicht weit genug an das Bohrloch heran. Zehn Meter vorher ist er ein Kohlestück.«

»Und trotzdem will er es.«

»Dieser Betonschädel!« Dr. Bender zeigte mit dem Daumen auf den dahindämmernden Luigi. »Waschen Sie ihn und legen Sie ihn dann auf den Tisch, mit dem Gesicht nach unten. Den Kopf übers Tischende hinaus, damit wir an die Zunge können, sonst erstickt er in der Narkose. Ich bin gleich wieder da.«

Pierre Serrat stand in einem Kreis von diskutierenden Arbeitern und zog sich einen Schutzanzug aus Asbest über. Eine Eisenkiste mit Sprengstoff und eine Rolle Kabel lagen neben ihm im festgestampften Sand. Als er Dr. Bender von der Verwaltungsbaracke kommen sah, hob er die rechte Hand und zeigte auf ihn. Die Köpfe der Männer fuhren herum.

»Da kommt der Fachmann!«, schrie Serrat. »Passt auf, er

wird das Bohrloch gleich verbinden. Aber nehmen Sie Brandbinden, Doktor –«

Einige Arbeiter lachten, aber die Mehrzahl blickte Dr. Bender betroffen entgegen. »Er ist nicht davon abzubringen, Doktor«, rief jemand aus der Menge. »Er will unbedingt ein Steak werden.«

»Und ein ungenießbares dazu.« Lachen dröhnte auf. Serrat riss wütend an der Asbestuniform. In jedem Camp lagen solche Spezialanzüge, denn kleinere Brände gab es immer, vor allem, wenn man bei Neubohrungen erst auf das Erdgas traf und dieses wegbrennen musste. »Sie wollen also an das Feuer heran?«, fragte Dr. Bender.

»Ja. Was dagegen?« Serrat knurrte wie ein hungriger Wolf. Er drückte den Schutzhelm mit der feuerfesten Glasscheibe gegen seine Brust. Der Asbestanzug war zu klein. Beine und Unterarme ragten weit heraus. Maße, wie sie Serrat vorwies, waren nicht mehr normal.

»Allerdings.« Dr. Bender tippte auf die freien Unterarme. »Und hier?«

»Umwickle ich mit nassen Tüchern –«

»Die Nässe wird in Sekundenschnelle verdampft sein.«

»Das ist mein Problem, nicht Ihres!«

»Irrtum! Ich muss Sie dann wieder zurechtflicken, wenn Sie überhaupt zurückkommen. Haben Sie denn wirklich nur heiße Luft im Kopf? Wissen Sie, wieviel Hitzegrade dort am Bohrloch herrschen?«

»Er will mich belehren!«, brüllte Serrat außer sich. »Der Kerl kommt in die Wüste wie ein Säugling in die Wiege und will mir sagen, wie heiß ein Ölbrand ist! Kümmern Sie sich um Ihre Patienten mit den verklemmten Fürzen… davon verstehen Sie etwas! Aber lassen Sie endlich Männer ihre Arbeit tun!«

Serrat stülpte sich den Schutzhelm über den Schädel, und

da der Helm weit genug war, passte wenigstens er. Aber zum Einsatz kam Serrat nicht mehr. Im Camp fuhr mit einem halsbrecherischen Tempo der Lastwagen aus Station XI durch die Barackengasse und bremste kreischend vor der Verwaltung, und am Himmel summte ein großer Hubschrauber über die Sandhügel, schwenkte ein und landete ebenfalls auf dem Platz vor der Verwaltung.

Aus dem Lastwagen kletterte Schwester Cathérine, allein, in einem alten Overall, den Gürtel mit der Pistole wieder um den Leib geschnallt. Dr. Bender fuhr sich mit beiden Händen durch die schweißigen Haare.

»Sie sind allein gekommen, Cathérine?«, fragte er fassungslos.

»Warum nicht?« Cathérine betrachtete den vermummten Serrat und tippte sich an die Stirn. »Trauen Sie mir nicht zu, einen Lastwagen zu fahren?«

»Ich glaube, ich muss Ihnen alles zutrauen, Cathérine.« Dr. Bender schüttelte den Kopf. »Sie haben vor nichts Angst, was?«

»Ich weiß es nicht.« Die Augen Cathérines wurden plötzlich sanft und merkwürdig verträumt. »Wer kennt sich schon so genau, Doktor?«

Sie drehte sich um, stieß zwei Männer an, was soviel hieß wie: »Mitkommen, ihr Büffel!«, und ging zum Wagen zurück. Mit den Fäusten hieb sie die Riegel der Ladeklappe zurück und kletterte in den Aufbau.

Im gleichen Augenblick landete der Hubschrauber in einer wirbelnden Staubwolke. Als diese sich verzog, standen Ingenieur de Navrimont und ein fremder Mann im Sand und husteten; de Navrimont war schlechtester Laune. Er war um seine morgendliche Flasche gekommen, verspürte einen ungeheuren Brand im Hals und im Magen, gegen den der brennende Ölturm ein Feuerchen fürs Indianerspiel war, und trank gegen diese ekelhafte Trockenheit Fruchtsaft, was ihn bei jedem Schluck durchschüttelte. Aber der Besuch aus Ouargla war zu explosiv, um sich an den Schnaps zu schleichen.

»Leute, das ist Oberingenieur Brennot.« Alain de Navrimont machte eine vorstellende Handbewegung. »Und das ist nun der Mist, Monsieur.« Er nickte zu der gewaltigen Rauchwolke, durch die die Flammen zuckten und in der der Stahlturm glühte, als sei er aus rotem Glas.

»Wir werden uns das genau ansehen«, sagte Oberingenieur Brennot und blickte in die Runde. »Mir ist nur unverständlich, wie das passieren konnte. Wir stehen alle vor einem Rätsel. Mit der Regierung haben wir das beste Einvernehmen, die einzelnen Berberstämme sind friedlich wie nie zuvor, extremistische Gruppen richten sich gegen die Regierung, aber niemals gegen das Öl. Jeder weiß hier: Öl bedeutet Reichtum! Was hier geschehen ist, ist völlig widersinnig.«

»Aber der Turm brennt«, sagte de Navrimont überflüssig. »Und es waren Berber, die uns überfielen. Saubande!«

Ein Glas Pernod, dachte er dabei. Nur ein Gläschen. Einen Hauch von Pernod, wie das Parfüm einer schönen Frau. O Himmel, und wenn ich nur die Zunge hineinhängen kann... wie soll ich mit Fruchtsaft meinen Brand löschen?

Dr. Bender war zurückgerannt in die Baracke. Im behelfsmäßigen Operationssaal regierte bereits Cathérine. Er hörte sie schon vor dem Haus... sie kommandierte ihre Helfer und gebrauchte dabei Ausdrücke, die nicht in einen zarten Mund gehörten. Aber man war's von ihr gewöhnt und wunderte sich nicht mehr darüber.

Doch als Bender ins Zimmer kam, veränderte sie sich plötzlich. Ihre Stimme wurde freundlicher, die Kraftausdrücke unterblieben. Sie sagte sogar: »Watteau, geben Sie mit bitte ein Handtuch herüber –«

Bitte! Cathérine sagte bitte!

Henry Watteau sperrte den Mund auf und gehorchte verwirrt.

Nach zehn Minuten war der Narkoseapparat einsatzbereit. Cathérine hockte auf einem Schemel vor dem Kopf Luigis, hatte seine Zunge mit einer Klammer herausgezogen und an ein Tuch geklemmt, damit er nicht erstickte, und gab nun mit einer Ruhe, als täte sie das immer, die Narkose. Dr. Bender kontrollierte die Reflexe Luigis, horchte das Herz ab und fühlte den Puls. Luigi reagierte nicht mehr auf äußere Reize, er lag in vollkommener Betäubung.

»Los denn!«, sagte Dr. Bender. Er pinselte das Gebiet des Einschusses mit Jod ein und griff dann nach dem Skalpell.

»Ich bin gespannt«, sagte Cathérine in diesem Augenblick. Das Skalpell zuckte vom Rücken Luigis zurück.

»Worauf?« Dr. Bender sah hinunter zu Cathérine. Sie manipulierte mit Luigis Zunge, die immer wieder aus der Klammer rutschte.

»Wie Sie operieren. Der alte Doktor vor Ihnen sagte immer: ›Ganz gleich, wie man den Körper offenkriegt… Hauptsache, man hat ihn offen.‹ So war's auch. Es sah manchmal aus, als kratze er Fleisch von einem Kotelett.«

»Vielleicht mache ich's auch so –«

Dr. Bender beugte sich über Luigis Rücken und machte den ersten Schnitt quer durch den Einschuss. Der Sanitäter reichte ihm Tupfer, die mit einem blutstillenden Mittel getränkt waren.

Eine halbe Stunde dauerte die Operation. Die Kugel hatte sich in der Schale des Schulterblattes festgesetzt, und Bender musste das Knochenloch mit dem kleinen Meißel erweitern, um das Projektil endlich herauszuholen. Dann säuberte er die Wunde, streute Penicillinpuder hinein und begann, sie wieder zu vernähen.

Wortlos, mit Augen, die einem bettelnden Hund gehören konnten, sah ihm Cathérine zu.

Welche Hände, dachte sie. Wie elegant sie arbeiten, wie leicht, wie technisch perfekt. Mit welcher Sicherheit das alles geht, leise, eine Bewegung in die andere greifend.

Herrliche, männliche Hände.

Kunstwerke der Natur.

Sie senkte den Blick, sah auf den roh gehobelten Holzboden und zwang sich, nicht schneller zu atmen.

Auf diese Hände würde ich nicht schießen, wenn sie nach mir greifen. Auf diese Hände nicht.

Wie wunderbar muss es sein, wenn sie streicheln –

»Noch einen Faden –« hörte sie Dr. Bender sagen.

Sie fuhr hoch, erwachte wie aus einem Traum und kümmerte sich wieder um die zuckende, heraushängende Zunge Luigis.

Im Hause des Scheichs Ali ben Achmed erfüllte das Wehklagen der Diener alle Räume. Achmed lief mit einer langen, geflochtenen Kamelpeitsche herum und hieb auf alle ein, die ihm in die Quere kamen. Der einzige sichere Ort war der große Park und hier versammelten sich auch bald alle verstörten Diener.

Saada, das Augenlicht Achmeds, der Stern seiner Nacht, war wieder verschwunden. Diesmal hatte sie den Schimmelhengst Fakir mitgenommen, ungesattelt, nur mit einer Trense aufgezäumt.

»Sie wird sich den Hals brechen!«, schrie Achmed und rannte wie ein Irrer herum. »Fakir wird sie wegschleudern und zermalmen! Ihr Auswurf von Hyänen! Ihr Geierdreck! Ist es nicht möglich, ein zartes Mädchen zu bewachen? Seid ihr blind, taub und hirnlos? O Saada... Saada... was hat dieser weiße Teufel aus dir gemacht?!«

Was er nicht hinausschrie, war die Unterhaltung, die er vor dem Verschwinden Saadas mit seiner Tochter hatte. Es war ein kurzer Wortwechsel, der damit endete, dass Saada furchtlos fragte:

»Du hast den Ölturm anzünden lassen?«

»Ich nicht, meine Freunde –« sagte Achmed geschmeidig.

»Du wolltest den Hakim damit treffen. Unruhe willst du im Land. Du suchst einen Grund, auch ihn anzugreifen. Du wirst ihn töten, nicht wahr?«

»Ich werfe ihn stückweise den Geiern vor, wenn er dir den Kopf verdreht und dein Herz wegnimmt!«, schrie Achmed. Es hatte keinen Zweck, vor Saadas schwarzen forschenden Augen zu leugnen.

»Zu spät. Er hat mein Herz«, sagte Saada stolz.

Ali ben Achmed ordnete wieder an, Saada einzusperren. Dann ließ er Kebir, den alten Priester, zu sich kommen und klagte ihm sein väterliches Leid. »Was soll ich tun?«, jammerte er. »Der Weiße nimmt mir meine Sonne. Saada ist meine ganze Welt, Kebir. Du verstehst mich doch?«

»Ich verstehe dich«, sagte der uralte Kebir. »Und ich helfe dir. Ein brennender Turm hilft da gar nichts. Das war Dummheit, Achmed. Wo ist deine Klugheit? Im Lager ist doch Cathérine... und Cathérine ist eine Frau. Merkst du etwas, Achmed?«

»Ich merke sehr viel, Kebir.« Ali ben Achmed lächelte gequält. »Wie soll das weitergehen?«

»Mit der tragischen Selbstverstümmlung unseres Stolzes, Achmed. Wir müssen es durchhalten. Cathérine wird den Hakim überzeugen, dass zu einem weißen Mann eine weiße

Frau gehört. Mit ihrem Körper wird sie ihn überzeugen. Wichtig ist nur, dass Saada ihn nicht wieder sieht. Für uns arbeiten die Nächte, die voller Sehnsucht für Cathérine sind.«

Das war ein weiser Rat, für den Kebir drei Hühner und eine Hammelkeule kassierte. Aber der klügste Rat ist sinnlos, wenn er nicht auszuführen ist. Bei Achmed stellte sich diese Schwierigkeit ein… Saada entfloh zehn Minuten nach diesem Gespräch aus dem Haus in die Wüste.

»Bringt sie wieder!«, schrie Achmed und rannte durch den Garten, wo seine Diener hinter den Büschen standen wie schlachtbereite Lämmer. »Wer sie zurückbringt, dem erlasse ich alle Schläge. O Allah! Wenn Saada etwas geschieht… mehr Prügel als Essen werdet ihr bekommen!«

Von da an war das Haus Ali ben Achmeds leer. Er saß allein in seinem prunkvollen Zimmer und wartete. Die Diener waren ausgeschwärmt, mit den besten Reitkamelen, die der Scheich in den Ställen hatte.

Eine Gruppe ritt geradewegs zur Station XI, zwei andere Streifen durchkämmten die Wüstenberge. Nur zum Camp XII mit seinem flammenden Bohrturm wagte sich niemand. Der Bericht Abu ben Gossarahs über die Vernichtung seiner Karawane durch Pierre Serrat ließ wenig Hoffnung übrig, dass sie bei einem Besuch dieser Station mit heilen Knochen wieder zurückkamen.

Aber sie legten sich auf die Lauer. Sie kreisten das Camp ein. Auf den Hügelketten ließen sie die Kamele hinknien und hockten sich selbst in den Körperschatten der Tiere. Von hier aus überblickten sie das ganze Gebiet… die beiden Straßen, die Kreuzung, wo unter einem kreischenden Gewimmel von Geiern die Kamele bis zu den Gerippen abgehackt wurden, die Täler der Sanddünen, das weite Viereck der Baracken, Garagen und Magazine, die beiden Bohrtürme, von denen einer in einer fettigen, riesigen Wolke untergegangen war.

Wenn Saada auf Umwegen hierher wollte, – die Wachen würden sie sehen und versuchen, sie einzufangen wie einen ausgebrochenen Hengst.

Aber die Diener Achmeds kamen bereits zu spät.

Als sie ihre Beobachtungsposten auf den Hügelkuppen bezogen, befand sich Saada mit dem Schimmel Fakir schon seit einer halben Stunde innerhalb des Sperrkreises. Sie versteckte sich hinter den lang gestreckten Garagenhallen. Fakir war an einem Autowrack angebunden und verhielt sich still, als wüsste er, dass Schweigen ein Schutz seiner Herrin sei.

Hinter leeren Benzinfässern kauerte sich Saada und beobachtete das Hin- und Herrennen der Männer, das Landen des Hubschraubers, die Ankunft des Lastwagens mit Cathérine und die Auseinandersetzung mit Serrat, der unbedingt in das Flammenmeer eindringen wollte, um das Bohrloch zuzusprengen.

Ihre Augen glänzten, als sie Dr. Bender entdeckte.

Der große Hakim. Die Wahrheit ihres Traumes.

Sie zog den Kopf ein und verfolgte durch die Schlitze der aufgetürmten Benzinfässer jede Bewegung Benders. Ihr Herz hämmerte wild, wenn er unbewusst zu ihr hinüberblickte, und sie dachte wieder an die wenigen Minuten bei dem sterbenden Abdallah ibn Rahman.

Die Stimme des Hakims. Seine blauen Augen. Was hatte er gesagt, als sie ihren Namen nannte. Saada Aisha Sinah.

»Drei Namen wie Musik –«

Musik – sie klang in ihrem Herzen, wenn sie an ihn dachte, wenn sie die Augen schloss und sein Lächeln, sein Mund, seine Augen den Himmel ausfüllten.

Den ganzen heißen Tag lang blieb sie hinter den Benzinfässern hocken und wartete auf die Dunkelheit. Dreimal verließ sie ihr Versteck und holte in einem Ledersack Wasser für den geduldig an dem Autowrack stehenden Fakir. Auf dem Bauche musste sie um die Garagenecke herum in eine der Boxen kriechen, wo in einem Fass Wasser für die Motorkühlung stand. Sie tauchte den Sack hinein, ließ ihn voll laufen und kroch dann zurück hinter die Benzintonnen, tränkte Fakir und streichelte ihm die geblähten, nassen Nüstern.

»Mein Liebling«, flüsterte sie ihm in die gespitzten Ohren. »Mein Freund. Du bist das schönste Pferd der Welt –«

Fakir verstand es. Er nickte, legte den Kopf auf Saadas Schulter und blickte über sie hinweg in die flimmernde Unendlichkeit der Wüste.

Dann kam der Abend, schnell, ohne lange Übergänge, es wurde merklich kühl, nur der Sand hatte die Hitze gespeichert, aber auch sie verströmte schnell in der Kälte, die aus dem Sternenhimmel über die Sahara fiel. Das ist eine der Teufeleien der Wüste: der Temperaturunterschied von oft 40 Grad zwischen Tag und Nacht.

Saada kraulte Fakir die lange Mähne und sprach auf ihn leise ein.

»Ich lasse dich jetzt allein… hörst du, mein Liebling? Ich gehe zu ihm, zu dem großen Hakim. Mein Herz sehnt sich nach ihm, mein Blut kocht, wenn ich an ihn denke. Ganz still musst du sein, hörst du, Fakir? Ganz leise. Nicht wiehern, nicht gegen das Auto treten, nicht dich losreißen. Fakir, warte auf mich… verstehst du mich?«

Der herrliche Schimmel blickte Saada aus seinen großen runden Augen an. Sprechende Augen, die eine deutliche Antwort gaben. Augen voll Liebe eines Tieres für seine Herrin.

Saada küsste den Hengst auf die rosa Nüstern und umarmte seinen Hals. Dann schlug sie die Dschellabah um ihren schlanken Körper, sah noch einmal empor zu den Sternen, als käme dort Kraft von Allah, dem Alleswissenden, und glitt dann durch die Dunkelheit und im tiefen Schatten der langen Garagenschuppen hinüber zur Verwaltungsbaracke.

Der Bohrturm brannte noch immer. Es wäre auch ein Wunder gewesen, wenn er von selbst ausgegangen wäre. Die Flammen schossen mit unverminderter Kraft aus dem Bohrloch und breiteten sich dann zu einem Rauchpilz aus, dessen Höhe kaum zu schätzen war. Serrat meinte, es seien mindestens fünfhundert Meter, nicht eingerechnet die Qualmfetzen, die in höheren Lagen vom Winde weggetrieben wurden.

Luigi, von seiner Kugel befreit, war mit dem Hubschrauber nach Ouargla geflogen worden. Dort gab es ein Krankenhaus, wo er sich erholen konnte. »In drei Wochen liegt er wieder bei den Huren«, sagte Serrat. »Diese kleinen Italiener sind zäh. Und Weiber sind für sie die beste Medizin – bei denen ist alles heilbar vom Unterleib aus. Ob Beinbruch oder Halsschmerzen... in der Mitte sitzt die Apotheke –«

Auch die beiden anderen Schwerverletzten – ein Franzose mit einem Beindurchschuß und ein Grieche mit dem schönen Namen Sokrates Popolapopoulos, den seine Kameraden respektlos nur den ›Arsch‹ nannten – und dem eine Kugel auch ausgerechnet in das linke Gesäß gefahren war –, wurden gleich mit ausgeflogen. Oberingenieur Brennot blieb auf Station XII, um selbst die Rettung des Bohrturmes zu leiten. Leidtragender war Alain de Navrimont, der nun nicht wieder zurück zu seinen geliebten Schnäpsen fahren konnte, sondern mit Brennot ein Zimmer teilen musste. Es war bekannt, dass Brennot nichts mehr hasste als Betrunkene. Früher war das anders. Da soff auch Brennot wie ein Sieb, bis man ihn in eine Anstalt sperrte. In Lyon war das. Nach dreiviertel Jahren wurde Brennot als geheilt entlassen, und von diesem Tage an fasste er kein Glas mehr an, trank nur Fruchtsäfte oder Mineralwasser und trat dem Club der Anonymen Alkoholiker bei. Er hielt Vorträge über den Missbrauch von Alkohol, wurde, weil er etwas konnte, Oberingenieur und kam so in die Wüste als Leiter der Außenstelle Ouargla. Hier traf er chaotische Zustände an.

Die Zentrale für Südalgerien war ein einziges Saufloch. Es gab kaum einen Angestellten der Ölgesellschaft, der sich nicht jeden Tag besoff und seine eigene Hure hatte. In den großen Bordellen, die in der Sahara gesellschaftsfähig sind, denn neben Sand, Sonne, Wind und Sternen sind Frauen das Wichtigste in der Wüste, gab es jeden Tag Schlägereien, flossen der Pernod und Calvados in Strömen und gab es überpotente Ölsucher, die mit drei Huren gleichzeitig Spielchen trieben, die reif für eine artistische Zirkusnummer waren.

Brennot räumte auf, so gut das möglich war. Die Beamten in der Verwaltung wurden zum Teil strafversetzt, zum Teil lernten sie, zügig zu arbeiten. Ein Problem blieben nur die Ölsucher, wenn sie ihren Monatsurlaub in Ouargla abklopften. Aus allen Teilen der Wüste fuhren sie heran, von der Sonne gegerbt, hungrig nach weichem, warmem Weiberfleisch, durstig nach Schnaps, der heiß durch die Kehle rann und sich zwischen den Beinen sammelte wie eine Sturzflut. Dann waren die Bordelle erfüllt von Grölen und Kreischen, die säulengeschmückten Innenhöfe, von denen die einzelnen Zimmer in zwei Etagen abgingen, hallten wider vom Gesang und gurrendem Lachen.

Hier war es unmöglich für Brennot, einzugreifen. Die wilden Kerle aus der Weite der Sahara, die wochenlang nur an ihren Bohrtürmen standen und selbst nach heißen Bädern noch aus der Haut nach Öl stanken, hätten ihn kurzerhand totgeschlagen. Für sie war das Tal zwischen braunen Schenkeln der Inbegriff des Wohlseins. Davon träumten sie später, wenn sie wieder in ihren Baracken lagen und nur die Fotos der nackten Mädchen an den Wänden anstarren durften. Danach fieberten sie, wenn sie die Kalender durchrechneten. Noch zwei Wochen… noch zehn Tage… noch fünf – morgen –

Fatima, hurra, ich komme! Weißt du noch, wie ich die Senke zwischen deinen Brüsten mit harten Dinaren ausfüllte, bis der Haufen Münzen gleich hoch war mit der Spitze deiner Warzen?

Oberingenieur Brennot versuchte es anders, die Männer in den Griff zu bekommen. Er ordnete an: Jeder, der bei einer Hure geschlafen hat, muss sich, bevor er wieder zum Camp fährt, untersuchen lassen. Geschlechtskrankheiten werden ab sofort als Selbstverstümmelung angesehen. Was das bedeutet, war klar: Bestrafung durch Lohnerniedrigung, kein Urlaub für 3 Monate, in schweren Fällen Entlassung und – was besonders schlimm war – Ausweisung und Abschieben ins Heimatland.

Die Kerle aus der Wüste gehorchten. Mit trotzigen Gesichtern standen sie Schlange vor dem Untersuchungsraum, wo der Obersanitäter Guy Paribou seines Amtes waltete. Er war Sanitäter bei der Fremdenlegion gewesen, beim berühmten II. Bataillon, und kannte sich aus. Die berüchtigte »Spritze« wurde nicht kalt. Paribou handhabe sie ohne Zartgefühl, aber schnell und präzise. Flüche umdonnerten ihn, Verwünschungen, Androhungen, ihm die Knochen zu brechen… was half es? Jeder musste an Paribou vorbei, erhielt seinen Schuss in die Harnröhre und kam mit staksigen Beinen wieder aus dem Zimmer.

Aber Brennot gelang es dadurch, die Erkrankungen auf ein Mindestmaß herunterzudrücken, im wahrsten Sinne des Wortes.

Alain de Navrimont haderte mit dem Schicksal, gerade mit einem solchen Apostel der Anständigkeit in einem Zimmer liegen zu müssen. Es gab keine Ausreden, sich wieder nach Station XI abzusetzen. Dort lief alles wie geölt, wie immer, denn de Navrimont hatte man noch nie als Chef in Tätigkeit gesehen.

Während sich draußen die Nacht über die Wüste senkte und von der Straßenkreuzung das Geheul der Hyänen schauerlich durch die Stille flog, denn nun waren die Geier weg, und die »Mülleimer der Wüste« traten in Tätigkeit, fand im Verwaltungsraum eine kleine Konferenz statt.

Oberingenieur Brennot teilte seine Eindrücke mit.

»Meine Herren«, sagte er sehr ernst, »über die politische Seite dieses Überfalls sollen sich andere Stellen den Kopf zerbrechen. Uns geht nur der Bohrturm an. Ich habe mit Algier und Marseille gesprochen: Unsere Gesellschaft hat keinen Spezialisten für solche Fälle. Der einzige, der Ahnung von solchen Dingen hatte, ist François Fouquet… er liegt zur Zeit in Paris im Hospital wegen eines Leistenbruches. Aber Amerika hat eine Anzahl dieser Sprengspezialisten. Wir haben die ›Texas-Oil‹ um Hilfe gebeten. Sie schickt uns einen Mann! Er ist schon unterwegs und wird morgen früh in Algier landen. Um die Mittagszeit wird er hier eintreffen. Wenn alles klappt, ist der Brand morgen Abend vergessen.«

Pierre Serrat saß missmutig am Tisch und trank lauwarmes Dosenbier. Ingenieur de Navrimont wirkte wie zerknittertes Packpapier. Ihm fehlte zur Aufrichtung der Pernod. Henry Watteau, der Vorarbeiter von XII, spielte mit einer Liste, die er Brennot unterjubeln wollte. Eine Liste mit allen Dingen, die fehlten. Wann hat man schon die Gelegenheit, den höchsten Distriktchef zu sprechen? Bisherige Eingaben blieben in den Büros der Verwaltung in Ouargla hängen. »Zum Hinternputzen!«, meinte Serrat einmal. Aber das war falsch... in Ouargla hatte man Toilettenpapier. Die Wunschlisten verstaubten und vergilbten in den eisernen Aktenschränken.

Nach dem offiziellen Teil der Konferenz nahm Brennot freundlich Dr. Bender für eine Zigarettenlänge zur Seite. Sie gingen hinaus in die klare, kalte Nacht, deren Sternenpracht nur durch die Flammen und den Rauchpilz von »Liberté II« gestört wurde.

»Wie gefällt Ihnen Ihr neuer Job?«, fragte Brennot.

»Ich kann nicht klagen.« Dr. Bender blickte an Brennot vorbei in die Wüste. »Zuerst schien es, ich müsste mir den Weg in die Hirne dieser Kerle freischießen...«

»Es sind Menschen, die man nicht mit dem normalen Maß messen kann, Doktor. Wer hier in der Sahara nach Öl bohrt, der hat mit dem üblichen Leben abgeschlossen und ist mit dem Teufel im Bunde. Aber wenn Sie einmal ihre Freundschaft gewonnen haben, dann klaut Sie auch der Satan nicht aus der Wüste. Die Burschen würden Sie zurückholen.« Brennot legte den Arm um Benders Schulter.

»Wird's Ihnen zu viel, dann rufen Sie an. Ich lasse Sie für einen Tag nach Ouargla holen und lege Ihnen eine junge Ouled Nail ins Bett. Das hilft immer.«

»So etwas sagen Sie, Brennot?«

»Nur unter uns Freunden, Doktor. Verdammt, wir haben schon einen schweren Job!« Brennot blieb stehen und sah Bender forschend an. »Wie ist es mit Cathérine?«

»Sie ist ein hübsches Mädchen, aber sie will's nicht wissen.«

»Nicht Ihr Typ, Doktor?«

»Das möchte ich nicht sagen. Die abweisenden Frauen sind, wenn man sie erobert hat, die wildesten. Aber wer kann Cathérine erobern? Sie schießt ja sofort.«

»Haben Sie's schon versucht?«

»Soll die Arztstation wieder verwaist sein?«

»Ich glaube, Sie irren sich da, Doktor!« Brennot zertrat seine Zigarette im Sandboden. »Ich habe Cathérine beobachtet, als sie Ihnen beim Verbinden der Verletzten half. Die Augen, diese Blicke, dieser Sonnenschein in ihrem Gesicht... das Mädchen ist in Sie verliebt.«

»Das wäre schade –« sagte Dr. Bender gedehnt.

»Schade? Doktor, sagen Sie bloß, Cathérine reizt Sie nicht! Sie wären kein Mann, wenn Sie das gestehen!«

»Als ich auf Station XI ankam, schon in der ersten Nacht, hatte ich den Eindruck, dass ich hier in eine Affäre treibe, die mich eines Tages fesseln wird. Ich gestehe: Cathérine fuhr wie ein Blitz in mein Leben. Als sie in der Tür der Baracke stand, den Gürtel mit der Pistole umgeschnallt, auf den ersten Blick ein Satansweib, aber schon nach fünf Minuten mit allen Schwächen eines Weibes... da sagte ich zu mir: Hallo, Ralf, pass auf! Das gibt Komplikationen. Hier beginnt die Wüste doppelt heiß zu werden.« Dr. Bender warf seine Zigarette in den Sand und legte die Hände auf den Rücken. »Dann kam der nächste Tag, und alle Zukunft verschob sich.«

»Wie soll ich das verstehen, Doktor?«

»Ich lernte ein Mädchen kennen.«

»Hier?« Brennot hob die Augenbrauen. »Eine Eingeborene?«

»Ja. Saada, die Tochter des Scheichs von Bou Akbir.«

»Hände weg, Doktor.« Brennot fasste Dr. Bender an den Aufschlägen der Jacke. »Ich rate Ihnen: Hände weg! Ein Ouled Nail Kätzchen, gut... die bezahlt man, die toleriert man wie Essen und Trinken. Aber eine Liebe zu einer Scheichtochter… Doktor, das geht in die Hosen. Das ist Selbstaufgabe! Was sagt der Scheich dazu?«

»Er weiß von nichts. Mein Gott, Brennot, auch Saada weiß nichts davon. Was ich Ihnen sage, ist ein Geständnis unter Männern. Ich habe Saada nur einmal gesehen, aber das genügte. Der Blick ihrer Augen sitzt in mir wie ein brennender Stachel. Sie kommt wie aus einem Märchenbuch. Als Kind habe ich oft die bunten Bilder in Hauffs Märchen und aus 1001 Nacht betrachtet und mich an dieser fernen Welt begeistert. Und nun steht plötzlich eine solche Märchenfee vor mir. Saada Aisha Sinah… das ist doch wirklich wie ein Märchen…«

»Sie sollten aus Ihren Kinderschuhen springen, Doktor! Die Sahara ist das Realste, was es gibt. Hier blühen keine bunten Bildchen. Auch Saada ist ein Kind dieses Landes, und dieses Land frisst Sie auf, wenn Sie die Grenzen überschreiten, die unsichtbar zwischen Ihnen und Saada gezogen sind. Ist Ihnen das klar?«

»Völlig klar, Brennot. Es war ja auch ein geheimes Gefühl, das ich Ihnen anvertraute. Ich werde Saada vielleicht nie wieder sehen, und wenn, dann nur von weitem, bei Dienstfahrten nach Bou Akbir.«

»Halten Sie sich an Cathérine. Sie wird Sie auslasten.«

»Reden wir von etwas anderem.« Dr. Bender lehnte sich an die Barackenwand. Der Sternenhimmel war grandios, das Schweigen der Wüste ergriff das Herz. Das Unbeschreibliche dieses Landes war auch seine Schönheit. »Ich habe einen Toten geklaut…«

»Was haben Sie?«, fragte Brennot betroffen.

»Einen Toten. Er hat die Hadjar-Krankheit –«

»Himmel noch mal – hier?«

»In Bou Akbir.«

»Das ist eine Sauerei. Wollen Sie alle Männer durchimpfen?«

»Noch nicht. Ich will den Toten erst sezieren und die Versuchsreihen fortsetzen. Noch ist er der einzige in Bou Akbir. Ali ben Achmed ahnte so etwas, er wollte den Kranken vor mir verstecken.«

»Und wie sind Sie an ihn herangekommen?«

»Durch Saada –«

»Aha!« Brennot wischte sich über die Stirn. »Und wo ist der Tote jetzt?«

»Auf Station XI in einer Kühlbox. Ich habe den Toten von seinem Sohn gekauft und zu mir bringen lassen.«

»Auch durch Saada?«

»Ja.«

»Doktor, Doktor.« Brennot schüttelte den Kopf. »Sie kommen da in Verstrickungen hinein, die Ihnen die Luft abwürgen können. Ziehen Sie den Kopf aus der Schlinge – vergessen Sie die braune Elfe aus der Wüste.«

»Ich werde mich bemühen, Brennot«, sagte Dr. Bender. Er kam sich dabei vor, als gebe er Saada einen Tritt. Ein miserables Gefühl.

Sie trafen sich, als Bender allein um die Verwaltungsbaracke ging, um noch einen Blick auf den brennenden Turm zu werfen, ehe er wieder das Haus betrat.

Sie stand im Schatten der Holzwand, völlig vermummt in die viel zu weite Dschellabah, ein weißer, unbeweglicher Fleck. Dr. Bender erkannte sie sofort.

»Saada –« sagte er. Seine Stimme schwankte und hatte einen Klang wie ein unterdrücktes Seufzen. »Was wollen Sie hier, Saada? In der Nacht! Sind Sie allein?«

»Ganz allein, docteur. Nur Fakir ist bei mir.«

»Wer ist Fakir?«

»Mein Pferd.«

Dr. Bender fasste in dieses weiße Gewoge von Tüchern und ergriff einen schlanken, warmen, glatten Arm, der sich ihm entgegenstreckte. Eine Haut wie Samt glitt in seine Finger.

»Kommen Sie.« Wie abgewürgt klang seine Stimme. »Gehen wir hinter die Schuppen. Ich weiß nicht, wie die anderen es aufnehmen, wenn gerade jetzt eine Eingeborene – verzeihen Sie, Saada – hier auftaucht. Sie haben gehört, was Serrat mit der Karawane angestellt hat.«

»Ja.« Sie trippelte neben ihm her wie ein Schulmädchen, das ein Polizist über eine gefährliche Straßenkreuzung führt. »Die Männer von Bou Akbir rufen nach Rache.« Sie blieb plötzlich stehen und sah Bender mit ihren großen Rehaugen an. »Sie haben sich entschuldigt, sagt Abu ben Gossarah.«

»Ja. Ich schämte mich für Serrat. Ich hasse die Gewalt. Kommen Sie –« Er zerrte Saada aus dem Widerschein des Feuers in die tiefen Schatten der Geräteschuppen. Von hier aus konnte er das ganze Camp überblicken und Saada verstecken, wenn sich jemand näherte. Als er glaubte, sicher zu sein, blieb er stehen und drehte sie an den Schultern zu sich herum. »Warum sind Sie gekommen, Saada?«

»Ich weiß es nicht, docteur –« Ihre Stimme war klein und hell. Ein Vögelchen, das aus dem Nest gefallen war.

»Sie müssen sich doch etwas gedacht haben, als Sie nachts in die Wüste ritten.«

»Ja

»Und was ist das?«

Sie hob die schmalen Schultern und wandte den Kopf zur Seite. Dr. Bender spürte, wie es heiß in ihm hochstieg, wie

93

sein Herz schmerzhaft zu klopfen begann. Es ist Irrsinn, redete er sich vor. Denk an die Worte Brennots. Du wirst in dieser Liebe verbrennen wie ein trockener Dornbusch. Es führt zu nichts... nur zu Komplikationen, die man vermeiden kann. Sei hart, Ralf! Nimm die Faust und schlage auf dein Herz ein! Verdammt, hau es in Stücke –

»Ich bin einem Stern nachgeritten –« sagte Saada leise. »Einem großen Stern, der plötzlich vom Himmel fiel. Ganz langsam sank er in die Wüste, und ich bin ihm nachgeritten und kam hierher... und mein Stern leuchtet –«

Dr. Bender war es, als zerrisse in ihm der Panzer, der sein Herz daran hinderte, mit voller Kraft zu schlagen. Er umfasste Saada, und sie hob den Kopf zu ihm, schob die Tücher vom Gesicht, und alles war so selbstverständlich, so natürlich, so voller Hingabe, dass sie sich küssten, als sei es immer so gewesen. Die Weichheit ihrer Lippen berauschte ihn, und der Duft von Rosenöl, der aus ihrer Haut drang, blies den letzten Funken von Vernunft aus seinem Hirn.

Sie umklammerten sich wie Ertrinkende, pressten sich an die Wand des Schuppens und lösten sich auf in Seligkeit.

Am Fenster der Verwaltungsbaracke stand Cathérine und starrte in die Nacht. Sie sah nur den schwachen hellen Fleck in der Schattenhöhle der Schuppen, sie ahnte das Ineinanderfließen der Körper, und sie knirschte so laut mit den Zähnen, dass ein Frieren über ihren Rücken lief.

Alles hatte sie beobachtet... das Zusammentreffen, das Wegziehen in den Schatten, die Zärtlichkeit, die in Benders Bewegungen lag, die katzenhafte Anschmiegsamkeit Saadas. Sie hatte mit den Fäusten gegen ihre Brust getrommelt und dann die Bluse zerrissen. In Fetzen flog der Büstenhalter auf die Erde, frei lagen ihre schönen spitzen Brüste in ihren Händen.

»Warum siehst du das nicht«, stammelte sie. »Warum

siehst du mich nicht an? Ich bin schöner als sie … schöner …
nur die Hand brauchst du auszustrecken – O verdammt, ich
bin schöner als sie. Warum willst du Saada töten … denn ich
bringe sie um, wenn du zu ihr läufst wie ein Hund.«

Dann stand sie in der Dunkelheit am Fenster, und ihr
Blick zerfraß die Nacht. Die rechte Hand lag auf dem Knauf
der Pistole, und es war ein gutes Gefühl, den Tod in der
Hand zu halten –

Leo Domaschewski, der Pole, kam ins Zimmer, ohne anzuklopfen, breit grinsend, rußverschmiert, eine geballte Ladung Kraft hinter Hemd und Hose. Er blieb an der Tür stehen und nickte Cathérine zu, als diese herumfuhr und so
schnell, dass kein Auge folgen konnte, die Pistole aus dem
Halfter riss.

»Das kannst du, Mädchen«, sagte Leo dumpf. »Willst du
wieder losballern?«

»Wo kommst du her?«, fauchte Cathérine. »Was willst du
hier?«

»Ich bin abgelöst worden, Schätzchen. Acht Stunden vor
dieser dampfenden Hölle, und immer aufpassen, dass nichts
überläuft und wie ein Feuerfluss durchs Lager läuft. Das
dörrt aus.« Leo Domaschewski betrachtete Cathérine mit
schiefem Kopf. Seit sie ihn damals angeschossen hatte, war
er ihr aus dem Weg gegangen. Nur wenn es unbedingt notwendig war, bei Verletzungen, die er nicht selbst behandeln
konnte, war er in die Sanitätsbaracke gekommen, brav,
wortkarg, mit zusammengekniffenen Augen, hatte sich von
Cathérine verbinden lassen und war ohne ein Dankeschön
wieder gegangen. Aber immer, über die langen Monate hinweg, hatte er sie heimlich beobachtet, hockte bei Einbruch
der Dunkelheit vor seinem »Kino« und lud sich mit Sehnsucht auf wie eine Batterie.

Dieses »Kino« war eine tolle Sache. Leo hatte in die Wand

zu Cathérines Zimmer ein Loch gebohrt, von außen, an der Rückseite der Baracke. Das Loch war groß genug, um das Zimmer teilweise übersehen zu können, und es lag so richtig, dass man in gerader Richtung auf den Spiegel und das Waschbecken blicken konnte.

Jeden Abend zog sich Cathérine aus und wusch sich nackt von Kopf bis Fuß. Die Hitze und den Staub des Wüstentages spülte sie damit ab, erfrischte sich an dem kalten Wasser, ließ die Haut in der abendlichen Kühle atmen, und oft lief sie stundenlang nackt im Zimmer herum, legte sich auf das Metallbett und las die Zeitungen, die der Kurierhubschrauber aus Hassi Messaoud gebracht hatte.

Leo Domaschewski klebte an seinem Loch wie eine Fliege am Leim. Sein Atem rasselte, in den Lenden schmerzte die Lust, und einmal hatte er vor ohnmächtiger Leidenschaft in das Holz der Baracke gebissen, als Cathérine nackt und mit wippenden, spitzen Brüsten auf sein Loch zuging, sich genau davor stellte und an der Wand darüber etwas suchte.

Er war daraufhin in die Wüste gerannt, hatte sich in den Sand geworfen und sich gewälzt wie ein Irrer. Dann schlich er zurück, verstopfte das Loch mit Werg, denn wenn der Sandsturm gegen die Wand blies, drückte er auch einen Strahl Staub durch das Loch ins Zimmer und alles war verraten. Fuhr er später nach Hassi Messaoud zum Wochenend-Urlaub, gebärdete sich Leo Domaschewski wie ein Wilder, fiel über die Ouled Nail-Dirnen her wie ein Lustmörder, tobte auf den niedrigen Diwans und brüllte in höchster Lust nur einen Namen.

Cathérine... Cathérine...

In den Hurenhäusern nannte man ihn bald den »Geisterreiter«.

Jetzt kam eine neue Note in seine Leidenschaft: Er betrat

nachts ohne anzuklopfen das Zimmer seiner großen Sehnsucht.

»Und was willst du hier?«, fauchte ihn Cathérine wieder an.

»Ich habe dich am Fenster stehen sehen.« Domaschewski steckte die Hände in die Hosentasche. »Warum stehst du nachts allein am Fenster?«

»Das geht dich einen Dreck an.« Cathérine hob die Pistole. Leo begann zu schlucken, aber er rührte sich nicht. »Verschwinde in deine Koje, Leo.«

»Wartest du auf einen? Auf den Doktor? Bist verliebt in ihn, was? Schminkt sich die Lippen, das Schätzchen, und dreht den Hintern, wenn der Doktor kommt, als wenn es eine Stute wäre, die den Hengst wittert. Glaubst du, ich sei blind, he?«

Cathérine ließ die Pistole sinken. Zum großen Staunen Leos steckte sie die Waffe zurück in den Halfter und drehte sich wieder zum Fenster. Der weiße, verschmelzende Fleck an der schattenschwarzen Materialbaracke schimmerte unverändert. Sie küssen sich, dass ihnen der Atem wegbleiben muss, dachte sie voll Wut. Sie umklammern sich wie Kater und Katze. Hineinschießen sollte man in diesen Fleck. Hineinschießen!

»Schöne Nacht«, sagte Domaschewski rau. Die Rückenlinie Cathérines vom Nacken bis zu den Oberschenkeln machte ihn toll. »Nur stinkt's nach Öl. Dieser verfluchte Gestank, er geht nicht aus der Haut.«

Cathérine nagte an der Unterlippe. In ihr tobten Eifersucht und Hass wie ein sprudelnder Geysir. Wilde Gedanken verdrängten alle Vernunft… es gibt nichts Fürchterlicheres als eine Frau, die hasst.

»Leo –« sagte sie gedehnt.

Domaschewski atmete seufzend. Dieser Klang… diese

veränderte Stimme... dieser sanfte Ton, der seinen Namen wegtrug wie einen Hauch.

»Ja –« antwortete er heiser.

»Du bist ein Schwein, darüber sind wir uns im Klaren. Du bist eine primitive Kreatur –«

Beleidige mich nur, dachte Domaschewski. Tritt auf mir herum. Stampf mir ins Gesicht. Ich ertrage es. Ich rolle mich zu deinen Füßen und lass mich misshandeln. Du kannst alles mit mir tun.

»Ich brauche deine Hilfe, Leo.«

Cathérine wandte den Blick nicht vom Schuppen. Der helle Fleck löste sich jetzt auf, zerfloss, wurde aufgesaugt von der Finsternis. Jetzt gehen sie in den Autoschuppen, dachte sie, und ihr Herz verbrannte. Er wird sie auf eine Decke legen, sie ausziehen, mit ihrem braunen Körper spielen, mit seinen Lippen ihre Formen abtasten. Er wird sie...

Cathérine presste die Fäuste gegen die Schläfen und stöhnte. Erschrocken machte Leo zwei Schritte ins Zimmer. »Was... was haben Sie, Cathérine?«, stotterte er. Plötzlich siezte er sie. Er war so verwirrt, dass er auf der Stelle stampfte wie ein Tanzbär.

»Dort drüben im Schuppen –« sagte Cathérine, und jedes Wort war ihr, als sei es in heißem Öl gebacken – »dort drüben liegt Dr. Bender mit einem Weib auf der Erde! Mit einer Berberin.«

Leo Domaschewski machte einen Sprung und stand am Fenster neben Cathérine. »Wo?«, fragte er laut.

»Im Autoschuppen.«

»Woher weißt du das?«

»Ich habe sie beobachtet. Eine Eingeborene, Leo! Eine zierliche braune Katze –«

»Ein glücklicher Mensch, der Doktor –«

Es war eine falsche Bemerkung. Leo erkannte das sofort,

als ihm Cathérine eine schallende Ohrfeige gab. Er schüttelte den Kopf wie ein Hund, der aus dem Wasser kommt, und starrte sie an.

»Ich schenke dir 1000 Francs!«, schrie ihn Cathérine an. Ihre Augen glitzerten. »1000 Francs in bar, Leo!«

»Wofür?«

»Geh ihr nach, der braunen Katze, und nimm sie dir! Zerstöre sie! Zerbrich sie wie trockenes Holz.«

Leo Domaschewski zog den Kopf tiefer in die Schultern. »Nur weil der Doktor sie hat –«

»Ja!«

»Was soll ich mit 1000 Francs? Dafür kann ich zehnmal eine Ouled Nail haben, und weg ist das Geld. Und immer dasselbe. Ich täte es umsonst, wenn du ein bisschen lieber zu mir wärst…«

Er griff nach Cathérine, aber sie hieb ihm auf die tellergroßen Hände und ließ die Finger um den Knauf der Pistole gleiten. Leo verfolgte diese Bewegung genau und grinste dumm.

»Wir machen ein Geschäft, Schätzchen«, sagte er langsam. »Ich vergewaltige die Kleine, – damit ist dir gedient. Und du legst dich zu mir ins Bett, – damit ist mir gedient. Nur einmal, Schätzchen, ich bin bescheiden. Eine ganze Nacht… dann vergessen wir alles! Der Doktor wird es nie erfahren, und du kannst meinen Gestank von dir abwaschen. Was bleibt, ist nichts. Gut gebadet, ist halb vergessen… Nur für mich ist es mehr wert; für mich – ach, Quatsch, das verstehst du nicht.« Leo Domaschewski blickte Cathérine aus seinen kleinen, gefährlichen Bärenaugen an. »Machen wir das Geschäft?«

Cathérine sah hinüber zu dem dunklen Schuppen. Jetzt lieben sie sich, dachte sie. Ihre heißen Atem verschmelzen, ihre Körper zittern, die Hände gleiten am Schweiß ab –

Sie nickte stumm, aber gleichzeitig trat sie Leo vors Schienbein, als dieser nach ihren Brüsten griff.

»Hinterher!«, zischte sie. »Ich zahle keine Vorschüsse –«

Domaschewski knurrte tief. Dann wandte er sich ab und verließ das Zimmer. Wie ein Urtier sah er aus, breit und gedrungen, formlos in der fahlen Dunkelheit der Wüstennacht.

Cathérine drückte die Stirn gegen den Fensterrahmen und krallte die Finger um ihre Brüste. Sie zitterte, und die Zähne schlugen aufeinander.

Vernichte sie, dachte sie. Leo, vernichte diese braune Katze. Ich will ihn für mich allein haben, ganz allein… Zum erstenmal liebe ich doch jemanden…

Sie lagen eng umschlungen auf einem Haufen alter Decken. Es roch nach Benzin und Motorenöl und vermoderndem Stoff.

Ihre Hände streichelten sich, und sie waren eine ganze Zeit lang still, wortlos in ihrem Glück, atemlos in dem Erlebnis, sich zu besitzen und zu fühlen. Saadas lange schwarze Haare, auf die er sein Haupt legte, waren wie ein seidenes Kissen, und ihre Lippen, die über sein Gesicht glitten, waren weich und warm und zauberten eine unsagbare Süße in sein Herz.

»Ich liebe dich«, flüsterte Dr. Bender. »Es klingt so dumm, so altmodisch, so kitschig… aber es gibt keinen schöneren Satz. Weißt du einen anderen, Saada?«

»Ja –«

»Dann sag ihn schnell –«

»Du bist für mich mehr als die Heimat… die Wüste…«

Sie schob ihren nackten Körper so eng an ihn, dass ihre

schönen vollen Brüste sich flachdrückten und ihre Beine sich um seine Schenkel schlangen. Die Wildheit ihrer heißen Heimat zitterte noch in ihr nach.

»Wie wird es weitergehen, docteur… ?«, fragte sie.

»Ich werde mit deinem Vater sprechen.«

»Er tötet dich.«

Dr. Bender lachte leise. »Wir leben nicht mehr in einem Zeitalter, wo Probleme mit Messer und Lanze bereinigt wurden. Ali ben Achmed ist ein gebildeter Mann.«

»Er wird dich töten!« Saada hielt Dr. Bender fest, als sich dieser aus ihrer Umklammerung befreien wollte. Nach dem Rausch der Liebe kehrte nun der Alltag zurück. Die illusionslose Wirklichkeit.

»Würdest du mit mir nach Europa gehen?«, fragte er und setzte sich. Saada legte den Kopf in seinen Schoß, wie ein schwarzer Schleier floss ihr Haar über seine Schenkel.

»Fort aus der Wüste?«

»Ja.«

»In die Kälte?«

»Man gewöhnt sich daran, Saada. Es gibt dort, wo ich herkomme, keine glühende Sonne, keine Sanddünen, keine Palmen, keine Kamele… aber es gibt weite, rauschende Tannenwälder, Seen so klar wie Glas, Wiesen wie ein Teppich und einen Regen, der zu weißen Flocken gefriert. Das ganze Land ist dann weiß, und es glitzert wie Millionen geschliffener Steine, wenn die Sonne daraufscheint oder der Mond über es hinwegzieht.« Er legte beide Hände über ihre Augen und starrte in die dumpfe, stinkende Dunkelheit des Schuppens. »Es ist eine ganz andere Welt, Saada. Nicht schöner, nicht friedlicher, vielleicht sogar hinterhältiger und gemeiner als eure Welt. Hier zieht man den Dolch und sticht zu… das ist irgendwie ehrlich. Bei uns tötet man durch Worte, Lügen, Gemeinheiten, List und Bestechung.

Überall ist die Welt herrlich und verfault zugleich... es kommt nur darauf an, dass wir uns lieben.«

»Mein Vater wird dich töten!« Es war das Einzige, was sie sagen konnte. Es war die einzige Wahrheit, die zwischen ihrem Glück stand, das Einzige, was sicher war: der Tod.

Saada hob den Kopf und schlang die Arme um Dr. Benders Hals. Ihr Herz zuckte, aber sie sprach es aus und bat Allah um Gnade, dass sie jetzt den eigenen Vater verriet.

»Der Überfall auf den Turm... es war mein Vater. Er glüht vor Rache.«

»Ich habe es mir fast gedacht. Aber warum bloß, warum? Was haben wir ihm getan? Wir suchen Öl, wir suchen für ihn das flüssige Gold, von dem das ganze Land profitiert. Er sollte uns dankbar sein.«

»Es geht nicht um das Öl, docteur... es geht um mich. Ich habe ihm erzählt, dass ich mit dir gesprochen habe.«

»Und er hat gesagt, dass er mich umbringt?«

»›Ich vernichte ihn‹, hat er geschrien. ›Ich vernichte ihn! Wegjagen wie einen Hund werde ich ihn! Solange er im Gebiet von Bou Akbir ist, werden die Ölquellen brennen!‹« Saada lehnte den Kopf an Benders Brust. Er spürte, wie heftig sie zitterte, und umfasste sie. »Der Turm war nur der Anfang –«

»Dann bin ich schuld, dass dieser Überfall stattgefunden hat?«

»Ja, docteur. Es wird erst Ruhe sein, wenn du weggezogen bist.«

»Das ist ja furchtbar.« Dr. Bender stand auf. Stumm, mit geballten Fäusten sah er zu, wie sich Saada ankleidete, das Hemd über den Kopf streifte, die weiße Reithose anzog und sich dann in die weite weiße Dschellabah hüllte. »Ich habe hier eine Aufgabe übernommen, Saada, ich habe einen Vertrag unterschrieben, ich muss die tödliche Hadjar-Krank-

heit untersuchen. Ich kann Bou Akbir nicht verlassen...
nicht allein und nicht mit dir... Jetzt noch nicht.«

Saada nickte. Sie verstand. Der Traum, den Allah geschickt hatte, wurde immer wahrer. Ihr Herz verbrannte in
seinen Händen... sie hatte es deutlich gesehen.

»Wie lange musst du in der Wüste bleiben?«

»Ein ganzes Jahr.«

»Und dann?«

»Es liegt bei mir. Ich kann hier bleiben, ich kann zurück
nach Algier... nach Marseille... nach Paris... oder nach
Deutschland. Nach Dortmund.«

»Was ist Dortmund?«

»Eine große Stadt, Saada. Ein Meer von Häusern, höher
als eure Palmen. In dieser Stadt leben mehr Menschen als
bei euch in der ganzen Wüste. Tausende Autos schieben
sich durch die Straßen, Fahrräder, Straßenbahnen, Omnibusse...«

»Was sind Straßenbahnen und Omnibusse, docteur...?«

»Ach, mein Liebling.« Er drückte sie wieder an sich und
legte sein Kinn auf ihre Haare. »Wie kann man das alles in
ein paar Worten erklären? Du wirst es sehen und dich ein-
leben –«

»In einem Jahr?«

»Ja, Saada.«

Sie rieb das Gesicht an seiner Brust, und erst als sie
sprach, begriff Bender, dass es ein heftiges Kopfschütteln
war.

»In einem Jahr leben wir nicht mehr.«

»Was sagst du da?« Er hielt sie von sich weg, ihr Gesicht
schwamm in der Dunkelheit, zerfließend in den Konturen,
nur die Augen blieben groß und glänzend.

»Mein Vater wird dich töten«, sagte sie, als gäbe es gar
nichts anderes mehr auf der Welt. »Und ich werde sterben,

wenn du gestorben bist. Ich werde mir das Herz herausreißen und in den Sand werfen.«

»Das ist doch Wahnsinn! In welchem Zeitalter leben wir denn?« Dr. Bender riss sich von ihr los. Vom Ölturm näherten sich Stimmen. Ein Trupp Arbeiter zog an dem Schuppen vorbei zu den Wohnbaracken. »Man sollte deinen Vater der Distriktverwaltung melden. Sie wird ihn absetzen und verhaften.«

»Dann bin auch ich für dich verloren. Was Ali ben Achmed auch tut – er ist mein Vater.«

»Mein Gott, wie soll es denn da eine Lösung geben? Bleibe ich in Bou Akbir, brennen die Öltürme… gehe ich nach Europa zurück, verliere ich dich. Das ist ein Teufelskreis!«

»Du siehst… es gibt keinen Weg. Es war nur diese eine Nacht, die uns Allah schenkte. Sie bleibt in unseren Herzen.« Saada stellte sich auf die Fußspitzen, küsste Bender auf die Augen und schlug dann die Kapuze der Dschellabah über ihren Kopf. Ihr kleiner, brauner Arm zeigte in zwei Richtungen. »Du gehst dort weg… ich hier. Zwei Wege, die sich trennen, die nie zusammenführen, die immer weiter sich entfernen. Leb wohl, docteur… ich sage meinem Vater, dass ich dich hasse. Das wird ihn milde stimmen, es wird kein Turm mehr brennen, und du kannst dein Jahr in der Wüste arbeiten. Allah sei mit dir…«

Sie wirbelte herum, und ehe Dr. Bender etwas antworten konnte, war sie aus dem Schuppen geschlüpft.

»Saada!«, rief er. »Das ist doch keine Lösung. Saada –«

Er rannte ihr nach, verfolgte sie an den Schuppen entlang, immer im tiefen Schatten bleibend, aber sie war schneller als er, sie glitt wie ein Wiesel dahin, erreichte die Berge der leeren Benzintonnen, band Fakir los, schwang sich auf den Rücken des Pferdes und trat ihm die Fersen in die Weichen.

Fakir stieg hoch, seine Nüstern blähten sich, aber dann

machte er einen wilden Satz, im gleichen Augenblick, in dem Bender um die Barackenecke bog und beide Arme nach Saada ausstreckte. Wie ein schwereloses Fabelwesen stob der Hengst in die Nacht hinaus. Saada umklammerte seinen Hals, drückte ihr Gesicht in die flatternde Mähne und weinte laut.

Fakir spürte den Kummer seiner Herrin... sein Kopf streckte sich, und die schlanken Beine trommelten über den Wüstensand.

Außerhalb des Lagers XII, an der Wüstenpiste, wartete ein kleiner, gelbgestrichener Jeep. Als Saada an ihm vorbei-galoppierte, warf Leo Domaschewski seine Zigarette weg, sprang hinter das Steuer, riss die Bremse los und gab dem laufenden Motor Vollgas.

Wie eine Hyäne schoss der Wagen hinter Fakir her.

Leo Domaschewski beugte sich über das Lenkrad und begann zu pfeifen. Eine Soldatenmelodie war es, auf die man unter sich einen zotigen Text gesungen hatte.

Mädchen, hebt das Hemdchen hoch,

Soldaten ziehen in die Stadt,

stellt euch an in einer Reih,

wer noch will und keinen hat...

In fünf Minuten habe ich sie, dachte Domaschewski und grinste. In fünf Minuten habe ich sie überholt, stelle mich quer und ziehe sie aus dem Sattel.

In fünf Minuten, Leo, mein Stierchen –

Die wilde Jagd durch die Nacht endete bald.

Domaschewskis Jeep war schneller als der schnaubende Fakir. In einer dichten Staubwolke überholte er den Hengst, fuhr noch hundert Meter voraus und versperrte dann mit seiner Breitseite die Piste. Domaschewski kletterte vom Sitz, stemmte die Hände in die Seite und blickte Saada entgegen, die kurz vor ihm das Pferd hochriss und mit gewaltigem Satz über den Jeep hinwegsprang.

Das hatte Domaschewski nicht erwartet. Er fluchte, hechtete hinter das Steuer und gab erneut Gas.

»Ein Teufelsweib!«, murmelte er dabei. »Verdammt, das wird einen Kampf geben!«

Von jetzt ab war es ein Wettrennen um Leben und Tod. Fakir schien es zu ahnen, sein Leib streckte sich noch mehr, wie ein Pfeil flog er durch die Nacht, ganz klein, in sich zusammengekauert, saß Saada auf seinem Rücken, während ihre Dschellabah wie eine Fahne im Wind flatterte.

Aber was ist ein Pferd – gegen einen kleinen, schnellen Jeep?

Leo Domaschewski überholte noch einmal Saada, und diesmal gab er ihr keine Gelegenheit, über ihn hinwegzuspringen. Kurz vor den trommelnden Beinen Fakirs bremste er, und Saada musste ihr Pferd zurückreißen, damit es nicht gegen den Wagen prallte. So plötzlich war der Stop, dass sie vom Rücken glitt, weggefegt von der Fliehkraft. Sie rollte in den Sand, überschlug sich dreimal, und da war Leo Domaschewski schon bei ihr, seine großen Hände zerrten die Dschellabah weg und griffen nach Saadas vollen Brüsten.

Es war ein ungleicher Kampf. Saada trat um sich, hieb mit den Fäusten auf Leo ein, stieß den Kopf in seine Magengrube. Domaschewski grunzte nur, sein Gesicht war verzerrt, seine Augen klein und glitzernd wie bei einem Bären.

»Es hat keinen Zweck, mein Teufelchen«, keuchte er und zerfetzte Saadas Bluse. »Warum wehrst du dich? Willst dem Doktor treu bleiben, he? Du schwarzer Satan, ich will dir zeigen, was ein richtiger Mann ist –«

Er schlug zu, traf Saada zwischen die bloßen Brüste, sie

taumelte zwei Schritte zurück, griff um sich, als gebe es hier einen Halt, dann sank sie zusammen, auf die Knie und krallte die Finger in den Sand.

Domaschewski lachte rau. Er löste den Gürtel, ließ seine Hose fallen und rollte das Hemd bis unters Kinn. Massig, ein erregter Bulle, stand er vor Saada, breitbeinig, keuchend, zum Zerstören bereit.

Noch einmal versuchte Saada, ihm zu entkommen. Blitzschnell schleuderte sie Leo mit beiden Händen Sand ins Gesicht und rollte sich zur Seite.

Domaschewski lachte laut. Ein Lachen des Siegers. Er wischte sich den Sand aus den Augen und kam langsam auf Saada zu.

In diesem Augenblick sagte eine Stimme: »Halt!«
Leo fuhr herum.

Auf den Sandhügeln neben der Straße standen, Schattenrisse gegen den sternenübersäten Himmel, unbeweglich drei Kamelreiter.

Auch auf den Dünenkuppen der anderen Straßenseite tauchten lautlos drei Reiter auf und hielten dort die Kamele an. Zwei Reiter, aus der Dunkelheit wie aus der Erde wachsend, versperrten den Weg nach Bou Akbir.

Domaschewski wirbelte herum.

Auch der Rückweg war abgeschnitten. Drei stumme Berber standen mit ihren Reittieren auf der Piste.

Leo Domaschewski rann plötzlich der Schweiß über den Körper.

Er fror dabei, seine Bärenaugen glitzerten. Langsam, Schritt um Schritt, tastete er sich zum Jeep zurück, aber er erreichte ihn nicht. Eine Lanze zischte durch die Luft und bohrte sich vor ihm in den Sand.

Bleib stehen, hieß diese stumme Warnung. Bis hierher und keinen Schritt weiter.

Domaschewski warf sich herum. Er rannte zurück zu seiner abgelegten Hose, aber sie war von Saada ergriffen worden. Mit drei langen Sätzen erreichte sie Fakir, schwang sich auf seinen Rücken, schwenkte die Hose wie eine eroberte Fahne und jagte dann seitlich in die Wüste davon.

»Du Luder!«, brüllte Leo. »Du verfluchte Hure!« Er rollte sein Hemd herunter, aber es war so kurz, dass sein Unterleib frei blieb. So stand er da und sah mit weiten Augen, wie die stummen Berber von allen Seiten auf ihn zurückten.

Mein Revolver, dachte Domaschewski. Verdammt, ich habe meinen Colt im Jeep. In der Klappe neben dem Steuer. Nur fünf Meter sind's bis dahin. Fünf Sprünge… man sollte es versuchen.

Er setzte an, sprang den ersten Meter, aber wieder federte vor ihm ein Speer in den Boden, knapp vor seinen Schuhspitzen.

Werfen können sie, dachte Leo und blieb stehen. Der Schweiß rann ihm übers Gesicht und in die Augen, kalter, klebriger Angstschweiß. Mit hängenden Armen wartete er darauf, was weiter geschah, und verlegte sich jetzt aufs Bitten und Drohen.

»Was soll das?«, brüllte er gegen den langsam näherrückenden Ring der schweigenden Araber. »Das wird Komplikationen geben! Man wird die Armee rufen und euch zusammenschlagen! Seid ihr verrückt geworden? Was wollt ihr von mir?«

Die Berber schwiegen. Ihr Ring um Domaschewski war jetzt dicht. Elf in weiße Tücher gehüllte Gestalten bildeten eine Mauer um Leo. Zweiundzwanzig schwarze Augen ohne Gnade, ohne Regung starrten ihn an.

Durch Domaschewski lief das Zittern der Todesangst. Er riss die beiden Lanzen neben sich aus dem Boden und fällte sie. Wie ein Tier, das sich mit den Zähnen wehrt, drehte sich Leo im Kreis.

»Lasst mich in Ruhe!«, kreischte er. »Platz! Gebt den Wagen frei! Ihr Hunde! Ihr stinkenden Araberhunde!« Dann ließ er die Lanzen fallen und hob bettelnd die Hände. »Was habe ich euch getan, was denn?«, fragte er. Seine Stimme wurde hell und überschlug sich vor Entsetzen. »Das Mädchen... Männer, lasst euch das erklären. Ich wollte das gar nicht, ich habe gar kein Interesse an Saada. Aber Cathérine war's, kennt ihr Cathérine? Sie hat mich verrückt gemacht. Hat euch noch nie eine Frau um den Verstand gebracht? Ich wusste ja nicht, was ich tue! Männer – so hört mich doch an –«

Seine Stimme ging in ein helles Kreischen über. Der Ring hatte sich zugezogen. Er spürte den Atem der elf stummen Männer, nahm ihren Schweißgeruch auf, starrte in ihre schwarzen, wie Glas seelenlosen Augen.

»Nein!«, brüllte er. »Nein!«

Sein Mund blieb offen, weit, eine rote Höhle, aus der jetzt ein entsetzlicher, greller, nicht mehr menschenähnlicher Schrei quoll.

Durch seinen Unterleib fuhr der Schmerz wie ein Blitz. Er war so wahnsinnig, dass er heulte, markerschütternd, mit irren, flatternden Augen. Seine Hände griffen zur Mitte seines Leibes... aber da war nichts mehr, nur noch Blut, das über seine Arme in den Sand floss.

»Oh!«, kreischte er. »Oh!« Und dann fiel er auf die Knie, die Hände gegen sein abgetrenntes Geschlecht pressend, warf den Kopf weit in den Nacken und weinte: »Mutter!«, heulte er. »Mutter... Mutter – Oh, mein Gott –«

Er sah die Sterne blutrot werden, der Himmel brach auf wie ein aufgeschlitzter Sack, und es regnete Blut.

Es war leicht, mit einem scharfen, gekrümmten Kurzschwert seinen Kopf abzuschlagen. Ein Hieb nur genügte in den nach hinten gebogenen, gespannten Hals. Der Schädel Leo Domaschewskis kugelte durch den Sand, und es war schrecklich anzusehen, wie seine Augen noch voll Abwehr zuckten und die Lider sich senkten, als die Sandkörner sich in die Augenhöhlen klebten.

Die elf stummen Männer sahen sich an, nickten sich zu und gingen würdevoll zu ihren Reitkamelen zurück. Für sie hatte das Gesetz der Wüste gesprochen. Nur ihm gehorchten sie. Sie stiegen in ihre Sättel, die Kamele erhoben sich, und schweigsam zog die kleine Karawane über die Hügel dahin, bis die Nacht sie aufsaugte gleich einem zerflatternden Nebel.

Leo Domaschewski wurde am Morgen gefunden, als ein Lastwagen von Camp XII zur Oase Bou Akbir fahren wollte, um Holz zu holen.

Der Anblick, der sich den Männern bot, war grauenhaft.

Eine geköpfte entmannte Leiche, deren Leib bereits von den Geiern aufgerissen war.

Ingenieur de Navrimont und Oberingenieur Brennot standen erschüttert an diesem menschlichen Torso. Pierre Serrat tobte wie ein Irrer.

»Alle Mann in die Wagen!«, brüllte er. »Alle Waffen mit! Wir machen aus Bou Akbir einen rauchenden Misthaufen! Entschuldigen Sie sich noch immer bei den Arabern, Doktor?«

»Ich werde das untersuchen lassen«, sagte Brennot. »Ich spreche sofort mit dem algerischen Militärkommandanten in Ouargla. Das hier ist offensichtlich ein Mord! Ein ekelhafter Mord. Ich verstehe das alles nicht. Jahrelang war hier Frieden –«

Sie verstanden es alle nicht… und Cathérine schwieg. Sie starrte auf den verstümmelten Domaschewski, mit weißem, unbeweglichem Gesicht und verschleierten Augen. Dr. Bender legte den Arm um ihre Schulter und zog sie weg. Die Berührung seines Armes durchrann sie wie Feuer; sie schloss selig die Augen.

»Kommen Sie«, sagte Dr. Bender tonlos. »Das ist selbst für Sie kein Anblick.«

Ich werde mit Ali ben Achmed sprechen, dachte er später, als er allein in seinem Sanitätszimmer saß. Draußen hoben sie für Leo Domaschewski ein Grab aus, neben der Küchenbaracke. Der Zimmermann des Camps arbeitete an einem Kreuz, sein Hämmern schallte über den stillen Platz.

So kann es nicht weitergehen, dachte Dr. Bender. Der Hass Achmeds wird uns alle vernichten. Aber niemand wird es ihm beweisen können. Ich muss mit ihm sprechen, und dann werde ich die Wüste verlassen. So schnell wie möglich. Unter Bruch aller Verträge.

Aber da ist Saada. Was wird aus ihr?

Soll ich sie zurücklassen?

Das kann ich nicht. Ich liebe sie. Wenn zwei Menschen zusammengehören, dann sind es Saada und ich.

Dr. Bender legte das Gesicht in beide Hände. Es war eine Geste völliger innerer Zerrissenheit.

Er war in einen Strudel geraten, aus dem der beste Schwimmer nicht mehr entkam.

Um halb zwölf Uhr mittags landete der Hubschrauber aus Ouargla. Er brachte den Spezialisten aus Amerika. Den Feuertöter.

Alle Mann waren versammelt, als er aus dem Hubschrauber stieg.

Mittelgroß, mit breiten Schultern, krummbeinig wie ein Mensch, der auf einer Tonne sitzend gewachsen war.

Pierre Serrat brüllte vor Lachen.

»Der will den Turm löschen!«, schrie er und hieb sich auf die säulenförmigen Schenkel. »Setzt sich wohl als Pfropfen auf das Loch, was?«

Auch Oberingenieur Brennot war enttäuscht. Er hatte einen Helden erwartet... was aus dem Hubschrauber stieg, war eine Karikatur; de Navrimont drückte es auf seine Art aus: »Jetzt einen großen Pernod, und ich könnte lachen!«, sagte er laut.

Der kleine Mann aus Texas sah sich um, gab Brennot die Hand, und der Oberingenieur verzog schmerzhaft den Mund. Ein Händedruck wie ein Elefant, dachte er. Leute, wir irren uns gewaltig in dem kleinen Männlein –

Serrat war der nächste, der das einsah.

Er lachte noch immer wie ein brüllender Stier, als der kleine Mann vor ihm stand und sein Köfferchen in den festgestampften Sand stellte.

»Ich bin Jack Halley«, sagte er. »Ich habe noch nie einen solch dämlichen Affen gesehen wie dich.«

Im Augenblick war es still auf dem weiten Platz. Serrat riss die Augen auf und holte tief Luft. Das war auch das Letzte, was er tat... der kleine Halley hieb mit der Handkante blitzschnell in Serrats Magen, der Riese knickte ein, beugte sich nach vorn, der kleine Mann ergriff Serrats Kopf, machte irgendeine Hebelbewegung, und der Fleischberg segelte durch die Luft und schlug vor den Füßen de Navrimonts hart auf.

»Noch einer?«, fragte Jack Halley und blickte in die Runde. »Nicht? Dann können wir ja an die Arbeit gehen.« Er fasste sein Köfferchen wieder und nickte Brennot zu. »Überall das Gleiche... man muss sich vorstellen. Die Jungs haben alle kein Hirn! Sehen wir uns unseren qualmenden Otto gleich an…«

Eine Stunde später erlebten die Ölleute, wie man einen Ölbrand löscht.

Aus dem Hubschrauber waren noch Kisten ausgeladen worden, in denen sich eine Spezialuniform für Halley und ein besonderer Sprengstoff befanden. Er tauchte in der Tür der Verwaltungsbaracke wie ein Urwelttier auf, wie der Bewohner eines fremden Sterns.

Ein silberglitzernder Anzug, ein Schutzhelm wie ein Astronaut, auf dem Rücken zwei Flaschen, eine mit Sauerstoff, die andere mit einem chemischen Mittel, das den doppelwandigen Anzug durchrann und einen Hitzeschutz bot. So tappte Jack Halley zum feurigen Bohrturm, um den Hals eine Metallkiste mit Sprengstoff.

»Die Explosion erfolgt über eine eingestellte Uhr«, sagte Brennot leise zu Dr. Bender und de Navrimont. Er flüsterte, als könne seine Stimme die Explosion auslösen. »Sie tickt bereits. Halleys Problem ist es, zeitig genug die Ladung anzubringen, abstellen kann er die Uhr nicht mehr, zu lange darf der Kasten nicht in der Glut liegen, dann schmelzen innen die Drähte. Er muss also den richtigen Augenblick abpassen. Ein Höllenkommando, sag ich! Nicht für 1 Million Francs ginge ich in dieses Flammenmeer.«

Jack Halley, der kleine, krummbeinige Mann aus Texas, schritt wie eine Maschine auf den Bohrturm zu. Roboterhaft wirkte er… nur sein Gesicht hinter der dicken Panzerscheibe war noch menschlich. Als er bei Serrat vorbeikam, drehte er langsam den Helm.

»Viel Glück, Jack…« sagte Serrat heiser. Seine Mundwinkel zuckten. Halley konnte ihn nicht hören, aber er sah, dass Serrat sprach. Und er ahnte, was er sagte. Er nickte mit dem Helm und stapfte weiter. Hinein in die fetten, schwarzen Qualmwolken, hinein in die wabernde Lohe des Brandes. Hinein in eine Hölle, die gebaut war aus verbogenen rot glühenden Stahlgerüsten.

Als er eintauchte in den Rauchpilz, sah sich Halley noch einmal um.

»Verdammt, ich würde jetzt an seiner Stelle ein Vaterunser beten«, sagte Brennot mit trockener Kehle. Dann winkte er, eine Warnsirene heulte auf, die Männer rannten vom Turm weg in Deckung.

Genau fünf Minuten war Jack Halley in der Glut des Öls… dann kam er wieder aus dem Qualm hervor. Sein silberner Anzug war schwarz, das Fenster in seinem dicken Helm verschmiert. Blind tappte er vom Turm weg, wieder wie ein Roboter, aber jetzt wie einer, der irgendwo in seinem verzwickten Schaltsystem einen Wackelkontakt hat. Hundert Meter vom Ölloch sprangen Serrat und drei andere Männer aus der Deckung, hoben Halley wie eine Vase hoch und trugen ihn im Laufschritt davon.

Sie schraubten noch an seinem Helm herum, als eine ungeheure Explosion die Luft erschütterte. Der Boden schwankte, es war, als sei die Erde plötzlich aus Wellen, der Druck prallte gegen die Trommelfelle, und von der Latrine flog das Dach weg wie eine Feder. »Sag ich's nicht?«, brüllte Serrat fröhlich. »Sie haben hier das mieseste Scheißhaus der Wüste!«

Eine riesige Stichflamme jagte in den Himmel. Ein Gebirge von Sand und Steinen wirbelte gegen die Sonne, fiel dann zurück und senkte sich wie ein Deckel über das flammende Bohrloch. Mit der Gewalt von tausenden Tonnen Geröll wurde die Ölflamme erstickt, wurde ihr die Luft abgeschnitten, versank die Hölle wieder zurück in die Tiefe der Erde.

»Das war ein Pusterchen, Junge, Junge«, sagte Serrat und

schob den Helm von Halleys Kopf. »Was hast du da eigentlich in deinem Köfferchen?«

»Eigene Mischung, boy.« Halley putzte sich mit einem Taschentuch, das ihm jemand hinhielt, die Augen. »Mein Geheimnis! Das ist mein ganzes Kapital.«

»Und ein Herz aus Stein.«

»Blödsinn, boys.« Halley setzte sich und sah wie ein zufriedener Junge Brennot, de Navrimont und Dr. Bender entgegen, die zu ihm hinrannten. »Um 18 Uhr über die 27. Straße von New York zu gehen ist gefährlicher –«

Brennot umarmte Halley wie einen verlorenen Sohn. »Phantastisch«, rief er immer wieder. »Phantastisch! Genau auf den Punkt. Total erstickt! Millimeterarbeit! Halley, was kann ich Ihnen Gutes tun?«

»Geben Sie mir einen Whisky, Sir. Die ganze Flasche.« Halley zeigte auf die Verwaltungsbaracke. »Ich habe sie in Ihrem Eisschrank vorhin kaltgestellt…«

Der Brand war gelöscht, Halley wieder nach Ouargla abgeflogen, Leo Domaschewski begraben, die Aufräumungsarbeiten begannen, die Kolonne de Navrimonts kehrte zu Zentral-Camp XI zurück, mit bimmelnder Feuerwehr und dem Sanitätswagen.

Sie kamen wieder an der Kreuzung vorbei, wo Serrat die Karawane erschossen hatte… die Kamele waren säuberlich von den Geiern und Hyänen abgenagt, nur die Gerippe lagen zu Haufen herum. Bleiche Zeugen einer sinnlosen Wut.

Von Ouargla war ein Militärkommando von dreißig Soldaten und einem Hauptmann nach Bou Akbir gefahren und hatte Ali ben Achmed verhört. Er wusste, wie erwartet, von allem nichts. Er kannte nicht die Reiter, die den Bohrturm angezündet hatten, von der Tragödie Leo Domaschewskis wusste er angeblich überhaupt nichts und erfuhr sie erst jetzt durch den Hauptmann.

»Die Wüste ist grausam«, philosophierte er und ließ starken Kaffee und mit Honig gefülltes Fettgebäck herumreichen. »Wo Geier leben, muss es auch Aas geben.«

»Wie Recht hast du, Ali ben Achmed«, sagte der algerische Hauptmann und sah den Scheich dabei scharf an. »Aber es hat dich keiner beauftragt, für dieses Aas zu sorgen.«

»Ich würde es mir nie erlauben, die Politik unseres Landes zu hindern.« Achmed nippte an seiner heißen Kaffeetasse und betrachtete den Hauptmann über den Rand hinweg. »Ich sehe die Fremden nicht gern, zugegeben –, aber sie fördern das schwarze Gold aus der Erde, und wir alle profitieren davon. Wäre ich nicht dumm, mir selbst den Geldbeutel abzuschneiden?«

»Man sagt, die Reiter kamen aus Bou Akbir.«

»Man sagt es. Wer sagt es? Die Fremden! Können sie es beweisen? Haben sie einen Gefangenen gemacht, der es verrät? Bruder Hauptmann… meine Oase ist ein friedlicher Ort, ein Paradies in der Wüste. Sieh dich um, blicke in jedes Haus, in jeden Garten… nur Frieden und Arbeit wirst du finden.«

Der Hauptmann unterzog sich nicht der Mühe, diese Inspektionsreise anzutreten. Er war selbst Berber und wusste, dass er nichts finden würde außer fleißigen Handwerkern und Bauern.

Er trank seinen Kaffee aus, aß das Gebäck und erhob sich.

»Mein Auge ist auf dich gefallen, Ali ben Achmed«, sagte er zum Abschied, und Achmed verstand die Zwischentöne sehr gut. »Hier ist wirklich Frieden! Aber kommen noch einmal Beschwerden, fällt meine Faust auf dich.«

Ali nickte weise, winkte dem Hauptmann und seiner

kleinen, schwer bewaffneten Truppe zu und ging zurück ins Haus. Er war sehr nachdenklich. Die Androhung kollektiver Strafe, auch wenn nichts bewiesen werden konnte, nahm er verteufelt ernst. Sie bremste seinen Hass und zwang ihn, umzudenken.

Mit Saada hatte er noch nicht gesprochen. Seine Diener hatten sie in der Nacht zurückgebracht, und er war ihr entgegengelaufen, schimpfend und jammernd zugleich. Dann sah er, dass ihre Kleidung zerrissen war, dass ihre schönen Brüste entblößt waren, und er fluchte und bat Allah um Hilfe gegen die weißen Teufel.

Stumm ging Saada auf ihre Zimmer. Achmed schloss sie ein und stellte Wachen unter alle Fenster. Vom Garten aus beobachtete er sie, wie sie sich entkleidete und auf den Diwan legte. Ihr leises Weinen drang durch die stille Nacht, und Achmeds Vaterherz blutete wie nach einem Dolchstoß.

Den ganzen Tag über blieb Saada auf ihren Zimmern. Sie aß nichts, sie trank nur Fruchtsäfte und schickte die Tabletts mit Obst, Kuchen, Lammbraten und gezuckerten Früchten wieder weg. Stundenlang saß sie am Fenster und starrte hinaus in die Wüste.

»Ich bringe dich nach In Salah, zum Bruder deiner Mutter«, sagte Ali ben Achmed am Abend, als der Besuch des algerischen Hauptmanns vorüber war. »Dort bist du sicher. Es ist furchtbar, dass man sein Kind verstecken muss.«

»Es ist nicht nötig, Vater.« Saada blickte an Ali vorbei gegen die bemalte Wand. Ihr Gesicht war maskenhaft und schmal. »Ich werde ihn nicht wieder treffen.«

»Ist das wahr?« Achmed sprang auf und breitete die Arme aus.

»Allah hat mich erhört! Schwöre bei ihm, dass du ihn nie wieder siehst, nicht einmal von weitem…«

»Ich schwöre es, Vater.«

»Welch ein glücklicher Abend! Welch eine Wendung! Mein Liebling, dein Vater könnte weinen vor Glück.«

Saada nickte. »Lass mich allein –«, sagte sie leise. »Ich will Abschied nehmen von einem Traum.«

Achmed war klug genug, nicht dagegen zu protestieren. Er schloss seine Tochter wieder ein und feierte den Abschluss der Affäre mit einem heißen Hammelschlegel.

Oben, an die zierlichen Säulen des Fensters gelehnt, saß Saada auf der breiten Brüstung und sah wieder hinaus in die nächtliche Wüste. Im Stall wieherte Fakir. Er rief nach seiner Herrin.

»Vorbei, Fakir«, sagte Saada leise und schüttelte den Kopf. »Ruf nicht… sei still… vergiss, was du gesehen hast… Wir müssen vergessen können, Fakir. Unser Leben heißt Bou Akbir… nicht die weite, schöne Welt –«

Auf der Brüstung, den Kopf gegen eine Säule gedrückt, schlief sie schließlich ein. Achmed sah es vom Garten aus, schlich sich in ihr Zimmer und trug sie vorsichtig zum Diwan. Sie wachte nicht auf, sondern schlief wie eine Tote.

Kaum ins Lager XI zurückgekehrt, machte sich Dr. Bender an die Arbeit. Er hob mit Cathérine den toten Abdallah aus der Tiefkühltruhe und ließ ihn auftauen. Das war bei 50 Grad Außenhitze kein Problem… der gefrorene Leichnam schmolz so schnell, dass Cathérine kaum mit dem Aufwischen des Tauwassers mitkam. Ohne einen Anflug von Ekel schob sie den Toten für die Sektion zurecht und baute Instrumente, Präparatschüsseln, Gummitücher und Plastikbeutel auf einem Nebentisch auf.

Der von der Hadjar-Krankheit zerfressene Abdallah sah nach seinem Auftauen schrecklich aus. Als habe der Leib nur auf die Wärme gewartet, blähte er sich auf, als sei er mit Hefe gefüllt. Ein widerlich süßlicher Geruch breitete sich in dem kleinen Zimmer aus. Dr. Bender steckte sich eine Zigarre an und hielt Cathérine das Etui hin.

»Auch eine, Cathérine?«

»Ich habe noch nie eine Zigarre geraucht.« Ihr hartes Gesicht war in den letzten Stunden weicher geworden, durchflossen von ungestillter Sehnsucht. Sie hatte die Lippen geschminkt und trug unter der roten Gummischürze eine dünne Nylonbluse, durch die die Spitzen des BHs schimmerten. Dr. Bender stellte es sofort bei ihrem Eintreten fest und dachte an Saada.

»Sie sollen sie auch nicht rauchen, sondern nur mit dem Rauch den Gestank aus der Mundhöhle vertreiben.«

»Ich habe ein paar Spraydosen nebenan –«

»Mit denen werden Sie nichts ausrichten, Cathérine. Der Gestank wird sich in unsere Haut fressen. Aber wir müssen durch… Alles klar?«

»Ich glaube, ich habe nichts vergessen.«

Dr. Bender beugte sich über Abdallah. Nach dem Auftauen zersetzten sich die Zellen in rasender Eile. Die beiden kleinen Ventilatoren, die Cathérine neben den Tisch gestellt hatte, nützten gar nichts. Sie wirbelten nur die dicke Luft herum.

»Wann waren Sie zuletzt bei einer Obduktion dabei?«, fragte er.

»Noch nie –«

»Was?« Dr. Bender nahm aus ihrer Hand das große Skalpell, um den Körper Abdallahs mit einem Schnitt vom Brustbein bis zum Schambein zu spalten. »Und da fallen Sie nicht um?«

»So schnell nicht. Mich hat noch nie ein Mann auf dem Rücken liegen gesehen.«

»Noch nie?«

»Seit Jahren nicht.« Leichte Röte schoss in ihr Gesicht. Das ärgerte sie, und sie stampfte mit den Füßen auf. »Gehört das zur Sektion?«

»Nicht zu der Abdallahs, Cathérine –«

»Ich bin keine Leiche… auch wenn es so aussieht!« Sie wühlte nervös in den Plastikbeuteln und verschob die peinlich ausgerichtet liegenden Instrumente.

»Sie haben etwas, Cathérine.«

»Nein.«

»Lügen Sie nicht. Ich sehe es doch. Wollen Sie es mir nicht sagen?«

Cathérine presste die Lippen zusammen. Soll ich ihm sagen, dass ich ihn liebe… jetzt, hier, vor einer aufquellenden, eklig stinkenden Leiche? Soll ich mir die Kleider vom Leib reißen und mich daneben legen und ihn anschreien: »Da bin ich! Eine seelische Leiche! Nun such dir aus, was du haben willst. Schneid auf, was dich am meisten interessiert!«

»Fangen Sie doch an…«, sagte sie gequält und drückte ein Tuch gegen Nase und Mund. »Sonst falle ich wirklich noch um –«

Dr. Bender machte den ersten langen Schnitt. Bei einer Obduktion kommt es nicht auf Eleganz an, sondern nur auf einen großen Raum, um ins Innere des Körpers zu dringen.

Abdallahs Leib klaffte auseinander. Die Gedärme schimmerten violett, durchsetzt mit großen gelben Flecken. Cathérine klammerte sich an der Tischkante fest, gallig stieg es in ihr hoch.

Nicht umfallen, schrie sie sich innerlich zu. Nicht umfallen. Zeig ihm, welch eine Frau du bist…

Dr. Bender eröffnete den Magen, einen schlaffen Sack mit deutlichen kleinen Durchbrüchen, gezackt, als habe man ihn mit winzigen Projektilen durchschossen.

»Sehen Sie –«, sagte Bender und beugte sich über den offenen Körper. Seine behandschuhten Hände griffen den Magen und hoben ihn hoch. »Glatt durchgefressen! Wie Mottenfraß. Das ist die verdammte Hadjar-Krankheit!«

Von der Tür her flog ein Luftzug in das Zimmer. Die Wolke aus Gestank kam in Bewegung. Dr. Bender und Cathérine fuhren herum, der Magen schwappte in die Bauchhöhle zurück.

Pierre Serrat stand im Zimmer. Er warf die Tür zu und pflanzte sich mit breitgestellten Beinen davor auf. Sein Blick glitt über den aufgespalteten Abdallah.

»Was haben Sie da eben gesagt, Doktor?«, knurrte er. Es klang wie das dumpfe Brüllen eines angreifenden Panthers.

»Gehen Sie hinaus, Serrat! Sofort!«, befahl Dr. Bender.

»W a s haben Sie gesagt?«

»Das ist die Hadjar-Krankheit! Sie haben's doch gehört.«

»Nichts habe ich gehört… und Sie haben nichts gesagt! Verstehen wir uns, Doktor?«

»Nein.«

»Dann muss ich klarer sprechen.« Serrat kam näher, ein Turm aus Knochen und Muskeln. »Es gibt diesen Toten nicht… und ich zerquetsche Ihnen den Schädel, Doktor, wenn Sie trotzdem behaupten, er hätte hier auf dem Tisch gelegen –«

Dr. Bender brauchte ein paar Augenblicke, um mit der neuen Situation fertig zu werden.

Er hatte Schwierigkeiten erwartet, als er in das Camp XI geflogen war. In Ouargla hatte man es ihm bei der Hauptverwaltung der Ölgesellschaft ungeschminkt gesagt: »Wenn Sie in der Wüste sind, dürfen Sie nicht mehr nach gewohnter Logik denken. Dort ist alles anders. Vor allem die Menschen. Unsere Ölbohrer sind eine Sorte für sich. Wenn Sie sich da durchbeißen wollen, müssen Sie Löwenzähne haben.

Glauben Sie nicht, dass man Sie dort, auch wenn Sie Arzt sind, wie einen Retter empfängt.«

Die vergangenen Tage hatten das bewiesen, aber was er jetzt erlebte, übertraf alle Vorstellungen. Pierre Serrat verbot ihm, einen Toten zu sezieren.

Dr. Bender deckte ein Tuch über den aufgeschnittenen Leib Abdallahs. Das hemmte zwar nicht den schrecklichen Geruch, aber verringerte den Ekel, den der Anblick erzeugte. Cathérine war ein paar Schritte zurückgewichen und trank in der Ecke des Zimmers hastig ein paar Schlucke aus einer Flasche Mineralwasser. Ihre Kehle war wie aus rissigem Leder, aus dem Magen würgte die Übelkeit ununterbrochen nach oben.

»Ich sage zum letzten Mal, Serrat: Gehen Sie hinaus!«

»Und ich sage zum letzten Mal: Diesen Toten da gibt es nicht.«

»Sie sind verrückt!«

»Es bliebe zu überlegen, wer von uns beiden verrückt ist, Doktor.« Serrat zeigte mit ausgestrecktem Arm auf den Tisch. »Geben Sie mir diesen stinkenden Kadaver heraus, ich begrabe ihn, und Sie vergessen, was Sie gesehen haben. Das ist ein Angebot und mein letztes Wort.«

»Ich denke nicht daran.« Dr. Bender stellte sich wie schützend vor den armen, aufgeschlitzten Abdallah. »Das hier ist ein Hadjar-Toter. Sie wissen, was das bedeutet?«

Serrat verzog den breiten Mund. Und ob ich das weiß, mein Junge, dachte er. Laut sagte er: »Es gibt keine Hadjar-Krankheit im Gebiet von Bou Akbir.«

»Ach nein!« Dr. Bender schien zu ahnen, was Serrat zu dieser widersinnigen Handlung trieb. Plötzlich erkannte er, welche Mauer des Schweigens er einzustoßen begann, wie gefährlich es war, die Wahrheit zu zeigen mit dem herauspräparierten Magen und den Därmen Abdallahs.

Man wollte hier nichts von der tödlichen Krankheit wissen. Man wollte mit dem lautlosen Tod Seite an Seite leben, um die guten Francs zu verdienen. Das Geld war wichtiger. Die Bordellmädchen in Ouargla waren wichtiger. Der Schnaps in den Bistros. Das raue Männerleben.

Die Hadjar-Krankheit. Zum Teufel mit ihr. Sie bedeutete im Notfall Schließung der Bohrstellen, Quarantäne im Hospital von Ouargla, vielleicht sogar in Algier, Herumliegen in abgesperrten Zimmern wie Pestkranke. Drei, vier Wochen oder zwei Monate, wer konnte das sagen? Keinen Schnaps in dieser Zeit, keinen vollen Lohn, und vor allem – das war am schlimmsten – keine Weiber. Und alles nur, weil ein junger Arzt sagt: ›Die Leute müssen unter Beobachtung gestellt werden!‹

Jungs, man sollte diesen Doktor einfach an die Wand werfen.

»Was Sie machen, ist Selbstmord, Serrat«, sagte Dr. Bender rau. »Dieser Tote ist an einer Krankheit gestorben, gegen die es bis heute kein Mittel gibt. Sie ist ansteckend, das wissen wir. Wenn in Bou Akbir dieser Mann daran starb, ist anzunehmen, dass noch mehr Erkrankungen auftauchen. Abdallah hatte täglich Kontakt mit vielen Menschen. Unsere Einkäufer holen aus der Oase Gemüse und Obst… wollen Sie, dass sie die Krankheit in die Lager schleppen?«

»Wozu diskutieren?« Serrat kam einen Schritt näher. Ein Turm, der sich anschickte, auf Dr. Bender zu stürzen. »Geben Sie den Toten her!«

»Ich denke nicht daran.«

»Auch gut. Dann wird er geholt.«

Serrat machte noch einen Schritt, aber dann blieb er stehen. In der Ecke des Zimmers hatte Cathérine wieder ihre Pistole in der Hand und die kleine schwarze Öffnung zeigte genau auf Serrats breite Stirn. Der Finger war gekrümmt…

nur ein Millimeter trennte Serrat vom Tod, ein winziges Fingerzucken. So eng liegen Leben und Sterben beieinander.

Serrat verzog den Mund zu einem verlegenen Grinsen. Mit hängenden Armen, aber verkrampften Fäusten stand er da, nur zwei Meter vom Tisch entfernt.

»Begreifst du das denn nicht, du verdammtes Luder?«, knurrte er. Er blinzelte ihr zu, und beide dachten in diesem Augenblick an den unglücklichen Bob Miller, der in seinem versteckten Grabe im Wüstensand verdorrte. Du bist mitschuldig, hieß das Grinsen Serrats. Du hast den Toten nicht gemeldet, obgleich das deine Aufgabe als Leiterin der Sanitätsstation war. Du hast den Mund gehalten, als wir ihn verscharrten. Du bist nicht anders als wir, du gehörst zu uns … auch wenn du jetzt das große Jucken hast, sobald du an den jungen Doktor denkst. Cathérine – du bist ein Teil der Wüste! Du bist verdammt wie wir!

Sie verstand den Blick Serrats und hielt die Pistole ungerührt weiter in Richtung seiner Stirn.

Ob sie wirklich schießt, dachte er. Wenn ich noch einen Schritt mache, wenn ich diesen Idioten von Idealisten an dem Kragen packe und aus dem Fenster werfe … ob sie schießt?

Serrat zögerte. Seine Fäuste hieben gegen seine dicken Schenkel. Er senkte den Kopf, und der Lauf der Pistole lief mit.

Oh, du Hure, dachte er. Du kriegst es fertig und machst mir ein Loch in die Stirn.

»Gib den stinkenden Kadaver her –«, knurrte er, und seine Bärenaugen sahen kalt auf Dr. Bender. »Wozu diese Schwierigkeiten? Hier geschieht, was i c h will! Du kannst dir die Arbeit sparen, Doktor … leg dich lieber ins kalte Wasser und erhol dich. Was du jetzt da aus dem Kerl rausholst, wird nie jemand erfahren. Dafür sorge ich! Los, roll ihn vom Tisch –«

Dr. Bender schüttelte den Kopf. Er wusste nicht, dass Cathérine hinter ihm mit der Pistole stand, und er drehte sich auch nicht nach ihr um, denn diesen Augenblick hätte Serrat zu einem Sprung ausgenutzt. Er hob nur sein Skalpell, als Serrat die Arme vorstreckte.

»Bleiben Sie dort stehen, wo Sie sind, Pierre!«, sagte er hart. »Ich wehre mich … mit diesem Messer …«

Serrat lächelte böse. »Damit können Sie Apfelsinen schälen, aber mich nicht erschrecken.«

»Mag sein … aber mit diesem Messerchen habe ich den Bauch Abdallahs geöffnet. An ihm klebt Leichengift. Wissen Sie, was das bedeutet, Pierre? Ein Schnitt nur, ein Ritz in Ihre Haut, und Sie kann keiner mehr retten. Nicht hier in der Wüste … und ehe Sie in Algier sind, ist es zu spät.« Dr. Bender hielt das Skalpell Serrat vor die Nase. »Glauben Sie mir … so stark Sie auch sind, e i n e n Schnitt bekomme ich bei Ihnen los, und der genügt –«

Serrats Augen wurden ratlos. Er tappte zurück zur Tür und baute sich dort wieder auf. Die Röte in seinem Gesicht war unterdrückte Wut über seine vorläufige Niederlage. Im Hintergrund des Zimmers senkte Cathérine die Pistole und steckte sie weg unter die Gummischürze.

»Gut«, sagte Serrat gepresst. »Schnippeln Sie Ihre Leiche auseinander, wenn's Ihnen Spaß macht. Viel haben Sie nicht davon … Sie Phantast! Wer Sie in die Wüste geschickt hat, verdient Prügel. Sie sind hier so fehl am Platze wie ein Stier auf der Stute.«

Mit einem Fußtritt stieß er die Tür auf und verließ knurrend das Zimmer. Dr. Bender wischte sich mit dem Handrücken den Schweiß von der Stirn. Dann erst drehte er sich zu Cathérine um. Sie stand am Tisch, hatte den gespaltenen

Abdallah wieder aufgedeckt und war dabei, den Magen vom Gallengang zu lösen. Sie handhabte Skalpell und Schere wie eine geübte Chirurgin. Dabei würgte ihr der Ekel im Mund und betäubte der widerlich süße Geruch fast ihre Gedanken.

Dr. Bender sah ihr ein paar Augenblicke zu, griff dann selbst nach den Instrumenten und präparierte den ganzen Magen heraus. Sie legten ihn in einen Plastiksack auf den Nebentisch. Mit zuckendem Mund trat Cathérine von dem Toten zurück, rannte zum Fenster, riss es auf und steckte tief atmend den Kopf in die heiße Luft.

Wie köstlich war der Wind, wie rein, wie erfrischend gegen den Totengestank. Dieser Wüstenwind, tausendfach verflucht, war plötzlich eine kühlende Wonne.

Dr. Bender trat hinter Cathérine und legte sein Kinn auf ihren Kopf. Die Berührung durchrann sie wie Feuer.

»Sie schlagen sich tapfer, Cathérine«, sagte er leise. »Sie sind eine Frau ganz besonderen Formates. Man muss Sie bewundern...«

»Aber jetzt mache ich schlapp.«

»Das steht Ihnen zu.« Er schwieg abrupt. Über den großen Platz des Camps rannte Pierre Serrat zu den Wohnbaracken. »Was wird hier eigentlich gespielt, Cathérine?«

»Serrat wird Sie hindern, Meldungen nach Ouargla zu schicken. Für ihn existiert die Hadjar-Krankheit nicht.«

»Weil es um sein Geld geht.«

»Ja. Und die anderen denken genauso.«

»Sind hier denn nur Hohlköpfe? Sehen sie denn nicht, dass sie mit ihrem eigenen Krepieren leben?«

»Das kümmert sie nicht. Krepieren werden sie früher oder später, das ist ihnen egal. Aber solange sie leben, wollen sie alles genießen, was ihr Leben ausmacht: Geld – Saufen – Weiber. Wenn sie in die Grube müssen, wollen sie sagen: Es hat sich gelohnt auf dieser Welt.«

»Mit diesen drei Dingen? Es gibt noch anderes –«

»Nicht in der Wüste, Doktor. Ich weiß, woran Sie denken: ein eigenes Häuschen, einen Garten, liebe Kinderchen, ein Auto, Ferien an der See oder im Gebirge, schwimmen und Ski laufen, ein gut gedeckter Tisch, ein Fläschchen Wein, Zufriedenheit, Sicherheit, Sattsein, eine rosarote Welt, die Welt eines Ferkelchens, eines schmatzenden Säuglings… das ist ein Lebensziel, was? Zum Kotzen ist das, Doktor! So ist das Leben auch nicht… Das wirkliche Leben ist dreckig, ein Jauchenpfuhl, ein stinkendes Loch wie der Bauch Abdallahs.« Sie fuhr herum und sah das Gesicht Dr. Benders so nahe vor sich, dass ihre Lippen sich berührten, wenn sie sie spitzten. »Gehen Sie zurück nach Algier«, sagte sie heiser. »Ich bitte Sie… ich… ich flehe Sie an… Fahren Sie weg –«

»Nun fangen Sie auch noch an, Cathérine.« Das klang traurig und schnitt ihr ins Herz. »Ich dachte, ich hätte in Ihnen eine Verbündete.«

»Warum sollen wir beide vor die Hunde gehen?«

»Cathérine, warum sprechen Sie so? Ich zucke jedes Mal zusammen, wenn aus Ihren schönen Lippen solche Worte kommen. Sie sind doch gar nicht so…«

»Doch! Ich bin so!« Sie stieß ihn mit den Ellbogen zur Seite und lief zum Tisch zurück. Jetzt hätten wir uns küssen können, dachte sie und verfluchte diese Stunde. Aber jetzt haben wir Leichengift an unseren Gummihandschuhen, und neben uns liegt der stinkende Abdallah, der die Luft verpestet. Wie pervers das Schicksal sein kann –

»Machen wir weiter!«, schrie sie und warf Dr. Bender eine große Schere zu. Er fing sie auf, verwirrt, betreten, ratlos. »Ich habe keine Lust, länger als nötig das zu riechen. Wir wissen ja nun, dass es die Hadjar-Krankheit ist. Viel nützen wird es Ihnen nicht.«

»Abwarten.« Dr. Bender begann, die Därme in verschiedenen Stücken herauszunehmen. »Es ist völlig unmöglich, die Wahrheit aufzuhalten.«

Was möglich war, erlebte er am Abend.

Pierre Serrat hatte eine Versammlung aller Arbeiter im Speisesaal abgehalten. Was sie beschlossen hatten, erfuhr Dr. Bender im Einzelnen nie; er spürte nur die praktischen Auswirkungen.

Als er einen Kurzbericht telegrafisch nach Ouargla durchgeben wollte, weigerte sich der Funker, ihn zu senden.

Die Leitung des Telefons der Sanitätsstation war tot. Dr. Bender stellte fest, dass man sie einfach durchgeschnitten hatte. Alle Gespräche mussten über die Zentrale in der Verwaltungsbaracke laufen. Hier aber saß der Ungar Molnar und grinste, als Dr. Bender ein Gespräch nach Algier verlangte.

»Nein«, sagte Molnar freundlich. »Für Sie nicht.«

Es hatte keinen Sinn, zu streiten… Dr. Bender lief weiter ins Zimmer von Ingenieur de Navrimont.

Aber auch hier war nichts auszurichten; de Navrimont lag wie immer mit seiner Flasche im Bett, war stockbetrunken und erkannte Dr. Bender gar nicht. Als Bender ihn schüttelte, um ihn wenigstens etwas ins Bewusstsein zu bringen, grunzte er, rülpste Bender an und nannte ihn einen Hurensohn.

Im Schreibzimmer, wo die Post gesammelt wurde, die einmal wöchentlich vom Hubschrauber abgeholt wurde, saß der Südfranzose Pinpin und warf das Päckchen mit einem Stück Darm – Bender hatte es als »Testpaket« gepackt – unter den Tisch. Dabei nickte er fröhlich und drehte die Musik in seinem Radio lauter.

Auf dem großen Platz traf Bender schließlich auf Serrat, der ihn wie einen armen Irren mitleidig belächelte.

»Nun?«, fragte er. »Wann geben Sie auf, Doktor?«

»Nie!« Dr. Bender unterdrückte seine helle Wut. Er gab sich gelassen, überlegen, unerschüttert. »Was Sie da machen, sind Mätzchen, Serrat. Kein Telefon, keine Funkverbindung, keine Post... Sie glauben doch wohl nicht im Ernst, dass Sie mich von der Außenwelt abschneiden können?«

»Genau das kann ich.« Serrat lachte dröhnend. »Sie werden wie ein Säugling sein, den man vergessen hat, vom Töpfchen zu nehmen. Alles Schreien nutzt nichts.«

»Aber wehe, wenn ich Verbindung zu Ouargla bekomme!«

»Völlig unmöglich. Alle Bohrstellen sind mit uns einer Meinung.«

»Man erwartet in der Zentrale meine Berichte. Man wird anfragen. Brennot wird wissen wollen, was los ist.«

»Alle Anrufe landen jetzt bei mir. Mir fällt schon etwas ein, die Knaben in der Zentrale zu beruhigen. Ich werde sagen, Sie seien auf einer Expedition weiter in den Süden, um die verdammte Krankheit zu suchen. Gut, was?« Serrats Bullengesicht glänzte. »Ist das eine Idee?«

Dr. Bender ließ den Riesen stehen und lief zurück in die Sanitätsstation. Dort waren vier Arbeiter gerade dabei, den ausgenommenen Abdallah in einer Holzkiste wegzutragen. Bender hatte nichts dagegen – die Präparate waren in Sicherheit. Cathérine saß in ihrem Zimmer und hatte sich die Haare gewaschen. Erstaunt betrachtete Bender ihren Kopf. Er war voller kleiner Locken, gekräuselt wie ein Persianerfell.

»Entzückend –«, sagte er.

Cathérine schob mit einer trotzigen Bewegung das Handtuch über ihren Kopf.

»Was haben Sie erreicht?«, fragte sie.

»Klarheit. Man will mich völlig isolieren. Ich habe nie etwas Dümmeres erlebt. Sie können mich tage- oder wochenlang abschirmen… aber dann platzt die Bombe um so gewaltiger.«

»Das glaube ich nicht.« Cathérine massierte ihre nassen Haare mit dem Handtuch. »Wenn Sie z u lästig werden, verschwinden Sie ganz… für immer…«

»Sie meinen, man wird mich umbringen?«

»Ja. Warum wollen Sie das bloß nicht begreifen?«

»Weil es zu absurd ist. Ich bin Arzt, ich bin in die Wüste gekommen, um allen zu helfen.« Dr. Bender setzte sich neben Cathérine. Seine körperliche Nähe war ihr wie ein Backofen, dessen Tür plötzlich aufgestoßen wird. Sie hatte große Lust, alle Kleider vom Leib zu reißen und sich in diesem heißen Odem zu wälzen. »Man bringt seinen Retter nicht um.«

»In der Wüste ist alles möglich. Man küsst Ihnen zum Dank beide Wangen und ersticht Sie dann von hinten während der Umarmung.« Sie erhob sich, ging zum Spiegel und wickelte das Handtuch wie einen Turban um den Kopf. Sie trug nur ein dünnes Baumwollkleid, das eng um ihren schlanken Körper lag. Darunter trug sie nichts, war sie nackt… Bender sah es an den zu deutlichen Konturen. »Wie soll es weitergehen?«

»Wir fahren morgen früh zu Station XII und besuchen die Verletzten. Dann fahren wir weiter nach Bou Akbir.«

Cathérine hob die Schultern, als habe sie jemand von hinten geboxt. Im Spiegel sah sie ihr Gesicht… große, weite Augen, ein leicht verzerrtes Gesicht, ein verkrampfter Mund, fast lippenlos. Ein in dieser Verwandlung hässliches Gesicht, ein Medusenkopf, eine Zerrmaske.

»Warum?«, fragte sie mühsam.

Dr. Bender sah keinen Grund zur Lüge. Er war ahnungslos über das, was in Cathérine vorging. Sie war eine Frau für ihn, die er achtete und die in vielem ein Rätsel blieb... Saada liebte er mit der ganzen Sehnsucht eines Mannes, der die Liebe einer Göttin genossen hatte und seither dem Alltäglichen entrückt war.

»Ich will mit Scheich Achmed sprechen.«

»Wegen des toten Abdallah?«

»Auch. Vor allem aber wegen Saada –«

Cathérine senkte den Kopf. Das Spiegelbild ihres Gesichtes war selbst für sie nicht mehr ertragbar. Es zuckte wie unter peitschenden Schlägen.

Serrat muss es übernehmen, dachte sie. Serrat mit seinem Hass auf alle Eingeborenen. Er hat die wenigsten Skrupel, und bei ihm brauche ich nicht mit meinem Körper zu bezahlen wie bei den anderen. Er wird es aus Rache für seine verschwundene Familie tun. Er kann töten ohne Schuldgefühl. Für ihn ist es nur die Begleichung einer offen stehenden Rechnung.

Die Wüste ist ein Land ohne Luft, solange es Saada gibt. Ich ersticke –

Sie riss sich das Handtuch vom Kopf und drückte es gegen ihr Gesicht.

Wenn er jetzt käme... wenn er jetzt seine Hände ausstreckt... mir das Kleid herunterstreift... mich zum Bett trägt... er sieht doch, dass ich nackt bin, dass nur ein bisschen Stoff uns trennt... wenn er jetzt ein Mann wird... Saada könnte weiterleben.

Aber Dr. Bender blieb sitzen, schlug die Beine übereinander, steckte sich eine Zigarette an und sagte ahnungslos:

»Ihre Locken, Cathérine, sind allerliebst. Sie sollten die Haare immer so tragen –«

Ohne es zu wissen, sprach er damit das Urteil über Saada.

Die Inspektionsreise zur Bohrstelle XII störte Serrat nicht im Geringsten. Auch die Weiterfahrt nach Bou Akbir war kein Problem. In der Oase gab es vier Telefone. Eins besaß Scheich Ali ben Achmed, die anderen drei verteilten sich auf einen Großhändler für alle Oasenerzeugnisse, ein Caféhaus und auf den Priester der Moschee von Bou Akbir. Außerdem gab Serrat zwei Männer als Leibwache mit.

»Keine Widerrede!«, sagte er, als Dr. Bender ihn anschrie, er sei ein Idiot. »Die beiden fahren mit – oder Sie fahren nicht. Werden Sie nicht aufsässig, Doktor! Wir brauchen Sie nicht, – aber Sie brauchen uns.«

Dr. Bender fügte sich. Er hoffte noch immer, dass er den Piloten des Hubschraubers sprechen konnte, wenn dieser die Post abholte, eilig bestelltes Material brachte oder zurückkommende Urlauber ablieferte. Meistens blieb der Hubschrauber drei Stunden auf Station XI, ehe er wieder zurücksurrte nach Hassi Messaoud und Ouargla. Das war die einzige Chance Benders, aus der Umklammerung Serrats auszubrechen.

Den Verletzten in Camp XII ging es gut. Der Sanitäter der Bohrstelle, der Italiener Rugieri Pella, war ein fleißiger Mann, der seinen Beruf ernst nahm, sich um die Kranken kümmerte und nicht mit ihnen herumsoff unter dem Motto: Alkohol heilt alles. Er war rührend um die Verwundeten besorgt, wechselte ständig die Verbände und präsentierte Dr. Bender drei saubere Krankenstuben mit weiß bezogenen Betten und zufriedenen Insassen.

»Sie sind ein Teufelskerl, Rugieri«, lobte Dr. Bender den kleinen flinken Italiener. »Wo haben Sie das gelernt?«

»Im Hospital St. Felicita von Roccero bei Palermo, dottore«, sagte Pella stolz. »Ich war der beste Krankenpfleger.«

»Und warum sind Sie dann in diese verfluchte Wüste gegangen?«

»Das ist eine lange Geschichte, dottore.« Rugieri Pella fuhr sich mit gespreizten Fingern durch die schwarzen, krausen Haare. Seine großen, dunkelbraunen Kinderaugen wurden traurig. »Es fing damit an, dass Pietro nicht unsere Luisa heiraten wollte, obwohl er sie verführt hatte. Luisa ist meine Schwester, dottore, und Pietro war der jüngste Sohn unseres Nachbarn Sandretti in Roccero. Luisa bekam ein Kind, und Pietro sagte noch immer Nein. Er lachte über uns. Da ging mein Bruder Roberto hin und erschoss Pietro. Das war sein gutes Recht.«

»Und was haben Sie damit zu tun, Rugieri?«, fragte Bender.

»Das ist es eben, dottore... es ging nun hin und her. Sandro Sandretti erschoss meinen Bruder Roberto, mein Vater erschoss den alten Sandretti, Sandro erschoss meinen Bruder Luigi, mein Vater erschoss Sandro –«

»Gott im Himmel!«, rief Dr. Bender entsetzt. Rugieri nickte traurig.

»Gott half nicht, dottore. Die Blutrache ging weiter. Nach einem Jahr lebten nur noch Mama und mein kleiner Bruder Carlo. Von den Sandrettis aber lebten noch fünf. Sie hätten uns glatt vernichtet. Da rief Mama im Hospital an: Rugieri, hilf uns, sie rotten uns aus! Da legte ich meinen weißen Kittel ab und kam nach Hause.«

»Und dann?«, fragte Dr. Bender ahnungsvoll.

»Ich rettete Mama und Carlo... die Sandrettis gibt es nicht mehr.«

»Sie haben fünf Menschen umgebracht, Rugieri?«

Rugieri Pella nickte wehmütig. Seine braunen Kinderaugen sahen zu Bender hinauf, als bettelten sie um ein Stückchen Schokolade. »Sieben Sandrettis, dottore... da waren noch zwei Onkel, die schalteten sich ein.«

Später auf der Fahrt nach Bou Akbir kam Bender auf

Pella noch einmal zurück. »Begreifen Sie das, Cathérine?«, fragte er. In seiner Stimme schwang noch das Entsetzen nach. »Da bringt ein Mensch sieben Menschen um und pflegt jetzt in der Wüste die Kranken und Verletzten wie eine Mutter. Er opfert sich auf für sie, verliert nie die Geduld, ist allen der beste Freund… mit sieben Morden auf dem Gewissen. Ich glaube, wir lernen die menschliche Seele nie begreifen…«

»Nie!«, sagte Cathérine laut.

Auch mich wirst du nie begreifen, dachte sie dabei. Wie ein steriles Gefäß behandelst du mich… es wird der Augenblick kommen, wo ich das nicht mehr ertragen kann.

Sie kamen an die Stelle, wo unbekannte Reiter den armen Domaschewski verstümmelt und enthauptet hatten. Dr. Bender hielt an und betrachtete stumm das aus rohen Balken gezimmerte Kreuz, das Oberingenieur Brennot noch vor seinem Abflug hatte herstellen und hier in den Sand hatte rammen lassen. Cathérine saß neben ihm mit verkniffenem Mund. Sie war die Einzige, die wusste, warum Domaschewski so grauenhaft sterben musste, und als sie jetzt vor dem Holzkreuz hielten, empfand sie keinerlei Reue. Serrat wird es besser machen, dachte sie bloß. Er ist nicht blind vor Geilheit wie Leo – für ihn ist Saada kein hübsches Mädchen, sondern eine Farbige, ein Objekt seiner Rache.

Drei Kilometer weiter stießen sie auf den Haufen abgenagter, gebleichter Gerippe der Kamelkarawane, die durch Serrats Raserei vernichtet worden war. Auch sie klagten an und ließen die Frage offen: Warum?

Am Nachmittag rollten sie in die Oase Bou Akbir ein. Scheich Achmed war bereits unterrichtet: Ein unbekannter Anrufer hatte ihm mitgeteilt, dass der deutsche Arzt im Laufe des Tages kommen würde, um mit ihm über Saada zu reden.

Ali ben Achmed tobte, sperrte Saada sofort wieder ein, stellte Wachen um das Haus, ließ alle Pferde aus den Ställen führen und rief den alten Priester Kebir, seinen vertrauten Berater, zu sich.

»Sei klug«, mahnte der Alte den rasenden Achmed. »Benimm dich wie ein Weiser. Hör ihn an, lächle, schüttle den Kopf und lass seine Worte abtropfen wie Wasser an einer Mauer. Nichts ist unüberwindbarer als ein gelächeltes Nein. Du wirst sehen, er geht geschlagen zurück in sein Lager.«

»Und wenn er Saada sehen will? Wenn er frech wird?«

»Dann wirf ihn hinaus! Wer die Gastfreundschaft verletzt, hat keine Ehre mehr.« Der alte Kebir gab Achmed die Hand, kassierte für diese Ratschläge einen halben Hammel und ein Säckchen Weizen zum Fladenbacken und entfernte sich mit einer Schubkarre, die er in weiser Voraussicht wegen der Geschenke gleich mitgebracht hatte.

Achmed aber zog sein bestes Gewand an… ein goldbesticktes Hemd, eine seidene Dschellabah, ein hellblaues Kopftuch, rote, mit goldenen Litzen verzierte Sandalen aus weichem Ziegenleder.

So empfing er Dr. Bender in seinem großen, prachtvollen Salon. Der Kaffee war bereits gekocht und duftete Bender entgegen. Eine silberne Schale mit Gebäck stand daneben.

»Willkommen!«, sagte Achmed mit tiefer Stimme. »Ein Hakim in meinem Haus ist eine Ehre.«

Er winkte auf eines der runden ledernen Sitzkissen und goss Kaffee in die hohen Tassen.

Verwirrt setzte sich Dr. Bender.

Er wusste nicht, dass draußen vor der geschnitzten Tür zwei kräftige Männer standen und warteten. Muskelpakete, die Eisenstangen biegen konnten. Sie warteten auf einen Ruf ihres Herrn Ali ben Achmed.

Cathérine war draußen im Wagen geblieben.

»Es ist besser so«, meinte sie, als Bender sie mitnehmen wollte. »Scheich Achmed und ich stehen uns gegenüber wie Hund und Katze. Vor fast zwei Jahren habe ich ihm einen Regierungs-Veterinär auf den Hals gehetzt und seinen ganzen Viehbestand untersuchen lassen. Sechzig Prozent waren mit Tbc behaftet und wurden sofort geschlachtet. Das hat er mir nie vergessen, obgleich er jetzt einsieht, wie gut diese Aktion war. Aber er würde das nie zugeben.«

Nun wartete sie, bis Dr. Bender im Haus war, stieg dann aus und ging langsam die lange Gartenmauer entlang. Die beiden Begleiter, die Serrat mitgegeben hatte, drehten sich Zigaretten und kauften sich bei dem Limonadenhändler der Oase ein großes Glas voll des süßen, klebrigen Gebräus.

Cathérine hatte die Rückseite des Gartens erreicht und fand hier eine kleine Pforte, die knarrend nachgab, als sie gegen die Tür drückte. Sie schlüpfte in den Garten und versteckte sich hinter hohen Malvenbüschen, die sich entlang der Mauer zogen. Vor ihr breitete sich die saftige grüne Wiese aus, auf der sich wieder in grandioser Verschwendung die Rasensprenger drehten. Am Ende des parkartigen Gartens sah sie die säulenverzierte Balkon- und Fensterwand des Hauses, ein Filigrangebilde orientalischer Schönheit. Vor dem Haus gingen drei weiß gekleidete Diener hin und her. Sie trugen Gewehre auf dem Rücken und lange Dolche in den breiten Gürteln.

Vorsichtig, unter Ausnutzung aller Deckungen wie Büsche, Baumstämme und Blumenbeete, schlich Cathérine näher, bis sie wenige Meter vor dem Haus stand, geschützt durch eine Rosenhecke. Die Wachen standen zusammen und unterhielten sich.

Oben aber, wieder auf der Brüstung sitzend, die langen schwarzen Haare wie ein Schleier über dem Oberkörper, hockte Saada und blickte traurig über Garten und Mauer hinüber in die flimmernde Wüste.

Eine Zeit lang betrachtete Cathérine das Mädchen und tastete es mit Blicken ab. Nur eine Rivalin hat diesen scharfen Blick, dem nichts entgeht und der grausamer ist als das unbestechliche Fotoauge.

Sie ist jünger, dachte Cathérine.

Sie ist weicher in den Formen.

Ihre Brüste sind größer und runder.

Ihre Schultern fallen ab.

Ihr Haar ist unbeschreiblich schön. Aber es ist glatt. Ich habe Locken.

Und ihre Beine sind dicker, die Waden kräftiger vom dauernden Barfußlaufen, die Füße breiter.

Doch was rede ich … sie ist schön! Sie ist interessanter als ich. Der Hauch des Fremden umweht sie, das Geheimnis des Orients, ein Stück von 1001 Nacht. Ihre Haut wird samtweich sein, überall gleichmäßig braun, ein Körper, getaucht in Milchschokolade. Ein Leib, der einen Mann verrückt machen kann.

Was habe ich gegen diese Wüstenkatze zu bieten?

Cathérine betrachtete Saada mit dem ganzen Hass einer Frau, die weiß, dass sie verlieren muss. Und plötzlich trat sie aus dem Versteck hervor und stand vor dem Haus. Saada stieß einen hellen Schrei aus, die Wächter fuhren herum und rissen die Gewehre vom Rücken.

Cathérine hob die rechte Hand. In ihrer Stimme klang nicht ein Funken Angst.

»Wollt ihr auf eine wehrlose Frau schießen?«, rief sie, als die Wächter die Gewehre anlegten. »Kennt ihr mich nicht?«

Das war eine mehr rhetorische Frage. Natürlich kannte jeder in Bou Akbir die Krankenschwester Cathérine Petit aus dem Öllager. Fünfmal hatte sie Hebammendienste geleistet, als die Geburten stecken blieben und man keinen anderen Rat mehr wusste, als nach der weißen Schwester zu schicken. Cathérine war sofort gekommen und hatte die Geburt zu Ende geführt, während die alten Weiber, die sonst halfen, um das Lager herumsaßen und die junge Mutter durch laute Gesänge beruhigten und betäubten. So etwas sprach sich herum in der Oase, und die Tbc-Aktion gegen das Vieh war noch nicht vergessen.

»Ich will mit Saada sprechen«, sagte Cathérine und hob den Kopf zu ihrer Rivalin. »Oder ist das auch verboten?«

»Du bist eingebrochen!«, schrie einer der Diener. »Wir sollten dich auspeitschen.«

»Lass sie, Abu«, sagte Saada auf dem Balkon. Sie stellte sich und beugte sich zu Cathérine hinab. Dabei wehten ihre Haare in dem ständigen Wüstenwind wie die schwarze Fahne der Korsaren. »Ich glaube, es ist wichtig, was sie sagt. Geht zur Seite!«

Die Diener zögerten, sahen sich an, nickten sich dann einig zu und entfernten sich ein paar Meter. Aber misstrauisch behielten sie die Gewehre schussbereit in den Händen und beobachteten Cathérine.

»Ich höre –«, sagte Saada.

Dann war es still zwischen den beiden Frauen. Sie sahen sich an und wussten in diesem stummen Duell, worum es ging. Sie fraßen sich mit den Blicken auf, zerstörten sich, zerrissen die andere, verbrannten die Nebenbuhlerin… aber nur die Augen sprühten den Hass. Die Lippen lächelten, eine eingefrorene Freundlichkeit, die eine Maske der Vernichtung war.

»Ich bin gekommen, um dir zu sagen, dass heute Nacht der Doktor mein Geliebter wird«, sagte Cathérine mit einer Selbstsicherheit, die jede andere Frau wehrlos gemacht hätte. Nicht aber Saada. Sie verstärkte nur das eisige Lächeln.

»Weiß er das schon?«, fragte sie voll Hahn. »Wartet er darauf?«

Cathérine holte tief Luft. »Ja –«, rief sie laut.

»Du lügst. Er liebt mich. Und weil ich ihn liebe, verzeihe ich ihm, wenn er in deinen Armen liegt. Ich weiß … er denkt dabei an mich.«

Das war ungeheuerlich. Cathérine nahm es den Atem. »Du bist ein Spielzeug für ihn!«, schrie sie zurück. »Ein Abenteuer, weiter nichts. Glaubst du, er heiratet dich, er nimmt dich mit nach Deutschland, er kommt in seine Heimat mit einer Wüstenratte?«

»Ich weiß, wie sein Herz schlägt –«

»Nichts weißt du! Gar nichts! Für ihn bist du nur Körper, – den allein will er!«

»Er hat ihn bereits«, sagte Saada ohne Zögern.

Cathérine war es, als schwanke der Boden unter ihr. »Du kleine, braune Hure«, stammelte sie fassungslos. »Du Aas! Er hat dich schon gehabt? Du hast ihn schon verhext mit deiner Samthaut und deinen Schlangengliedern?! Hör einmal zu –« Sie trat noch einen Schritt vor und stand jetzt unmittelbar unter Saada. Wenn beide die Arme ausstreckten, konnten sie sich fassen … aber sie starrten sich nur an wie zwei Hyänen, die um ein Stück Fleisch kämpfen.

»Du hast keine Chance mehr«, sagte Cathérine heiser. »Heute Nacht werde ich ihn um den Verstand bringen. Ich werde ihn lieben mit einer Glut, die alle Erinnerung an dich verbrennt. Begreifst du das? Ich bin stärker als du, ich verstehe mehr von Liebe als du, ich weiß, was aus einem Mann Wachs in den Händen einer Frau macht. Und ich bin weiß … schneeweiß ist meine Haut … dagegen hast du nichts zu bieten.«

Saada warf den Kopf zurück. Einen Augenblick hatte sie Lust, laut zu den Dienern zu schreien: »Tötet sie! Werft sie den Geiern vor! Weg mit ihr…«, aber dann siegte die bessere, weiblichere Rache.

Sie umklammerte die schlanke Säule des Balkons und blickte über Cathérine hinweg in die Wüste.

»Ich wollte ihn nicht wieder sehen«, sagte sie und betonte jedes Wort, damit es auch deutlich zu verstehen war. »Ich hatte ihn aus meinem Herzen gestrichen. Er gehörte dir… Nun ist es anders. Ich werde zurückkehren in dein Leben, ich werde ihn dir abjagen wie eine Beute. Dieser Stolz der Weißen – ich bespucke ihn! Dieser Hochmut! Ich werde ihn zertreten! Hörst du –« Sie senkte den Kopf. Ihre Augen flammten auf mit einer Glut, die sich in Cathérines Herz fraß. »Schleif ihn dir heute Nacht ins Bett… ich hole ihn mir wieder! Ich bin stärker als du… ich bin schöner als du…«

Cathérine nahm es den Atem. Ohne Möglichkeit, etwas zu tun, ballte sie die Fäuste. Aber dann plötzlich löste sich ihre Erstarrung, blitzschnell bückte sie sich, krallte die Finger in den Boden, riss zwei Hände voll Sand und Erde heraus und schleuderte sie Saada ins Gesicht. Sie traf nicht, der Schmutz zerstob in der Luft, nur ein paar Bröckchen fielen auf den Balkon neben die Säule.

Cathérine wollte noch etwas rufen, aber da hatten die Diener sie schon ergriffen, hoben sie einfach hoch, als sie um sich schlug und trat, und trugen sie wie eine kreischende Katze weg durch den Garten bis zu der kleinen Pforte. Dort warfen sie Cathérine vor die Mauer und verriegelten dann die Tür.

Das helle Lachen Saadas flog hinter ihnen her. Das Lachen der Siegerin.

Bleich vor Wut lehnte sich Cathérine an die hohe, weißgetünchte Mauer. Ihre Niederlage war so vollkommen, dass sie sich selbst hätte zerfleischen können in sinnloser Raserei.

Sie lacht… sie lacht über mich… während sie mich hinauswerfen ließ wie einen streunenden Hund.

Serrat… Pierre Serrat… du Bulle von Kerl… ich verspreche dir alles, wenn du sie umbringst.

Ich kann nicht mehr atmen, wenn ich an sie denke. Ich verbrenne mich selbst in meinem Hass.

Ich habe die Hölle erreicht, wo es kein Mitleid mehr gibt.

Die Unterredung zwischen Dr. Bender und Scheich Achmed war ebenfalls kurz, nur höflicher und männlich-logischer.

Sie begann mit einem Paukenschlag, den Achmed nicht erwartet hatte. Er trank gerade den heißen Kaffee und schmatzte wohlig, denn der dampfende Trank war dickflüssig und gut gesüßt, als Dr. Bender sagte: »Ich bin gekommen, um mit Ihnen über Saada zu reden, Scheich Achmed.«

Ali setzte die Tasse sofort ab. Seine Augen verengten sich. In seinen wertvollen Gewändern wirkte er wie eine sitzende Statue. Der goldene Hintergrund verstärkte noch den Eindruck.

»Was hat meine Tochter mit Ihnen zu tun, Doktor?«, fragte er zurück.

»Ich liebe sie.«

»Das wagen Sie mir zu sagen? Ins Gesicht? So, als handele es sich darum, ein Pfund Feigen zu kaufen?« Achmed dachte an den Rat des weisen Kebir und regte sich nicht auf. Er sagte alles ganz nüchtern, ohne die Leidenschaft herauszulassen, die in seinem Inneren tobte. Unterkühlt wirkte er, überlegen, so, als habe ein Mäuslein gezirpt, das er gleich zertreten würde.

Dr. Bender fühlte sich in diesen Minuten wirklich unterlegen. Es ist immer eine verteufelte Angelegenheit, vor den Vater eines Mädchens zu treten und ihm zu sagen, dass man gewillt ist, seine Tochter aus dem Hause wegzunehmen. Denn darauf läuft es ja hinaus. Man nimmt ihm die Tochter weg, entführt sie in eine unbestimmte Zukunft, die man zwar in den besten Farben schildern kann und die doch keiner glaubt. Es ist wie auf dem Sektionstisch – man lässt sich aufschneiden, lässt die anderen in sich hineinschauen, sie können herumwühlen und suchen, um schließlich zu sagen: Sauber ist er zwar, aber ob das reicht?

Hier war es noch etwas anderes: Zwei Welten standen sich gegenüber, die aneinander vorbeidachten, die sich nur oberflächlich verstanden, grundverschieden waren in ihren Ansichten, ihrer Lebensweise, ihrer Einstellung gegenüber dem Tod, ihrer Moral und Mentalität, ihrer Religion und letztlich in ihren Lebenszielen.

Das größte Hindernis aber war, dass Achmed seine Tochter liebte wie die Sonne und das kühle Wasser im Brunnen.

»Ich weiß, es ist ungewöhnlich, was ich tue«, sagte Dr. Bender. »Vielleicht entspricht es nicht Ihren Sitten, aber ich dachte mir, dass ein offenes Wort viele Mißverständnisse ausräumt. Ich bin Arzt, ich werde noch zwei Jahre in der Sahara bleiben und dann zurückkehren nach Deutschland. Dort werde ich eine Praxis aufmachen, in irgendeiner kleinen Stadt, wo Saada und ich glücklich leben können.«

»In Deutschland«, sagte Achmed finster.

»Ja.«

»Sie wird frieren. Sie braucht das Licht der heißen Sonne, die Wärme des Sandes, die Kühle des Palmenschattens. Sie wird eingehen wie eine Blume im Sandsturm, das Heimweh wird sie aushöhlen, sie wird sterben aus Sehnsucht nach der Wüste.« Achmed zählte diese Dinge auf wie ein Handelsmann, der seine Ware anpreist. Er ließ Bender keine Möglichkeit, zu widersprechen. »Trinken Sie Ihren Kaffee, Doktor, und lassen Sie uns sprechen von einem rätselhaften Fall, der sich in Bou Akbir zugetragen hat. Abdallah, ein braver Mensch, der sehr krank war, ist verschwunden. Einfach verschwunden. Seine Familie glaubt an Geister… aber ich nicht. Haben Sie eine Erklärung für das Verschwinden Abdallahs?«

»Nein. So etwas kann man nicht erklären. Aber die Liebe Saadas ist erklärbar…«

»Saadas Liebe?« Achmed hob die Augenbrauen. Bisher war nur die Rede davon gewesen, dass der Doktor sie liebte. Ein schrecklicher Verdacht kroch in Achmed hoch und umklammerte wie mit Eisen sein Vaterherz. »Sie hat es Ihnen gesagt?«

»Ja, wir sind uns einig.«

»Sie war in der Nacht bei Ihnen?«

Dr. Bender zögerte. Es war eine direkte Frage, die Saada bloßstellte. Als er Ali ben Achmed ansah, erkannte er, dass Lügen keinen Sinn hatten.

»Sie kam ins Lager geritten… in das Lager XII, dessen Bohrturm Ihre Leute angezündet hatten…«

»Wie können Sie so etwas sagen?« Die Stimme Achmeds war gefährlich leise. Sie streichelte die Worte.

»Sie kam zu mir, um sich für Sie zu entschuldigen. Und als sie wieder wegritt, wussten wir, dass wir zueinander gehören —«

Achmed senkte den Kopf. Sein Gesicht versank fast in den Falten der seidenen Dschellabah. Er hat sie mir genommen, dachte er und blickte in sich wie auf ein tobendes Meer. Er hat sie abgerupft wie einen Grashalm. Er hat sie entehrt, besudelt, ihre Mädchenhaftigkeit geraubt. Er ist über ihr gewesen wie der Hengst über einer Eselin. Meine

Saada, mein Stern, mein Kind, meine ganze Welt... er hat es zerstört!

»Gehen Sie«, sagte Achmed leise. »Gehen Sie sofort! Flüchten Sie aus diesem Haus, oder –« und seine Stimme schwoll an zu einem heiseren Brüllen – »oder ich lasse Ihnen den Kopf abschlagen. Allah – Allah verzeih mir, dass ich es nicht gleich tue.«

Dr. Bender war aufgesprungen. Hinter ihm sprangen die Doppeltüren auf. Die beiden Riesen stampften ins Zimmer. Henker wie aus einem Märchen. Braun, mit nacktem Oberkörper, eine sich bewegende Masse aus Muskeln.

Dr. Bender fuhr herum. Er hatte keine Waffe bei sich, und er wusste, dass er verloren war, wenn Achmed einen Wink gab. Niemand würde ihn vermissen, keiner von seinem Ende erfahren. Er war einfach verschwunden. Natürlich würde man ihn suchen, aber die Wüste verschluckte so viele, warum nicht auch einen deutschen Arzt? Nach ein paar Tagen schloss man dann die Akten und machte einen Strich durch seinen Namen.

Verschollen. Ein aufgesaugter Wassertropfen in der Wüste.

Die Männer im Camp würden schweigen, dafür sorgte schon Serrat. Aber Cathérine? Was war mit ihr? Schwieg sie auch?

»Das ist keine Lösung der Probleme, Achmed!«, rief Dr. Bender. »Man kann nicht mit Gewalt alles geradebiegen.«

Achmed ben Ali atmete schwer. Niemand konnte begreifen, wie schwer es jetzt war, vernünftig zu bleiben. Das jahrhundertealte Gesetz der Wüste musste blind werden.

»Ich will Sie nicht mehr sehen«, sagte Achmed mühsam. »Nie mehr, Doktor! Ich verfluche Sie! Wissen Sie, was das heißt? Jeder meiner Brüder hat das Recht, Sie zu töten, wenn er Sie in Bou Akbir sieht. Und es wird keinen geben, der Sie beschützt. Ein Sandfloh ist mehr als Sie. – Gehen Sie… gehen Sie schnell –«

Dr. Bender ging. An den beiden Riesen vorbei verließ er schnell das Haus und traf draußen die zwei Bewacher. Auch Cathérine saß im Wagen, in sich versunken, wie zusammengekrochen. Sie blickte nicht auf, als Bender einstieg und den Männern zurief: »Nach Hause!«

Stumm fuhren sie eine Stunde durch die Wüste, ehe Cathérine sich rührte. Mit einer Zärtlichkeit, die Bender verblüffte und ratlos machte, legte sie ihren Kopf an seine Schulter.

»Erfolgreich?«, fragte sie mit kleiner Stimme wie ein Kind, das lange geweint hat und nun um Aufmerksamkeit bettelt.

»Nein –«

»Nicht?« Ein Zucken lief durch ihren Körper.

»Achmed hat mich hinausgeworfen.«

»Und was wollen Sie jetzt tun, Doktor?«

»Warten. Ich weiß, dass Saada einen Weg finden wird, zu mir zu kommen. Oder ich hole sie aus diesem Haus heraus, wenn es sein muss, mit Gewalt! Ich werde diesen goldenen Käfig aufbrechen –«

Cathérine schwieg. Sie legte den Arm um Benders Taille und tat so, als ob sie übermüdet einschliefe. Aber sie blieb hellwach.

Du wirst sie nie wieder sehen, dachte sie zufrieden. Und wenn du den Käfig aufbrichst, wird er leer sein.

Und außerdem kommt bald die Nacht.

Unsere Nacht –

Meine Nacht –

Pierre Serrat empfing Dr. Bender auf dem Lagerplatz. Breitbeinig wie immer, stand er im Staub, eine kleine Leibwache hinter sich. Er winkte dem Jeep zu, der Fahrer lenkte zu Serrat hin und bremste kurz vor ihm. Wie eine lebende Kette umringten die Männer den Wagen.

»Steigen Sie aus, Doktor!«, sagte Serrat ernst. »Es ist etwas geschehen, was alles ändert.«

»Ein Unglück? Gab es Verletzte?« Bender sprang aus dem Jeep. Cathérine folgte ihm mit dem Behandlungskoffer. Er enthielt alles an Instrumentarium und Medikamenten, was man für einen Notfall brauchte.

»Kein Unglück.« Serrat grinste plötzlich, auch die anderen Männer waren sehr fröhlich. »Nur einen Toten.«

»Wo liegt er?«

»Er steht noch.« Serrat holte tief Atem. »Sie sind der Tote.«

»Reden Sie keinen Quatsch, Pierre!« Dr. Bender wich zurück, aber das war nur ein Meter, dann prallte er an den Wagen. Cathérine war plötzlich vor ihm, warf den Holzkoffer Serrat vor die Stiefel und fasste nach ihrer Pistole. Aber diesmal waren die Umstehenden schneller. Sie rissen ihr die Arme hoch und drückten sie gegen den Jeep.

»Das könnt ihr nicht tun!«, schrie sie. »Ihr Idioten! Ihr Wahnsinnigen! Glaubt ihr, ich halte den Mund? Ihr müsst mich mit ihm töten … wollt ihr das auch?«

Serrat winkte ab. Er war wie ein Fels in der Brandung.

»Er ist bereits tot, Schätzchen«, sagte er und steckte die Hände in die Hosentaschen. »Mit einem Federstrich, mit ein paar Worten. Es war eine blendende Idee … Molnar hatte sie. Wir haben den Doktor als tot nach Ouargla gemeldet. Kinder, war das einfach. Ich habe ihnen erzählt, dass der Doktor gestern in die Wüste geritten ist, mit einem geliehenen Kamel. Warum er das tat, weiß keiner. Steht uns

146

ja auch nicht zu, den gelehrten Herrn zu fragen: Wohin reiten Sie? Die Kerle in Ouargla bestätigten das. Ja, und nun ist das Kamel allein aus der Wüste zurückgekommen, und vom Doktor keine Spur. Natürlich haben wir gesucht, die ganze Nacht, mit Scheinwerfern und Megafonen, und heute den ganzen Tag… Nichts. Die Wüste hat ihn verschluckt. Ein schreckliches Ende! In Ouargla wollen sie die Fahnen auf halbmast setzen. Morgen früh landet Brennot, um Sie zu suchen, Doktor. Wenigstens Ihren Körper will er haben, um ihn anständig zu begraben. Aber er wird ihn nicht finden –«

»Das heißt, Sie werden mich jetzt hinrichten, regelrecht hinrichten.« Ein schreckliches Würgen hinderte Dr. Bender am Sprechen. Es ist selten, dass man seinem Tod in allen Einzelheiten gegenübersteht. Auch Cathérine schien das zu empfinden… sie schrie wieder in ihrer zermürbenden Art:

»Ihr Verrückten! Das lässt sich nicht vertuschen! Einer wird umfallen und den Mund aufmachen, dann seid ihr alle dran! Ihr wisst, was in Algerien mit Mördern geschieht!«

»Wer mordet denn?« Serrat lachte dröhnend. »Freunde, sie machen beide in die Hosen! Seht nur! Wer mordet denn, he? Der Doktor ist tot… das sagte ich doch. Und bleibt so lange tot, wie ich es will. Los, Jungs, bringt ihn weg…«

Ein paar Männer packten Dr. Bender und schleiften ihn weg zu den Geräteschuppen. Drei andere Ölbohrer hielten Cathérine fest und trugen sie ins Verwaltungsgebäude. Dort setzten sie sie auf einen Stuhl und drückten sie immer wieder nieder, wenn sie aufspringen wollte. Sie wurde erst ruhiger, als Serrat eintrat.

»Wo ist er?«, schrie sie. »Was habt ihr mit ihm gemacht?«

»Er hat eine feudale Wohnung im Schuppen III. Es stinkt zwar nach Öl, und ein Fenster hat er auch nicht, aber man kann dort leben. Und hören kann man ihn nicht; wenn Besuch kommt, wird einer von uns vor dem Schuppen Holz auf der Kreissäge schneiden.«

»Das ist die idiotischste Tat, die ich kenne«, sagte Cathérine. »Wie soll er denn später von den Toten auferstehen?«

»Darüber müssen wir noch nachdenken«, antwortete Serrat ehrlich. Es war ein Problem, das er bisher tunlichst umgangen hatte.

»Ihr könnt ihn doch nicht jahrelang verstecken!«

»Hm.« Serrat setzte sich. Sein breites Gesicht legte sich in Sorgenfalten wie bei einem traurigen Boxerhund. »Ich rechne mit dir, Cathérine...«

»Mit mir? Ich spucke dich an –«

»Vergeude kein kostbares Nass.« Er lächelte fade. »Überleg einmal, Schätzchen! Jetzt hast du ihn ganz für dich. Keiner kann ihn mehr wegnehmen. Von uns aus kannst du zu ihm ziehen und Tag und Nacht bei ihm liegen. Wir gönnen es dir. Nur den Mund musst du halten, das ist alles. Niemand wird dich stören... auch Saada nicht... denn du liebst ja einen Toten. Na, ist das ein Plan?«

Er wollte gelobt werden, aber Cathérine tippte an ihre Stirn.

»Und später?«

»Das liegt an dir, Mädchen. Er muss dich so lieben, dass er alles vergisst... Afrika, das Öl, die Hadjar-Krankheit, seinen Vertrag, unsere verfluchten Camps, die Wüste... er muss nur noch dich sehen, und du nimmst ihn mit nach Europa, in die kalte Heimat. Für uns bleibt er tot... wer fragt schon danach, wenn ihr in Deutschland auftaucht, ob er in der Sahara als tot gemeldet ist?«

Cathérine wurde plötzlich ruhig. Ihre Augen bekamen einen nachdenklichen Ausdruck.

»Die Idee ist gar nicht so übel«, sagte sie. »Sie wäre für uns alle eine gute Lösung. Jetzt liegt es nur an mir...«

»Du wirst es schon schaffen, Schätzchen.« Serrat tätschelte ihre auf dem Tisch liegenden Hände. »Bei deinem Körper, deinem Hunger nach ihm... du müsstest ihn betäuben mit deiner Liebe. Ich weiß, du schaffst es...«

Cathérine antwortete nicht. Sie dachte an Saada. Sie hörte ihr triumphierendes Lachen. »Wenn du ihn liebst, wird er an mich denken...«

»Pierre –«, sagte Cathérine langsam.

»Ja, mein Schätzchen?«

»Schick die anderen hinaus. Ich muss mit dir allein reden.«

Serrat zögerte. Dann nahm er Cathérine die Pistole aus dem Halfter – bei ihr musste man mit allem rechnen – und winkte den anderen zu.

»Wir sind allein.« Serrat blieb an der Tür stehen. Katzen können große Sprünge machen, dachte er. Und Cathérine ist eine Raubkatze. »Was soll das?«

»Auch ich habe einen Plan«, sagte Cathérine. Sie sprach so ruhig, als erzähle sie etwas Gelesenes. »Und jetzt musst d u mir helfen, Pierre.«

Der Raum war fensterlos, stickig und stank nach Schmieröl und Benzin.

Dr. Bender blieb eine Weile auf dem festgestampften Boden liegen, so wie ihn die Männer hineingeworfen hatten, und gewöhnte sich langsam an das fahle Dunkel. Durch einige Ritzen der Bretterwände schlich sich ein Schimmer von Licht, so schwach, dass die Augen Minuten brauchten, um auch diese Lichtquelle zu verarbeiten. Dann aber schälten sich die Gegenstände seiner neuen Umgebung aus der Dunkelheit.

Pierre Serrat und seine Männer hatten alles bestens organisiert. Ein Feldbett stand an der einen Wand, mit einer Seegrasmatratze und sogar zwei Wolldecken gegen die Nachtkühle der Sahara. An der anderen Wand stand ein eisernes Gestell mit einer Waschschüssel voll Wasser, daneben ein Plastikeimer – sicherlich für die tägliche Notdurft –, denn man hatte auf den Eimer einen alten Blechdeckel geklemmt. Ein Stuhl stand einsam herum, eine Kiste als Tisch, und auf der Kiste lag ein Kartenspiel.

»Wie menschlich«, sagte Dr. Bender bitter. Er war aufgestanden und durchmaß sein Gefängnis mit langen Schritten. Es war in der Größe direkt komfortabel. 5 × 6 Meter, ein Saal für einen Gefangenen. Über ihm, auf dem Dach, hörte er Kratzen und ein klatschendes Schlagen.

Die Geier. Sie hockten auf dem Dach und warteten auf die Abfälle von der Küche. Sie waren überall, wo Leben sich regte, denn Leben bedeutet auch Tod. Und vom Tod lebten sie.

Dr. Bender setzte sich auf den Stuhl und ließ das Kartenspiel durch die Finger gleiten. Was kann man allein spielen, dachte er. Patiencen legen, mit einem imaginären Gegner Schwarzer Peter, mit drei gedachten Gesellen Poker... irgendwie war das alles möglich, lenkte ab, verscheuchte das Grübeln, den Verfall in den Stumpfsinn oder den Wahnsinn.

Er ließ die Karten auf die Kiste fallen und nahm seine Wanderung durch das Zimmer wieder auf. Er ging die Wände entlang und versuchte, durch die Ritzen der Wandbretter nach draußen zu blicken. Aber die Zwischenräume waren zu schmal. Die Bretter waren auf Nut und Feder genagelt, und nur die Millimeter der Austrocknung schufen winzige Schlitze, durch die zwar das Licht eindrang, aber kein menschliches Auge hinausblicken konnte.

Das ist ja alles Irrsinn, dachte Dr. Bender und setzte sich

auf das Bett. Was will Serrat eigentlich? Er setzt mich gefangen und weiß doch genau, dass das kein Dauerzustand ist. Es sei denn, er lässt mich eines Tages ganz verschwinden, und Bender machte sich keine Illusionen über diesen Augenblick. Verschwinden hieß Tod. Tod und Verscharren irgendwo im Wüstensand.

Warum aber? Nur wegen der Hadjar-Krankheit? Warum wehrte sich Serrat dagegen? Ging es wirklich nur um Geld? Um diesen dreckigen Lohn, erarbeitet im Öldunst bei 60 Grad Hitze? Und warum versteckte er ihn hier in diesem muffigen Raum, anstatt ihn sofort umzubringen, alle Spuren zu verwischen, ihn wirklich als in der Wüste verschollen zu lassen?

Das waren Fragen, auf die bald eine Antwort folgte. Sie kam von Cathérine. Da Dr. Bender keinen Zeitbegriff mehr hatte, wusste er nicht, wann sich die Tür öffnete. Er lag gerade auf dem Bett und hatte ein wenig im Halbschlaf geträumt, als draußen das dicke Vorhängeschloß klapperte. Mit einem Satz sprang er auf, ergriff den Stuhl und stellte sich in Abwehr. In seiner Lage war selbst ein Stuhl mit vier Beinen eine Waffe. Er erinnerte sich an ein Buch von einem Raubtierdompteur, der behauptete, die beste Abwehr gegen ein Tier bei der Dressur sei ein umgedrehter Stuhl.

»Cathérine –«, sagte er gedehnt, als er die schlanken Konturen des Mädchens sah. Er musste die Augen zusammenkneifen, denn das plötzliche grelle Sonnenlicht blendete ihn, warf ihn fast zurück wie eine Faust aus Licht. Mein Gott, durchzuckte es ihn. Wie hell ist es draußen. Was muss ein Auge aushalten können! »Was wollen Sie denn hier, Cathérine? Sie dürfen frei herumlaufen?«

»Eine Fachkraft braucht man auf der Sanitätsstation«, sagte sie und warf die Tür zu. Das Halbdunkel, jetzt sogar wohltuend, hüllte sie ein. Von draußen ertönte Schlüsselklappern. »Hören Sie, ich bin nicht allein. Molnar, dieser ungarische Bandit, läuft mir nach wie ein Schatten. Ich bin gefangen wie Sie, nur muss ich dabei arbeiten.«

Das war eine Lüge, aber wie konnte Bender das ahnen?

Er glaubte es ihr und nahm ihr die Schüssel, die sie hereingebracht hatte, aus den Händen. Ein Brot lag darin, eine gekühlte Dose mit Ziegenbutter, ein kleiner Block Hartkäse und ein Stück Salamiwurst. Ein feudales Essen für einen Gefangenen der Wüste.

»Wie spät ist es draußen?«, fragte Dr. Bender und deckte den »Tisch«. Zwei Teller, zwei Blechbecher und ein Messer aus Plastik, mit dem man sich unmöglich selbst töten noch wehren konnte, lagen ebenfalls in der großen Schüssel.

»Acht Uhr, Doktor.«

»Und noch so heiß?«

»Acht Uhr morgens –«

»Unmöglich!« Dr. Bender legte alles mit einem Ruck hin, als sei es ihm aus den Händen geglitten. »Dann habe ich ja geschlafen –«

»Allerdings. Molnar war gestern Abend schon einmal bei Ihnen und wechselte das Wasser. Da schliefen Sie wie ein Bär. Serrat sagte noch: ›Dessen Nerven möchte ich haben. Pennt wie ein Säugling und hat die Pistole im Genick.‹ Sie haben wirklich gute Nerven, Doktor.«

»Soll ich schreien? Soll ich um Gnade winseln? Soll ich zusammenbrechen? Das wäre doch idiotisch. Idiotischer als diese Tat von Serrat. Ich habe Zeit genug gehabt, über alles nachzudenken. Irgendwie ist das, was hier mit mir geschieht, unlogisch, schizophren. Man lässt mich vor der Welt verschwinden, aber ich lebe weiter, weil man mich brauchen kann. Die Angst vor dem eigenen Körper ist größer. Ein Doktor im Camp… das ist eine halbe Lebensversicherung. Darum muss ich weiterleben, aber doch ein Toter sein.«

»Genau so ist es.« Cathérine setzte sich auf die Erde vor die Kiste und breitete das Essen aus. »Darum darf ich auch weiter im Krankenrevier arbeiten, mit Molnar, diesem Gauner, im Rücken. Wir hatten gestern, noch spät am Abend, zwei Unfälle. Handquetschungen. Eine Pumpe rutschte ab während der Montage. Ich habe es allein geschafft… Serrat war schon bereit, Sie wieder ans Licht zu holen.«

»Cathérine.« Bender trat hinter sie und legte beide Hände auf ihre Schulter. Diese Berührung durchrann sie wie Feuer. Vor Erregung schloss sie die Augen und saß steif auf der Erde, als sei sie zu Stein erstarrt. »Was wird hier gespielt? In welches Wespennest habe ich reingestochen?«

Cathérine dachte an den toten Bob Miller unter den Benzintonnen, den ersten Toten der Hadjar-Krankheit, an dessen Sterben sie alle schuldig waren. Das schweißte sie zusammen wie Stahlplatten, machte sie zu Kumpanen eines gemeinsamen Schicksals.

Sie schwieg deshalb auf diese Frage und lenkte ab.

»Kommen Sie… essen Sie… Der Tisch, mein Herr, ist gedeckt. Molnar wird uns gleich Kaffee aus der Küche bringen…«

»Verrückt! Das ganze Camp spielt also mit?«

»Natürlich. Wir sind hier alle auf Gedeih und Verderb miteinander verbunden. Wir kennen nur einen Feind, und der macht uns alle gleich: die Wüste!«

Dr. Bender setzte sich Cathérine gegenüber auf den Boden. Die Kiste zwischen ihnen war nun gedeckt mit allem, was Cathérine gebracht hatte. Die Tür flog auch wieder auf, Molnar kam herein und brachte eine Blechkanne mit dampfendem, duftendem Kaffee. Bender schloss wieder geblendet die Augen… er sah direkt auf die Tür. »Guten Morgen, docteur«, sagte Molnar auf Französisch. »Pierre lässt Ihnen sagen: In drei Stunden bekommen Sie Zeitungen. Der Hubschrauber aus Hassi Messaoud landet gleich. Sie sollen es nicht langweilig haben, docteur.«

»Zu gütig, Molnar.« Bender nahm die Kanne und goss Cathérine und sich ein. »Bestellen Sie Pierre: Der Satan soll ihm den Hals umdrehen.«

»Das wird unmöglich sein.« Molnar, der schlanke, immer elegante Ungar, der selbst in der Wüste am Sonntag einen Schlips trug und weiche, handgearbeitete Schuhe aus Chevreauleder, die er sich eigens aus Budapest in die Sahara schicken ließ, grinste verlegen. »Der Teufel ist doch der Bruder von Serrat –«

Dann saßen sie wieder im Dunkeln und aßen. Über ihnen, auf dem Dach, kratzten die Krallen der Geier über die Dachpappe. Krrr... Krrr... Krrr... tönte es, ein ekelhaftes Geräusch der Totengräber der Wüste.

»Brennot und zwei Kommissare aus Algier landen heute«, sagte Cathérine. »Eine ganze Kompanie algerischer Kamelreiter ist unterwegs und sucht Ihre Überreste, Doktor. Sechs Hubschrauber fliegen die Wüste ab. Man hat eine einmalige Suchaktion eingeleitet. Brennot kann es einfach nicht fassen, dass Sie in der Sahara verschollen sind. Um nicht zu stören, hat man mich jetzt zu Ihnen eingesperrt. Angeblich bin ich in Bou Akbir, um bei einer Geburt zu helfen. Serrat denkt an alles. Man traut es seinem plumpen Gehirn gar nicht zu.«

Noch während sie aßen, hörten sie das Brummen der Hubschrauber über dem Camp. Kurz darauf aber wurden alle Außengeräusche übertönt. Direkt vor der Tür begann eine Kreissäge zu kreischen. Zwei Männer Serrats begannen, einen kleinen Wald von Palmenstämmen zu handlichen Stücken zu zerschneiden. Das konnte lange dauern, mindestens so lange, wie Oberingenieur Brennot mit seiner Suchkommission im Lager war.

Brennot verhörte sogleich nach der Landung alle Männer im Lager. Überall hörte er das Gleiche, als habe das ganze Camp einen einheitlichen Text auswendig gelernt.

»Der Doktor ist mit einem Kamel in die Wüste geritten. Richtung Erg Tifernine. Das ist alles. Zurückgekommen ist er bis heute nicht.«

»Erg Tifernine –« Brennot beugte sich über die große, neue Spezialkarte, die anhand von Luftaufnahmen das Genaueste war, was es heute von diesen Saharagebieten gab. »Das ist doch reiner Blödsinn! Das ist doch Selbstmord! Im Erg Tifernine gibt es keine Brunnen, nur Sand und kahle Felsen. Da brennen ja die Steine! Und auf einem Kamel? Kann denn Dr. Bender überhaupt Kamelreiten?«

»Aufgesessen und weggeritten ist er wie ein Profi«, brummte Serrat und schenkte kalten Fruchtsaft aus. »Von uns ist ja keiner berechtigt, den Doktor zu fragen oder ihm Vorschriften zu machen. Hätte man mir aus Ouargla mitgeteilt, ich solle sein Kindermädchen spielen – er wäre bestimmt nicht allein in die Wüste geritten. Dafür müssten Sie mich kennen, Monsieur Brennot.«

Der Oberingenieur nickte. Serrat war ein verlässlicher Bursche, das wussten alle von Hassi Messaoud bis Algier. Der Ruf des Bullen war fast schon legendär. Zwei Felsen gibt es in der Sahara – hieß es: das Hoggar und Pierre Serrat.

»Suchen wir ihn trotzdem. So schnell können die Geier ihn nicht kahlgenagt haben. Er soll wenigstens ein christliches Begräbnis erhalten. Wenn ich nur wüsste, was er im Erg Tifernine suchte? Ich sehe da gar keine Logik.«

Die Hubschrauber kehrten nach vier Stunden zurück und landeten alle auf dem Campplatz. Dr. Bender hörte das Brüllen der Rotorflügel, die sogar die fürchterliche Kreissäge übertönten. Gegen Abend kamen auch die algerischen

Kamelreiter aus der Wüste zurück. Der junge Leutnant, der sie anführte, hob stumm die Schultern.

Nichts.

Nur Sand, Sonnenglut, Wind und Einsamkeit.

Die Wüste hatte Dr. Bender verschluckt wie einen Wassertropfen.

»Es ist eine Tragödie«, sagte Brennot erschüttert. »Ein so junger, hoffnungsvoller Mensch. Ein so begabter Arzt. Wissen Sie, Serrat, dass Dr. Bender ein ganz großer Könner war?«

»Ja.« Serrat wischte sich über die Augen. »Wir alle hatten ihn gern. Gleich als er ankam … das ist ein neuer Freund, dachten wir alle –«

Brennot flog tief ergriffen nach Ouargla zurück und schrieb seinen Bericht an die Direktion in Algier.

Dr. Ralf Bender ist in der Wüste vermisst. Mit seinem Tod kann mit Sicherheit gerechnet werden. Die Umstände, wie es dazu gekommen ist, werden wohl nie geklärt werden. Die Geheimnisse der Wüste begreift ein Mensch nie.

»Das hätten wir«, sagte Serrat erfreut, als alles wieder aus dem Lager war. Die Hubschrauberflotte verschwand als dunkle Punkte am Himmel, die Kamelreiter waren abgerückt und ritten über die Straße nach Zaouia el Kahla. »Was wird nur, Freunde, wenn die Holzköpfe von der Verwaltung uns einen neuen Arzt schicken? Wir können doch nicht ständig Ärzte verschwinden lassen –«

Aber diese Sorge war unbegründet. In Ouargla strich Brennot die Arztstelle für die Außenbohr-Camps X–XIII. Die Sanitäter und Schwester Cathérine reichten aus für kleinere Unfälle. Wurden schwere Verletzungen gemeldet, flog ein Hubschrauber sie ins Lazarett nach Ouargla.

Dr. Bender war tot. In den Akten, in den Gehaltslisten, bei den Behörden. Sogar nach Deutschland flog die amtliche Bestätigung, und auch hier wurde der Name Dr. Ralf

Bender in die Totenliste eingetragen und die Karteikarte in seiner Heimatstadt berichtigt. Ein Freund setzte sogar eine kleine Todesanzeige in die Heimatzeitung. Aber die interessierte niemanden.

Ein Mensch war abgeschrieben.

Serrat hielt Wort: Cathérine durfte bei Dr. Bender wohnen, so oft und so lange sie es wollte. Als Molnar, breit grinsend, am Abend noch ein Kopfkissen und zwei Decken in den großen Raum warf und kurz darauf Cathérine erschien und eingeschlossen wurde, begriff Bender erst nicht, was hier vorging.

»Hat es Sie nun auch erwischt?«, fragte er ahnungslos. »Was haben Sie angestellt, dass Pierre Sie in die Verbannung schickt?«

»Nichts. Ich wollte nur bei Ihnen sein.«

»Freiwillig?«

»Ja.« Sie öffnete einen Korb, den sie mitgebracht hatte, und holte eine Petroleumlampe heraus. Bender betrachtete sie wie eine wertvolle Plastik.

»Welch ein Luxus! Liest Serrat etwa seit neuestem moralische Bücher?«

Zwei Minuten später war der Raum erhellt. Das warme, blakende Licht der Petroleumlampe verbreitete fast Romantik in der stinkenden Baracke. Nebenan lag der Schmierölvorrat des Camps, und der Geruch zog durch das Holz wie ein Gas. Cathérine hatte sogar eine Wachstuchdecke mitgebracht und breitete sie jetzt über die Kiste aus.

»Das Zimmer einer Villa«, sagte Bender sarkastisch. »Cathérine … das alles ist so irr, dass man es nicht begreifen kann.«

»Nehmen wir es hin, wie es ist.« Cathérine schüttete aus einer Thermosflasche Bouillon mit Ei in die Blechtassen und servierte auf den Plastiktellern gebratene Frikadellen. Dazu gab es Gemüse… eine gehackte Kohlsorte, die man aus der Oase Bou Akbir holte. Sie schmeckte wie Wirsing, nur etwas bitterer.

Nach dem Essen spielten sie Karten… und dann kam die Stunde, auf die Cathérine gewartet hatte, der sie entgegenfieberte, bei der ihre Nerven zu flimmern begannen, wenn sie daran dachte.

Dr. Bender zögerte. Er sah auf die Uhr, die Cathérine auf die Kiste gelegt hatte. Es war schon nach Mitternacht. Bisher hatte er sich immer ganz entkleidet und nackt unter den Decken gelegen; jetzt behielt er sein Hemd an und die Hose und zog nur die Schuhe aus. Dann breitete er eine Decke über die Erde und legte sich darauf, vor das Bett. Cathérine presste die Lippen aufeinander und atmete stoßweise durch die Nase.

Ich muss es tun, dachte sie. Er würde vor dem Bett liegen bleiben wie ein Hund.

»Das kommt nicht in Frage«, sagte sie mit belegter Stimme. »Sie behalten Ihr Bett. Der Eindringling bin ich. Ich schlafe auf der Erde.«

»Sie wissen, dass ich das nie zulasse, Cathérine. Es ist eine Frechheit von Serrat, Sie in diese Situation zu bringen.«

»Es ist nicht mehr zu ändern.« Cathérine drehte sich um. Und dann erlebte Bender mit plötzlich klopfendem Herzen, wie sie sich auszog. Ganz unbefangen, so als seien sie schon lange verheiratet… sie legte die Bluse ab, den Rock, den Büstenhalter und den Slip, nackt stand sie vor dem eisernen Waschgestell und begann, sich in der Blechschüssel zu waschen.

Ihr Körper war verführerisch schön… Bender erkannte

das jetzt. Ihre Beine waren lang und schlank, die Hüften und Schenkel ebenmäßig gerundet, die Taille schmal, und darüber ragten die Brüste vor, auch ohne Halter straff und spitz, von jugendlicher Festigkeit, obgleich Cathérine jetzt dreißig Jahre alt war. Bender wusste es aus ihrer Personalkartei. Ungeniert ging sie hin und her, ließ das Wasser aus den hohlen Händen über ihren Körper rinnen, wie Perlen kullerten die Wassertropfen an ihr hinab, dann wusch sie ihre Brüste, bückte sich nach vorn, schleuderte das Wasser aus der Schüssel über diese herrlichen weißen Hügel und drehte dann den Kopf zu dem in stummer Bewunderung auf der Erde hockenden Bender.

»Waschen Sie mir den Rücken... bitte?«

»Ja. Natürlich... ja... sofort...«

Er sprang auf, trat hinter sie, tauchte die Hände in das Wasser und ließ sie nass über ihren Rücken gleiten. Immer wieder, in der Höhlung der Hand das Wasser, denn sie hatten keinen Waschlappen, strich er an ihrem Körper entlang, vom Nacken bis zu den Hüften und über das flach gewölbte Gesäß, und während er sie so wusch, kämpfte er gegen sich, dachte intensiv an Saada und verlor doch ihr Bild immer mehr aus seiner Seele. Seine erregte Männlichkeit siegte über seinen Verstand. Als er die Hände über Cathérines Rücken vorgleiten ließ und ihre Brüste umfasste, warf sie stöhnend den Kopf zurück, lehnte sich gegen ihn und dehnte sich in seinen Griff hinein.

»Cathérine –«, stotterte er. »Mein Gott, ich bin ein Idiot. Ein blinder Narr bin ich!«

Er küsste ihren Nacken, atmete die köstliche Frische ihres Körpers ein, genoss die Glattheit ihrer nassen Haut, drehte sie herum und küsste ihre Brüste, die sich ihm entgegenwölbten und zu ihm drängten.

»Ich wäre verrückt geworden...«, stammelte sie, als sie

zum Bett gingen, schrittweise, gleitend fast, aneinander geklammert, schon jetzt im Stehen miteinander verschmolzen. »Wirklich, ich wäre verrückt geworden ohne dich… O mein Liebling, mein Liebling…«

Es war wie ein glutheißer Wüstensturm, der über sie hinwegfegte. Sie verbrannten sich gegenseitig und entstanden wie neu geboren; sie zerrissen sich und bauten sich neu mit Händen und Lippen; sie zerflossen in Schweiß und Stöhnen und labten sich gleichzeitig durch alle Poren.

Es war eine Nacht, wie sie nie wiederkehrte.

Später lagen sie zusammen, mit zitternden Gliedern und keuchenden Lungen und starrten an die Bretterdecke ihres Gefängnisses.

»Ich liebe dich«, flüsterte Cathérine. »Ich vergehe unter deinen Händen…«

»Es ist das schönste Ende unseres Lebens.« Er legte die Hand auf ihre Brüste und schloss die Augen. »Ein Toter liebt eine Tote –«

Scheich Ali ben Achmed hätte seine Dienerschaft am liebsten umgebracht.

Mit einer Kamelpeitsche rannte er durch das Haus und suchte seine Leute, brüllte unverständliche Worte und hatte Augen, die nur einem Irren gehören konnten. Die Mehrzahl seiner Diener waren wie wilde Katzen in alle Winde zerstoben, verkrochen sich bei Freunden oder Verwandten in der Oase und beteten zu Allah, dass Achmed sie in dieser Phase seines Zornes nie finden möge. Der Koch, der unschuldigste Mensch im ganzen Haus, denn er kümmerte sich nur um das Essen und sonst um nichts, sowie der minderjährige Lampenputzer, dessen Aufgabe es war, die wertvollen Silber- und Kupferlampen immer blank zu halten, wurden fürchterlich verprügelt und jammerten, dass es häuserweit zu hören war.

Saada war wieder einmal weg.

Aus ihren Zimmern geflüchtet. Trotz abgeriegelter Türen, trotz Wachen unter ihren Fenstern, trotz Posten im Garten. Wie sie es erreicht hatte, trotzdem zu fliehen, war ein Geheimnis. Achmed zermarterte sich den Kopf, untersuchte die Schlösser an Saadas Türen, versuchte selbst aus dem Fenster zu klettern und sah, dass man vom ganzen Garten aus eine die Mauer hinuntersteigende Gestalt bemerken musste, wenn man nicht schlief oder anderswo war als dort, wo man sein sollte.

»Hundesöhne!«, schrie Achmed nach diesem Lokaltermin. »Geschlafen habt ihr! Heimlich bei den Huren wart ihr! Statt zu wachen, habt ihr in weichen Armen gelegen! Allah sei mein Zeuge: Ich treibe es euch aus!«

Aller Zorn war sinnlos, alles Brüllen verflatterte in der heißen Luft – Saada war auf und davon. Ohne Pferd, ohne Reitkamel, denn dort wachten zwei Stallknechte und hatten ihre Pflicht getan. Dafür fehlte ein Gefährt, das in der Oase Bou Akbir zunächst große Heiterkeit, später aber Achtung erregt hatte: ein Fahrrad.

Es gehörte dem Buchhalter Achmeds, der auch die Schreibgeschäfte der Oasenverwaltung betrieb. Amar, so hieß der Mann, hatte das Vehikel aus Algier mitgebracht, wo er die Schule für Büroarbeiter mitgemacht hatte. Tagelang fuhr er durch Bou Akbir und ließ sich bewundern oder auslachen, ganz, wie man ihm gesinnt war. Das wurde anders, als Amar einen Dieb fing, mit seinem Fahrrad. In den engen Gassen war eine Verfolgung nur zu Fuß möglich, und der Dieb war ein guter Läufer. Gegen das Fahrrad aber hatte er keine Chancen. Amar überholte, überwältigte ihn und brachte ihn zu Achmed zum Gericht. Seitdem genoss Amar große Hochachtung in Bou Akbir.

»Mein Augenlicht, meine Seele hat sie gestohlen!«, schrie Amar und rannte Achmed jammernd nach. »Sie wird das Rad zerstören! Es ist empfindlicher als ein Kamel! Achmed, ich verfluche deine Tochter!«

Amar bekam eine Tracht Prügel und verkroch sich ebenfalls in der Nachbarschaft. Scheich Achmed aber ließ zehn starke Männer kommen, hielt ihnen einen Vortrag über den weißen Teufel Dr. Bender, der das Herz seiner Saada gestohlen habe, ließ aufsitzen, und wie eine Sturmwolke stürmten die elf Männer auf ihren Reitkamelen in die Wüste hinaus.

Es war kurz nach der Arbeitsaufnahme der Frühschicht, als Saada auf dem Fahrrad in den Sanddünen auftauchte und mühsam die festgestampfte Straße hinunterfuhr zu Camp XI. Serrat, der am Fenster der Verwaltungsbaracke stand und gerade die Nachricht bekommen hatte, dass die Distriktleitung in Ouargla ihn für 10 Tage nach Algier schicken wollte, um einen neuen Bohrkopf abzuholen und ihn in eine veränderte bessere Bohrtechnik einzuführen, blieb der Mund offen.

»Das ist doch nicht wahr«, sagte er verwirrt. »Kinder, das ist die tollste Fata Morgana, die ich je gesehen habe.«

Aber es war keine trügerische Luftspiegelung... es war wirklich Saada, die auf einem Fahrrad in das Camp rollte und vor der Baracke vom Sattel sprang. Sie trug europäische Kleidung... eine Bluse, Bluejeans und Sandalen. Um den Kopf hatte sie ein Tuch geschlungen, unter dem die schwarzen langen Haare bis zu den Hüften flatterten.

Molnar und der zweite Vorarbeiter Laikanen, ein Finne, traten neben Serrat und starrten hinaus. »Die Kleine hat Mut«, sagte Molnar. Er schnalzte mit der Zunge und machte eine unflätige Bewegung. »Wenn wir sie durch alle Betten wandern lassen, weiß sie später nie, wer's richtig war.«

»Wer sie anfasst, kann sich ein Loch hinterm Haus aussuchen!«, knurrte Serrat. Er nahm seine Mütze, setzte die dunkle Sonnenbrille auf und ging hinaus. An der Tür stieß er mit Saada zusammen, die gerade ins Haus wollte.

Sie blieben voreinander stehen und sahen sich eine Weile stumm an. Serrat überragte Saada wie ein Turm einen Kieselstein.

»Ich möchte den Doktor sprechen«, sagte Saada endlich mit einer fast kommandierenden Stimme. Serrats Gesicht verzog sich.

»Der Doktor ist tot«, sagte er grob.

Im Gesicht Saadas verzog sich kein Muskel. Nur ihre schwarzen Augen wurden stechender.

»Wann starb er?«

»Weiß ich es? Er ritt vorgestern in die Wüste und ist seitdem verschollen. Mit anderen Worten: Er ist tot! Im Erg Tifernine überlebt keiner! Das weißt du auch!«

»Das ist eine Lüge.« Saada sagte es so ruhig, als spreche sie vom Wetter. »Der Doktor lebt! Ich fühle es –«

»Es ist ein Jammer.« Serrat grinste breit. »Deine Gefühle sollten woanders hinrutschen. Was willst du überhaupt hier?« Er packte Saada am Arm und zerrte sie ins Haus, nebenan in ein Zimmer, das neben den Räumen von Ingenieur de Navrimont lag.

Mit de Navrimont stand es jetzt ganz schlimm. Der Tod Dr. Benders, den er ohne Einschränkung glaubte, hatte ihn vollends entnervt. »Wir alle werden von diesem Mistland gefressen!«, schrie er im Suff. »Flöhe sind wir. Nur Flöhe! Vertrocknen werden wir. Mumifizieren! Flüssigkeit her! Flüssigkeit, ihr Schurken!«

Unter Flüssigkeit verstand er Pernod oder Absinth, Kognak oder Calvados. Er soff es wie Wasser. Niemand kümmerte sich um ihn … er war ein Wrack, das man duldete wie die Abfälle hinter den Schuppen. Der einzige Unterschied war nur, dass ihn die Geier nicht fraßen. Aber auch das lag nicht mehr in weiter Ferne.

Pierre Serrat erkannte seine große Stunde. Von Cathérine, die noch immer im Schuppen bei Bender war und sich nicht von ihm trennen konnte, würde er die versprochenen Francs bekommen, im Lager war Ruhe, denn niemand würde mehr da sein, der nach Dr. Bender forschte, und an der Küste gab es ein ganz großes Geschäft für ihn. Dort suchte man in den Hafenbars süße Mädchen, genau den Typ, den Saada verkörperte: Wildheit aus der Wüste und ein Körper, wie Mohammed ihn von den Houris im Paradies beschrieb.

Zehntausend neue Francs, kalkulierte Serrat. Darunter gebe ich sie nicht her. Das ist sie auch wert. Ein Problem wird es nur sein, sie morgen auf die Reise nach Algier mitzunehmen. Man kann sie ja nicht in die Tasche stecken wie ein Feuerzeug.

»Hör einmal zu, kleine Wüstenkatze«, sagte er freundlich zu Saada. Sie stand mitten im Zimmer, ohne einen Funken Angst, die Hände in die Seite gestemmt. Wer die Umgebung vergaß, hätte sich nicht gewundert. Sie sah aus wie Tausende andere junge, moderne Mädchen. Hier aber, mitten in der Sahara, war ihr Auftritt verblüffend. »Du hast einen Riecher. Raubtiere wittern ja alles. Gut also … der Doktor lebt. Aber er ist nicht da. Er untersucht in Camp XII die Verwundeten, die eure Hundesöhne auf dem Gewissen haben. Und morgen fliegt er nach Algier.«

Saada sah Serrat kritisch an. Ihr stechender Blick aus den dunklen Augen durchbohrte ihn förmlich. Serrat hielt der Musterung stand. Er kaute dabei an der Unterlippe.

»Nach Algier? Warum?«

»Er verlässt die Wüste.«

»Das ist nicht wahr!« Wie ein Panther sprang sie vor und warf sich gegen Serrat. Aber ein Turm fällt nicht durch einen Steinwurf… er fing sie auf und hielt sie fest und drückte sie gegen die Wand.

»Es ist wahr!«, schrie er in ihr zuckendes Gesicht. »Er hat gekündigt. Ganz plötzlich. Will zurück nach Europa. Als er von deinem Vater, diesem Halunken, zurückkam, war er wie in Trance. Es fehlte nur noch, dass er losheulte wie ein Weib. Und dann rief er in Ouargla an und bat um die Lösung aller Verträge.«

»Und morgen fliegt er?«

»Ja. Die Koffer sind schon weg mit dem Hubschrauber.«

»Das glaube ich nicht.«

»Komm her, du Kröte, und überzeug dich!« Serrat nahm sie an die Hand wie ein unartiges Mädchen, zog sie aus dem Zimmer, über den Flur, hinüber zum Krankentrakt und stieß die Tür von Dr. Benders Wohnraum auf.

Alles kahl und leer. Kein Buch mehr in den Regalen, kein Stück Papier. Serrat ging zu den Schränken und riss sie auf.

Kein Anzug mehr, keine Wäsche, kein Koffer. Nur Leere.

»Glaubst du es jetzt?«, fauchte Serrat. »Der Besuch auf Camp XII ist sein letzter.«

Saada setzte sich langsam auf den Stuhl hinter Benders Tisch. Ihr kampfesmutiges Gesicht wurde weich und kindlich. »Wann kommt er zurück?«

»Am Abend. Weiß ich es?«

»Kann ich hier auf ihn warten?«

»Von mir aus. Wenn du dir von Cathérine das Gesicht zerkratzen lassen willst…«

»Ich bin stärker als sie. Sie wird es nicht tun«, sagte Saada stolz. »Ich bleibe hier sitzen, bis er kommt. Ich verspreche Ihnen, das Haus nicht zu verlassen. Lassen Sie mich hier…«

In der Baracke klappten Türen. Molnar, der aus der Schreibstube kam, rief nach Serrat.

»Hier!«, brüllte Pierre und riss die Tür auf. »Was gibt's?«

»Eine Sauerei!«, schrie Molnar. »Funkmeldung vom Versuchsturm ›Brigitte‹: Scheich Achmed mit zehn bewaffneten Männern ist auf dem Ritt zu uns. Er benimmt sich wie ein Irrer.«

»Mein Vater! O Allah! Er sucht mich!« Saada sprang auf und umklammerte Serrat von hinten. »Verstecken Sie mich! Schützen Sie mich! Sagen Sie ihm, ich sei nicht hier! Er darf mich jetzt nicht zurückholen nach Bou Akbir –«

»Nur Ruhe! Ruhe!« Serrats Gesicht wurde zum verwitterten, groben Stein. Nichts tue ich lieber, als dich verstecken, dachte er. Du bist mein Kapital. Und dann hatte er einen Gedanken, bei dem er sich am liebsten die Hand gedrückt hätte. Bist ein toller Bursche, Pierre, dachte er. Du musst dich selbst bewundern.

Die Idee des Jahres war ihm gekommen.

»Bleib hier«, sagte er zu Saada und führte sie zum Stuhl zurück. »Rühr dich nicht, was du auch draußen hörst. Achmed wird nie hier ins Haus kommen, dafür sorge ich. Mit elf Männern werden wir schon fertig.«

Fünf Minuten später schrie vom Dach der Verwaltungsbaracke die Alarmsirene. Sie heulte zehnmal auf und ab, die Männer der Spätschicht rannten aus den Baracken, von den Öltürmen rasten einige Jeeps heran. Sogar der betrunkene de Navrimont kroch zum Fenster und streckte den Kopf in die heiße Luft. »Schon wieder Feuer?«, lallte er. »Gott verdamme dieses Land. Gott verdamme es!« Dann torkelte er zum Bett zurück und blieb dort bewegungslos liegen.

Scheich Ali ben Achmed kniff die Augen zusammen, als er in das Camp XI einritt und eine Wand bewaffneter Männer vorfand. Auf den Dächern der Baracken lagen sie, die

Gewehre im Anschlag. Es gab keine Chancen für ihn… von allen Seiten würden die Kugeln in seine kleine Schar einschlagen.

Serrat empfing Achmed in der Mitte des großen Platzes. Zur Unterstreichung seiner Worte trug er eine Maschinenpistole in den Händen.

»Welch ein Besuch, Scheich Achmed«, sagte er voller Hohn. »Was führt Sie zu uns? Ich nehme an, es handelt sich um etwas Geschäftliches. Wollen Sie uns neues Schnittholz anbieten?«

Ali ben Achmed blieb auf seinem weißen Hedschaskamel sitzen und blickte Serrat hasserfüllt an. Die Blicke seiner zehn Begleiter wanderten über das Camp und suchten das Fahrrad. Es lag längst im Schuppen hinter anderem Gerümpel.

»Saada ist nicht hier?«, fragte Achmed mit verkrampfter Höflichkeit.

»Warum sollte sie?« Serrat grinste breit. »Ist sie ausgerissen? Jaja, Vatersorgen! Ich bin sie los, Achmed… meine Familie wurde umgebracht –«

Der Scheich überhörte den Angriff. Er starrte hinüber zur Sanitätsbaracke, über deren Dach die Fahne des Roten Kreuzes im Wüstenwind knatterte.

»Ist der Doktor da?«

»Nein. Er ist nach Hassi Messaoud…«

In diesem Augenblick begann am Geräteschuppen wieder die Kreissäge zu heulen und zu kreischen. Cathérine trommelte innen an die Wand und schrie: »Aufmachen! Aufmachen!«

»Ich danke Ihnen«, sagte Achmed höflich und legte sogar die Hand flach an die Stirn. »Entschuldigen Sie die Störung.« Er hob den Arm, die Kamele wendeten und preschten wieder hinaus in die Wüste, Richtung Hassi Messaoud.

»Die kommen wieder«, sagte Serrat, als die Reiter hinter den Sanddünen verschwunden waren. »Seit zwei Tagen ist kein Wagen mehr nach Hassi gefahren. Und die Brüder können Spuren lesen. Ein paar Stunden können wir sie täuschen, dann muss gehandelt werden –«

Gegen Abend kam Scheich Achmed zurück, wie Serrat es vorausgesehen hatte. Er kam diesmal in eine völlig veränderte Situation.

Cathérine war nach Camp XII gefahren worden. Der italienische Sanitäter und Blutrachemörder Rugieri Pella hatte angerufen. Einer der Verletzten fieberte plötzlich, und die Wunde entzündete sich trotz Penicillin.

Serrat holte Cathérine aus dem Gefängnis und winkte Dr. Bender wie einem alten Kameraden zu, ehe er wieder abschloss.

»Los, Mädchen, zu XII!«, sagte er. »Du wirst gebraucht. Etwas musst du auch tun für uns... nur fürs Beischlafen kriegst du kein Geld.«

»Sau!«, sagte Cathérine in ihrer groben Art, und Serrat lachte dröhnend. Als der Jeep über die Wüstenpiste davonjagte, sah ihr Serrat zufrieden nach. Der Anruf von Pella konnte gar nicht günstiger kommen. Das Schicksal spielte sogar mit. Nun war Dr. Bender allein. Keine unüberwindliche Cathérine hielt ihn mehr fest.

Saada war wieder in Benders Zimmer geflüchtet, als Achmed erneut ins Lager ritt. Diesmal war kein Feuerschutz für Serrat vorhanden – er brauchte ihn auch nicht mehr. Waffenlos kam er Achmed entgegen. Ali ben Achmed traute dem Frieden nicht, er war sehr vorsichtig. Seine Männer bildeten einen Schutzring um ihn.

»Der Doktor ist nicht nach Hassi gefahren«, sagte er dunkel. »Die Spuren der Reifen sind alt und verwehen später.« Er beugte sich zu Serrat hinunter, und die Glut seiner schwarzen Augen war wie die von Saadas Blick. »Monsieur Serrat… ich bin ein Ehrenmann. Ich kenne keine Hinterlist. Sie führen mich jetzt zu dem Doktor… oder alle Türme im Umkreis von 160 Kilometern werden brennen! Sie wissen, dass Sie mir nie etwas nachweisen können. Der Schaden aber wird in die Millionen gehen. Ist Ihnen der Doktor so viel wert?«

Serrat spürte, wie sein Herz hämmernd schlug. »Ist das ein Ultimatum?«

»Ja, das ist ein Ultimatum.«

»Gut. Er ist hier. Wir haben Streit gehabt miteinander. Ich – Scheich Achmed, wir sind unter uns – ich wollte ihn schon in die Wüste jagen.«

»Machen wir ein Geschäft.« Das Gesicht Achmeds glänzte plötzlich. Er streckte Serrat seine braune Hand hin, eine Hand, die Serrat am liebsten mit einer Axt abgeschlagen hätte. »Ich kaufe Ihnen den Doktor ab. Ein reelles Geschäft: Doktor gegen die Garantie der Unverletzlichkeit Ihrer Öltürme. Keiner kann Ihnen mehr bieten.«

»Keiner hat auch ein Interesse an diesem Geschäft. Abgemacht. Sie bekommen den Doktor.«

Serrat zögerte noch einen Moment. Er wusste, was mit Dr. Bender geschah, wenn er erst in den Händen Achmeds war. Das Verschwinden Saadas würde man ihm anrechnen, und da half kein Beteuern, kein Flehen, kein Beweis der Unschuld. Das schreckliche Ende Domaschewskis lag allen noch auf der Seele. Serrat zog die breiten Schultern hoch. Plötzlich fror er.

Langsam ging er über den weiten Platz zum Geräteschuppen, und die elf Reiter folgten ihm auf den Kamelen. Sie bildeten einen Halbkreis vor der Tür, und als Serrat aufschloss, zuckte es über das Gesicht Achmeds.

Blinzelnd, von der Sonne geblendet, kam Dr. Bender aus

dem dunklen Raum. Dann stand er zwischen den Kamelen, allein, denn Serrat hatte sich schnell und wortlos entfernt. Wie eine Flucht sah es aus... und so war es auch. Das Grauen saß ihm im Nacken.

»Doktor –«, sagte Achmed laut. »Wo ist Saada?«

»Ich weiß es nicht.« Dr. Bender blickte sich um. In seiner Ahnungslosigkeit erkannte er nicht, dass sein Leben weniger wert war als ein Sandkorn.

»Dann suchen wir sie...«, sagte Achmed dunkel. Er winkte, ein paar Hände ergriffen Bender, hoben ihn hoch vom Boden zwischen die Kamele, zogen ihn auf den Hals eines Tieres, und da erst erkannte Bender, was mit ihm geschah.

»Achmed!«, schrie er. »Das ist ein Irrtum! Hören Sie mich an! Ich habe Saada nicht wieder gesehen! Ich schwöre Ihnen.«

Achmed nickte kurz. Eine Faust sauste auf den Schädel Benders, der Satz brach ab, sein Kopf sank nach vorn, kräftige Hände hielten ihn fest... und dann brauste die Kamelkavalkade hinaus in die Wüste. Eine träge Staubwolke blieb zurück, die sich wie Dunst über die Baracken senkte.

Serrat blickte dem Trupp nach und presste die Fäuste gegen die Brust. Es ist nicht ganz so einfach, Gehilfe eines Mordes zu sein, vor allem, wenn man es zum erstenmal tut.

Er ging zum Schrank, nahm eine Flasche Kognak heraus und trank ein paar kräftige Züge. In diesem Augenblick konnte er sogar de Navrimont verstehen, der die Welt nur noch im Nebel des Alkohols ertragen konnte.

Eine traurige Nacht, Wüstenkatze«, sagte Serrat wenig später zu Saada. Sie hockte brav hinter dem Tisch auf dem Stuhl und wartete. Diese Geduld möchte ich haben, dachte Serrat. Diese Menschen können ihre Nerven dirigieren wie ein Orchester. »Der Doktor ist weg.«

In Saada kam Leben. Sie sprang auf und warf den Tisch dabei um. »Nein!«, rief sie.

»Doch! Warum sollte ich lügen? Eben kommt ein Anruf aus Camp XII. Da ist ein Hubschrauber aus Ouargla gelandet, und der Doktor ist gleich mitgeflogen. Hier hatte er ja doch nichts mehr rumstehen. Cathérine ist noch im Lager XII und heult wie ein Schakal.« Serrat hob die Schultern. »Ich kann's nicht ändern... der Doktor ist weg. Vielleicht sehe ich ihn in Algier und erzähle ihm alles, was hier gewesen ist.«

»Sie gehen nach Algier?« In Saadas Augen glomm eine verzweifelte Hoffnung auf. Sie hob den Tisch auf und zitterte dabei vor Erregung.

»Ja. Morgen. Für zehn Tage.«

»Und der Doktor ist in Algier?«

»Ganz sicher. Er muss doch erst seine Entlassungspapiere fertighaben, ehe er nach Deutschland fliegt.«

»Dann könnte man ihn in Algier treffen?«

»Ganz sicher.«

»Nehmen Sie mich mit?« Saada kam um den Tisch herum. Sie hatte die Hände flach wie Schalen umgedreht und hielt sie Serrat entgegen. »Bitte, nehmen Sie mich mit, Monsieur. Verhandeln Sie mit den Fliegern, bestechen Sie sie, helfen Sie mir... bitte, bitte... Ich muss den Doktor sehen, ich will mit ihm nach Deutschland... bitte, bitte... Ich werde Allahs größten Segen auf Sie herunterflehen –«

Serrat verzog das Gesicht und wandte sich ab. Verdammt, dachte er. Sie macht mich weich, obgleich sie genau so reagiert, wie ich es geplant habe.

»Ich will's versuchen«, sagte er. Seine Stimme klang rau. »Versprechen kann ich nichts. Morgen früh um sieben kommt der Hubschrauber. Wir müssen hoffen, kleine Katze –«

»Ich werde zu Allah beten, Monsieur.«

»Komm mit.«

Serrat führte Saada in sein Zimmer und wischte sich dann über das Gesicht. Die Gläubigkeit des Mädchens, seine Vertrauensseligkeit waren mehr, als er im Augenblick vertragen konnte.

Wenn sie wüsste, dachte er schaudernd, was vielleicht gerade jetzt mit Dr. Bender geschieht.

»Bleib hier und warte«, sagte er. »Schlaf nachher. Ich suche mir woanders ein Bett. Und hab keine Angst, Mädchen… Serrat passt auf.«

Er verließ schnell das Zimmer. Welch ein Schwein ist man doch, dachte er. Welch ein stinkender Hundedreck! Aber dann stand er in seinem Vorarbeiterzimmer vor den Fotos seiner Familie und senkte den Kopf.

Wer hatte damals Mitleid mit ihnen? Wer weiß, wie man sie umgebracht hat? Ob sie vorher gefleht und gebettelt hatten, auf den Knien vielleicht. Die Kinder.

Serrat knirschte mit den Zähnen. Sie ist 10 000 Francs wert, dachte er. Verfluchter Hund, denke nur daran. Du hast kein Herz mehr…

Bei Einbruch der Dunkelheit kam Cathérine vom Camp XII zurück. Vom Jeep ging sie sofort hinüber zum Schuppen.

Dort stand die Tür offen, der Raum war leer. Das Bett, der Stuhl, die Kiste, das Plastikgeschirr, der Waschständer… alles war weggeschafft.

In Cathérine brach ein Vulkan aus. Sie warf sich herum, streckte die Arme empor und rannte schreiend über den Platz.

»Wo ist er?«, schrie sie. »Wo ist er? Ihr Schufte! Ihr verdammten Schufte. Wo – ist – er –?«

Ingenieur Alain de Navrimont hatte sich gerade gebraust
und stand mit nacktem Oberkörper vor dem Spiegel, um
seinen vier Tage alten Bart abzuschaben, als ihn das hyste-
rische Geschrei Cathérines herumfahren ließ. Es war ein
kleines Wunder, dass er an diesem Abend nicht nur nüchtern, sondern sogar für Dinge aufnahmefähig war, die er
sonst in seinem Alkoholdunst überhaupt nicht hörte oder
wahrnahm. Der Grund lag darin, dass er morgen früh mit
Pierre Serrat nach el Kahla und dann weiter nach Hassi
Messaoud fliegen wollte, wo eine Versammlung der einzelnen Abschnittsleiter abgehalten wurde. Das war wieder so
eine dämliche Idee von Oberingenieur Brennot, aber man
konnte ihr nicht ausweichen. Serrat würde dann weiterflie-
gen nach Algier und de Navrimont beneidete ihn darum.
Nicht wegen der Abwechslung, nicht wegen der kühlen
Brise des Meeres, des Sandstrandes, an dem man baden
konnte, der wundervollen Köstlichkeit, sich in einem tem-
perierten Badezimmer hinzustellen und sich kaltes, eiskal-
tes, herrlich erfrischendes Wasser über den Körper laufen
zu lassen. Nein, das war es nicht… für de Navrimont war
Algier eine einzige große Schnapsdestille und ein riesenhaf-
ter Puff. In den Gassen hinter dem Hafen, am Rande der
Kasbah, in winkligen Sträßchen die Berge hinauf, da hausten die glutäugigen und feingliedrigen Mädchen, die für
20 Francs eine ganze Nacht lang keine Ruhe gaben und die
Männer fündig werden ließen wie Ölquellen. Gab man
ihnen 50 Francs, verrichteten sie Dinge, die in keinem Lehr-
buch standen und die es selbst in Paris nicht zu kaufen gab.

Das war eben Afrika, und die Weiber hatten die Glut im
Blut.

Ingenieur de Navrimont rannte ans Fenster und blickte

in die fahle Dämmerung des Abends. In der Wüste dauert der Übergang vom Tag zur Nacht nie lange. Die Sonne taucht weg, als ersticke sie im Sand, die Felsen des Erg Tifernine färben sich lila und dann dunkelblau, der Himmel nimmt eine eigenartige verrostete Farbe an, dann wird es dunkel, als drehe jemand an einem Lichtregler, und plötzlich stehen Sterne am Himmel, wunderbar glitzernd und kalt… die Wüstennacht ist da.

Cathérine rannte über den Platz, die Arme hochgeworfen, und schrie noch immer. Aus der Küche rannten die Ölbohrer, der Schreiber Molnar hing aus dem Fenster und brüllte nach Serrat… aber der war schon da, bog um die Lazarettbaracke und griff sich das rasende Mädchen.

Er umfasste sie in der Mitte, hob sie hoch und trug die um sich Schlagende in die Verwaltungsbaracke.

Cathérine war wie von Sinnen. Sie hieb mit den Fäusten auf Serrat ein, kratzte ihn und biss um sich wie eine Wildkatze, die im Netz liegt, aber an dem Fleischberg Serrat war dies nur wie ein harmloser Hagel.

In ihrem Zimmer warf er Cathérine aufs Bett, und als sie nach ihrer Pistole greifen wollte, lachte er schallend und klopfte auf seine ausgebeulte Hosentasche.

»Hier, mein Schätzchen, hier. Du glaubst doch nicht, dass ich mich umbringen lasse?«

»Du Missgeburt!«, schrie Cathérine. Sie kroch über das Bett, zog die Beine an und hieb mit den Fäusten in ohnmächtiger Wut und grenzenloser Verzweiflung auf ihre Knie. »Wo ist er? Was habt ihr mit ihm gemacht? Habt ihr ihn umgebracht? Einfach umgebracht, was, und verscharrt? Wie den armen Hund Bob Miller –«

»Bob ist mit einem Araberweib in die Wüste gezogen… das wissen alle, du auch!« Serrat grinste breit. »Du hast das Protokoll auch unterschrieben.«

Cathérine sprang mit einem Satz aus dem Bett. Serrat schob seine riesige Pranke vor und stieß sie wieder zurück. Für ihn war sie leicht wie eine Puppe.

»Mörder –«, stammelte sie. »Mörder!« Jetzt kam das blanke Entsetzen über sie. Wer Bender umbrachte, scheute sich auch nicht, Cathérine Petit zu töten. »Worauf wartest du noch? Ihr habt ihn erschossen, nicht wahr? Bringst du es fertig, eine Frau umzulegen?«

»Warum nicht?« Serrat betrachtete Cathérine wie ein Ziel, mit zusammengekniffenen Augen. Sie ist verdammt hübsch, dachte er. Das wissen wir alle. Aber bisher hat sie uns alle mit ihrer verfluchten Pistole vom Leib gehalten. Jetzt aber ist sie wehrlos wie ein Wurm. Wenn ich über sie komme, hat sie keine Chancen... eigentlich ist sie zierlich und zerbrechlich, wenn man sie genau betrachtet. Ihre Stärke ist ihr Mut, und den hat sie sackweise, zum Teufel.

»Ich habe kein Interesse, dich umzubringen, Schätzchen«, sagte Serrat mit veränderter, dunkler Stimme. »Ich will nur, dass du vernünftig bist, dass du zuhörst und nicht wieder mit dem dämlichen Schreien anfängst.«

»Wo ist er?«, fragte Cathérine leise.

»So einfach ist das nicht zu beantworten.« Serrat lehnte sich gegen die Tür. »Ich wage keine Ortsangabe, Süße.«

»Wo liegt er, du Schwein?!«

»Ich habe ihn nicht umgebracht, verdammt, keiner von uns hat ihm ein Haar gekrümmt. Das ist es ja. Und nun hör einmal zu –«

Serrat zog die Schultern hoch. Jemand drückte von außen gegen die Tür. Er trat einen Schritt zurück, stieß die Faust vor, und als die Tür auflog, bekam de Navrimont einen Schlag in die Magengrube. Er sackte stöhnend gegen die Wand und verdrehte die Augen. Serrat schloss verlegen die Tür.

»Verzeihung, Chef«, sagte er und kraulte sich das Haar. »Wer konnte ahnen, dass gerade Sie das sind.«

De Navrimont erholte sich sehr schnell, aber das Sprechen ging noch nicht so glatt, die Luft blieb ihm noch weg. Serrat holte ihm einen Stuhl.

»Sie Bulle!«, keuchte de Navrimont. »Sie begehen noch mal eine fahrlässige Tötung.«

»Er hat Dr. Bender umgebracht!«, schrie Cathérine und sprang wieder vom Bett. Vor ihren Augen tanzten das Zimmer und die beiden Männer, so zersetzte die Erregung ihre Nerven.

»Was hat er?«, fragte de Navrimont überrumpelt.

»Blödsinn. Sie wissen doch selbst, dass Dr. Bender in der Wüste verschollen ist.«

»Natürlich, ja.« De Navrimont sah Serrat verständnislos an. »Er ist weg. Ganz klar. Wir waren uns doch alle einig. Was soll jetzt der ganze Rummel?«

»Der Doktor ist wirklich weg…«, sagte Serrat. Es war, als kitzle jemand den Ingenieur unter den Fußsohlen. Mit einem spitzen Laut sprang er hoch.

»Was sagen Sie da?«

»Saada ist aus der Oase verschwunden.« Serrat schielte zu Cathérine. Der Name Saada genügte, um ihr zerfließendes Gesicht zu versteinern. »Mit einem Fahrrad. Total verrückt… aber was macht man nicht alles, wenn man nicht ohne Mann leben kann. Das Rad haben wir hier gefunden, hinter den Garagen. Saada war oder ist also hier…«

»Wo –«, sagte Cathérine mit heller, spitzer Stimme. »Wo ist sie?« Sie stand vor Serrat, ihr Gesicht zuckte, und eine Zerstörungslust sprühte aus ihren blauen Augen, dass Serrat erschrak.

»Wenn wir das wüssten. Auch der Scheich wollte es gern wissen.«

»Ali ben Achmed war hier?« De Navrimont scharrte mit den Füßen. Das muss lange vor meinem Brausebad gewesen sein, dachte er. Nach der Brause hatte ich wieder einen klaren Kopf, aber vorher … Gott verfluche die Wüste und segne den Schnaps. Das ist das Einzige, das hier im Erg Tifernine noch einen Sinn hat. Alles andere ist Heuchelei, und darauf spucke ich.

»Er kam mit einer ganzen Horde schwer bewaffneter Krieger. Brüllte, wir sollten Saada herausgeben. Es war gar nicht einfach, ihm klarzumachen, dass sein Töchterchen wohl hier war, aber von keinem gesehen wurde. Er nahm das Fahrrad mit … zum Schreien sah das aus, ein Fahrrad auf einem Kamel – und –«

»…und nahm auch Dr. Bender mit«, sagte Cathérine kaum hörbar.

»Ja.«

»Warum? Warum, du Dreckskerl?« Sie sprang ihn an wie eine Katze und schlug ihm die Faust zwischen die Augen. Als sei sie ein Insekt, wischte er sie weg aufs Bett. »Warum hast du ihn herausgegeben?«

»Aus Notwehr. Er drohte, alles in die Luft zu sprengen, selbst wenn er und seine Reiter dabei draufgingen. Man kennt ja diese Burschen … der Tod ist ihnen ein Klacks. Allah küsst seine Helden … das glauben die Idioten. Sollte ich es darauf ankommen lassen? Ein Millionenschaden wegen Dr. Bender? Nein, habe ich gedacht. Die Bohrstellen sind wertvoller, und was will Achmed schon mit dem Doktor? Er kann ja beweisen, dass Saada nicht bei ihm war. In den Schuppen ist keiner reingekommen ja, und dann haben die Kerle Dr. Bender mitgenommen.«

»Wir müssen sofort nach Bou Akbir!« Cathérine rannte zum Schrank und holte einen Mantel heraus. Wüstennächte sind kalt, im offenen Jeep besonders. »Wir müssen sofort zu ihm! Alain, sagen Sie doch was. Tun Sie doch was! Geben Sie den Befehl dazu!«

Alain de Navrimont sah auf seine zitternden Hände. Wenn er nicht soff, bebten sie wie bei einem senilen Greis, war er betrunken, konnte er sie nur gebrauchen zum Flaschenheben. Er war ein Wrack... und kann man von Wracks volle Segel erwarten?

»Achmed wird ihn von allein zurückbringen«, sagte er ausweichend. »Achmed ist ein moderner, gebildeter Mann. Er hat in Algier sogar das Gymnasium besucht. Und seine Saada kommt auch wieder.«

»Zu Fuß? Er hat ja das Rad mitgenommen! Wo ist sie überhaupt?«, rief Cathérine. »Sie muss doch hier sein! Sie hat sich versteckt. Habt ihr alles abgesucht?«

»Alles. Sogar in die leeren Fässer haben wir geguckt. Nichts.« Serrat log gewandt und ohne mit der Wimper zu zucken wie ein Politiker. Wenn sie jetzt bloß nicht auftaucht, dachte er. Vier Zimmer nebenan liegt sie auf meinem Bett und wartet auf den Morgen. Lieber Gott oder lieber Teufel, wer für mich zuständig ist, verhindere, dass sie aus dem Zimmer kommt. Ich weiß nicht, was ich dann tue. Bringe ich Cathérine um, schlage ich de Navrimont den schnapsgefüllten Schädel ein? Es wird ein Drama geben, das ist klar. Gott und Teufel – lasst sie im Zimmer bleiben!

»Wir leben doch nicht im Märchen!«, schrie Cathérine. »Sie ist doch kein Sternchen am Himmel geworden!«

»In der Wüste ist alles möglich«, meinte Serrat philosophisch. »Wozu also die ganze Aufregung? Achmed wird den Doktor zurückbringen... ein erregter Vater tut oft sinnlose Dinge.«

Pierre Serrat trat an das Fenster und blickte in die Nacht mit ihren Millionen Sternen und der bleichen Wüste. Ein Anblick, der zu seinen Gedanken passte. Irgendwo dort draußen wird Dr. Bender liegen, hingerichtet nach einem Schnellverfahren, vielleicht sogar nach der alten Methode: Kopf ab mit einem Hieb der scharfen Krummsäbel. Was er auch Achmed gesagt haben mochte... er hatte gegen den Wind geredet, der ihm die Worte in den Mund zurückblies. Für Ali war Saada eine ganze Welt... er würde sie zerstückeln, um Saada zu rächen...

»Ich fahre trotzdem!«, sagte Cathérine entschlossen. Sie trat nahe an de Navrimont heran, der schlapp auf dem Stuhl hing und Brennot innerlich verfluchte wegen der morgigen Konferenz. »Sagen Sie Pierre, er soll mir einen Jeep geben. Ich brauche keinen Begleiter... ich fahre allein.«

Das sieht ihr ähnlich, dachte Serrat. Ja, so ist sie, das kleine, zierliche Luder. Ein Vulkan an Energie. Ich traue ihr glatt zu, den Mann, den sie im Bett hat, zu erwürgen, wenn er früher schlapp macht als sie.

»Gib ihr einen Jeep«, sagte de Navrimont.

»Einen Dreck werde ich!« Serrat tippte sich gegen die breite Stirn. »Allein! Verrückt! Die reißen ihr den Hintern auf!«

»Was geht das dich an? Es ist mein Hintern!«, schrie Cathérine zurück.

In diesem Augenblick steckte der Schreiber Molnar seinen Kopf durch die Tür. »Telefon, Pierre«, sagte er. »Dringend... privat...« Er blinzelte, und Serrat verstand.

»Moment –« Serrat verließ das Zimmer und ging ein paar Schritte weg. Aber er blieb im Flur stehen und klopfte Molnar auf die Schulter. »Gut gemacht, Junge. In der richtigen Minute. Jetzt zählen wir langsam bis zwanzig, und dann sollst du sehen, wie Cathérine bedauert, den Doktor nicht selbst begraben zu haben.«

Sie warteten, zählten leise im Geist bis zwanzig und nickten sich dann zu. Polternd kehrte Serrat in das Zimmer zurück, mit einem mondglänzenden Gesicht und breitem Lachen.

»Das ist ja nicht zu sagen«, rief er und nahm Cathérines Mantel, warf ihn in die Ecke und strich ihr über das Haar wie ein Vater. Sie schlug nach seiner Hand, blitzschnell wie ein Panther. »Der Scheich rief an. Der große Achmed persönlich.«

»Nein!«, riefen Cathérine und de Navrimont wie aus einem Mund.

»Er entschuldigte sich.«

»Und Ralf? Was ist mit Ralf?« Cathérine zitterte am ganzen Körper. »Bringen sie ihn zurück?«

»Das ist ja das Verrückte!« Serrat begann laut zu lachen. Entgeistert und verständnislos starrten ihn die anderen an. »Unser lieber guter Doktor ist der Gast des Scheichs. Sitzt auf seidenen Kissen und schlürft Kaffee und knabbert Honiggebäck. Wie er's fertig gekriegt hat… Leute, das ist mir ein Rätsel. Wer weiß, was er dem Alten geboten hat! Jedenfalls hat er um Saadas Hand angehalten, und Achmed hat ihn nicht geköpft, sondern umarmt. Jetzt sitzen Bräutigam und Bräutchen beisammen und halten Händchen –«

Das Gesicht Cathérines war bleich geworden wie die sonnenweißen Wände der Oasenhäuser. »Das ist nicht wahr…« stotterte sie. »Das ist nicht wahr! Nie! Nie!«

»Geh hin und sieh es dir an.« Serrat war seiner Sache so sicher, dass er großzügig winkte. »Jetzt kannst du dir einen Jeep nehmen und hinfahren. Aber vergiss die Blümchen nicht zur Gratulation –«

Cathérine senkte den Kopf. Und sie zeigte keinerlei Regung, als ihr Serrat sogar die Pistole wiedergab. Er legte sie auf den Tisch, allerdings noch ohne Magazin.

»Lasst mich allein…« sagte sie leise. Ihre Stimme klang wie gebrochenes Glas. »Bitte, lasst mich jetzt allein…«

Alain de Navrimont und Serrat nickten sich zu und verließen das Zimmer. Als die Türe zuklappte, warf sich Cathérine über das Bett und biss in die Decke. Sie schrie… in das Bett hinein und strampelte wild mit den Beinen, und dann lag sie still und drehte sich auf den Rücken und sah gegen die gekalkte Holzdecke.

Soll ich weiterleben, dachte sie. Kann ich weiteratmen nach diesem Verrat? Lohnt sich überhaupt noch ein einziger Atemzug? Was bin ich denn? Eine Frau von dreißig, die von der Wüste ausgedörrt wird. Eine Frau ohne Zukunft. Eine Frau, die einmal der Sandwind zuweht. Das Leben hat allen Sinn verloren… schon seit Jahren… seit jenem Tag, an dem Roger mit unserem Kind vom Kirchturm von Nantes hinuntersprang. Er war wahnsinnig, und keiner hat es gemerkt, am allerwenigsten ich. Und jetzt ist auch das neue Leben dahin… verwelkt schon im Samen.

Warum leben?

Sie lag steif, wie gelähmt, und grübelte. Und je länger sie über ihr Leben nachdachte, um so weniger gönnte sie Saada und Dr. Bender ihr Glück.

Wir werden alle zugrunde gehen, dachte sie. Gemeinsam. Saada, Ralf und ich. Mit einem einzigen Schlag. In einem Feuerwerk der Rache.

Und sie nahm sich vor, morgen aus dem Magazin einen Kasten Sprengstoff zu stehlen, nach Bou Abkir zu fahren und sich, zusammen mit Bender und Saada, in die Luft zu jagen.

Das war ein herrlicher Gedanke, ihr Herz zuckte in Verzückung, und so schlief sie endlich ein, eingehüllt in den schwarzen Triumph des Grauens.

Der Hubschrauber aus Ouargla landete am frühen Morgen im Camp XI. Die Sonne war gerade aus dem Sand gestiegen, die Kühle der Nacht glitt noch über die Wüste.

Ingenieur de Navrimont staunte nicht schlecht, als Pierre Serrat mit Saada aus dem Bau kam und sie ohne weitere Erklärungen in den Hubschrauber hob. Sie hatte kein Gepäck bei sich, und das war auch nicht nötig, denn wohin Serrat sie bringen wollte, brauchte sie keine Koffer. Er selbst hatte nur eine alte Reisetasche aus Segeltuch bei sich, an den Ecken mit abgeschabtem Leder verstärkt, sein altes Legionärsgepäck. Es hatte Indochina gesehen und die Schluchten der Kabylei. Sidi-bel-Abbès und Saigon. Es war das letzte Überbleibsel aus Serrats früherem Leben.

»Was soll das?«, sagte de Navrimont, bevor er Saada nachkletterte. »Pierre, das haut mich um! Erklären Sie mir das!« Wenn er amtlich wurde, nannte er sogar Serrat »Sie«. »Das gibt die tollsten Schwierigkeiten!«

»Keine Sorge, Chef.« Serrat grinste und drückte de Navrimont unter dem Gesäß in das Flugzeug. »Es hat alles seine Ordnung. Damit haben Sie gar nichts zu tun! Vergessen Sie das.«

De Navrimont knurrte, setzte sich auf seinen Sitz, schnallte sich an und stopfte sich Watte in die Ohren. Das Gebrüll der Rotorflügel war ihm zuwider. Seine Nerven waren vom Alkohol zerstört.

»Ist alles gut gegangen?«, fragte Saada, als Serrat neben ihr saß. Sie schrie ihm ins Ohr und er nickte.

»Alles, Wüstenkätzchen.«

»Und der Doktor?«

»Ist schon in Algier. Hat vor einer Stunde angerufen. Wohnt im Hotel Oasis.«

»Dann ist ja alles in Ordnung«, sagte Saada glücklich.

»Alles.« Serrat schloss die Glaskanzel. Der Pilot nickte.

Wie eine schillernde Libelle hob sich der Hubschrauber vom Boden ab. Sie stiegen in den Himmel, der hellen, weißen Morgensonne entgegen, und Saadas Herz hämmerte vor Freude.

Ich sehe ihn wieder. In Algier. In einem Hotel.

Allah, du bist ein gütiger Gott –

Sie würde Allah verflucht haben, hätte sie das Ziel ihrer Reise gekannt.

Dr. Bender erwachte aus seiner Besinnungslosigkeit in einem fensterlosen Zimmer. Er brauchte ein paar Minuten, um sich zurechtzufinden, sein Schädel brummte, und auf der Hirnschale lastete ein Druck, als läge ein Zentnersack darauf. Dann aber kehrte das klare Denken zurück, er sprang auf, stand ein wenig unsicher in dem kahlen, durch eine traurige Petroleumlampe, die von der Decke hing, erhellten Raum. Das Bett, auf dem er bisher gelegen hatte, war eine Art Diwan, zerschlissen und mit einem alten Teppich bedeckt.

Das ist ja alles Wahnsinn, dachte er, als er sein neues Gefängnis abging. Es wird sich alles in einem Gespräch klären lassen.

Er lief zu der dicken Holztür und donnerte mit den Fäusten dagegen. Der Ton hallte dumpf wider, als befände sich der Raum in einem Gewölbe. Dann legte er das Ohr an die Tür und lauschte.

Nichts rührte sich. Die Stille war vollkommen. Es war, als läge er bereits in einem Grab, als habe man ihn hier lebendig eingemauert.

Diese Erkenntnis nahm ihm fast den Atem. Er sah sich genauer um und das Grauen erfasste ihn wie ein Würgen.

Das bis auf den alten Diwan leere Zimmer. Kein Fenster, nackte Wände, eine trübe Glühbirne, festgestampfter Lehmboden, eine Tür, die man nie auframmen konnte. Ein Raum ohne Sauerstoffzufuhr.

Ein Grab.

Dr. Bender brach der Schweiß aus allen Poren. Es war lachhaft, aber er erinnerte sich jetzt an die Oper »Aida«, in der im letzten Akt das Liebespaar Aida-Radames lebendig eingemauert werden. Eine Tötungsart der alten Ägypter, die sie auch an den Bauarbeitern der Pyramiden praktizierten. Waren die Königsgräber gebaut, mauerte man die Sklaven zuletzt mit ein.

»Nein!«, stammelte Bender und riss sich das Hemd über der Brust auf, als beginne bereits das Ersticken. »Nein! Das ist nicht wahr! Das ist doch nicht möglich!« Er stürzte wieder zur Tür und hämmerte gegen das Holz. Wie Paukenschläge dröhnte es durch das Gewölbe. Er trat gegen die Tür, er schrie »Aufmachen! Aufmachen!«, obwohl er wusste, dass es sinnlos war, aber er wollte nicht stumm sterben, er wollte sich wehren bis zuletzt, und wenn es auch nur die kahlen Wände waren, die seine Verzweiflung miterlebten.

Später – er hatte jeglichen Zeitbegriff verloren – lief er in seinem Grab herum, immer die Wände entlang, ein eintöniger Rundgang wie die Ochsen an den alten Brunnen, die mit verbundenen Augen in ihrem Joch tagaus, tagein im Kreis gehen und das Wasser aus der Tiefe pumpen.

Rechnen wir, dachte er nach einer langen Zeit des Wanderns und setzte sich auf den Diwan. Rechnen wir aus, wie lange die Luft reicht. Es ist ein teuflisches Exempel, denn wem ist es schon gegeben, seinen Tod mathematisch zu bestimmen.

Das Zimmer ist fünf Meter lang und fünf Meter breit und

drei Meter hoch. Das sind fünfundsiebzig Kubikmeter Raum. Gefüllt mit muffigem Sauerstoff, der sich langsam umwandelte in Kohlendioxyd, das das Blut zersetzt und die Lungen lähmt.

So etwas geschieht nicht plötzlich, ein paar Tage kann das dauern, ein grauenhaftes Sterben, ein langsames, wissendes Sterben, ein genau zu spürendes Immer-weniger-Werden.

Dr. Bender legte sich auf den Diwan und atmete ganz langsam und flach. Auch das ist Blödsinn, dachte er. So wenig Luft wie möglich verbrauchen. Wozu? Um den Tod noch länger hinauszuzögern? Um noch einen oder zwei Tage länger in diesem Grab herumzurennen? Um vielleicht wahnsinnig zu werden vor dem Entsetzen, das jeder Blutstoß zum Herzen trägt. Wer kann das aushalten, lebendig begraben zu sein?

Er musste Stunden gelaufen und gelegen haben, denn schließlich schlief er wieder ein, von einer Müdigkeit weggetragen, die er genau beobachtete und gegen die er nicht ankam.

Beginnt es jetzt schon, dachte er bloß. Der große, ewige Schlaf? Wird man nur müde und wacht nicht wieder auf? Ist das so einfach?

Aber er wachte wieder auf. Jemand rüttelte ihn, und als er benommen die Augen aufschlug, sah er das Gesicht Achmeds vor sich, wie in einem Nebel schwebend, wie ein abgeschlagener Kopf, der schwerelos in der Luft tanzte. Dann spürte er, wie jemand ihm zu trinken gab, über seine Lippen rann klebrige Feuchtigkeit – es war Limonade, süß und bitter zugleich, aber köstlich erfrischend – und Achmed sagte:

»Ich habe Ihnen Zeit gelassen, Doktor, nachzudenken: Wo ist Saada?«

»Ich weiß es nicht.«

Dr. Bender setzte sich und lehnte sich an die Wand. Jetzt war sein Blick wieder klar. Er sah Achmed vor sich stehen, an der Tür lehnte ein Diener mit einer langen, geflochtenen Kamelpeitsche. Bender lächelte schwach. Wer schon in einem Grab lebt, den schreckt das Auspeitschen nicht mehr. Alles, war geschieht, kürzt nur die Leiden ab, ist eine Gnade, ist ein Geschenk.

»Saada war bei Ihnen.«

»Nein. Wann denn und wie? Man hatte mich doch eingesperrt!«

»Serrat sagt, er habe Sie eingeschlossen, nachdem Saada bei Ihnen war.«

»Das ist eine verdammte Lüge!«

»Können Sie es beweisen, Doktor?«

»Natürlich nicht.«

»Sehen Sie.« Achmed sah Dr. Bender aus verschleierten Augen an. Er wirkte nicht wie ein Rächer, er war eher innerlich zerbrochener als Dr. Bender. »Aber Saada ist nicht zurückgekehrt. Sie ist mit dem Fahrrad in der Wüste verschwunden. Was haben Sie aus ihr gemacht? Ihr Herz haben Sie ihr zerrissen. Wo sie auch ist, was auch geschehen ist mit ihr... es ist Ihre Schuld! Wissen Sie, was ein Vater empfindet, wenn ein anderer Mann ihm die Tochter wegnimmt?« Achmeds Stimme schwankte. Dr. Bender sprang auf und lief in seinem Grab hin und her. Der Wächter an der Tür hob die Peitsche, sobald er sich mehr als zwei Schritte näherte.

»Ich weiß nicht, wo Saada ist!«, schrie Bender. »Wie soll ich Ihnen beweisen, dass das die Wahrheit ist?«

»Sie werden es nie beweisen!« Achmed setzte sich auf den alten Diwan. »Es ist ja auch ohne Bedeutung, ob Sie es können. Was geschehen ist, wäre nie gewesen, wenn Sie nicht nach Bou Akbir gekommen wären. Durch Sie hat Saada ihr Leben verloren. Das allein ist wichtig. Sie sind aufgetaucht wie der Teufel und haben ihr junges Leben zerstört. Wollen Sie es leugnen?«

»Ja!«, schrie Dr. Bender. Er spürte, dass Achmeds Worte nichts anderes bedeuteten als ein Todesurteil. »Ich weiß nicht, was hier gespielt wird, aber jemand ist hier, bei dem alle Fäden dieses infamen Spiels zusammenlaufen.« Er blieb vor Achmed stehen und ballte die Fäuste. »Wissen Sie, dass man verhindern will, dass jemand erfährt: Die Hadjar-Krankheit ist in diesem Gebiet?!«

Achmeds Augen wurden schmal. »Sie gibt es hier auch nicht.«

»Doch! In Ihrer Oase!«

»Nein!« Achmed erhob sich würdevoll. Er wusste, was der Alarm bedeutet: Hadjar in Bou Akbir. Er wusste es so gut wie Serrat.

Absperrung aller Bewohner von der Außenwelt. Erklärung der ganzen Gegend zum Quarantäne-Gebiet. Impfungen aller Menschen und Tiere. Untersuchungen, Tests und Besprühen der Gärten mit giftigem Nebel.

Keine Karawane würde mehr Bou Akbir besuchen. Keine Dattel, keinen Stängel Gemüse, nicht einen Tropfen Milch würde man mehr verkaufen können. Die Oase würde ein Totenfeld werden, mit Männern, Frauen und Kindern, die erst wieder zu Menschen wurden, wenn die Quarantäne von drei Monaten vorüber und keiner von ihnen an der Hadjar-Krankheit gestorben war. Und selbst dann blieb ein Geruch wie von Aussatz übrig… Bou Akbir würde ein Name sein für den schleichenden, unbekannten Tod.

Ali ben Achmed dachte wie Serrat: Schweigen!

»Ich kann es beweisen«, sagte Dr. Bender.

»Wen interessiert das?« Achmed winkte ab. »Beweisen Sie mir, dass Saada lebt. Sagen Sie mir, wo sie ist! Das allein ist wichtig.«

Dr. Bender hob hilflos beide Arme. Er lehnte sich an die Wand und schüttelte den Kopf, als sei er ein nasser Hund. »Ich bin nicht Allah, Achmed –«

»Vielleicht finden wir sie noch. Zweihundert Reiter durchstreifen den Erg Tifernine. Aber auch das ist ohne Bedeutung. Mit Ihnen, Doktor, ist das Leid über meine Familie gekommen. In der Wüste vertritt jeder sein eigenes Recht –«

»Das heißt: Sie wollen mich töten?«

»Nein.« Achmed erhob sich und ging langsam zur Tür. »Töten wäre eine Handlung, die ich an Ihnen vornehme. Aber meine Hände sollen rein bleiben. Allah wird Sie töten... er wird Ihnen die Luft entziehen, weil Sie nicht wert sind, seine Luft zu atmen –«

»Das können Sie nicht tun!« Bender stürzte vor, aber der Diener hieb mit der Peitsche nach ihm und schleuderte ihn in den Raum zurück. »Achmed! Sie können mich doch nicht lebendig begraben!«

Die schwere Tür schloss sich. Draußen wurden drei Riegel vorgeschoben; Bender zählte das Knirschen der Eisenstangen in den Halterungen. Dann entfernten sich die Schritte Achmeds und seines Dieners... und mit ihnen glitt auch das Leben weg.

Dr. Bender schlug die Hände vor das Gesicht und schwankte zum Diwan zurück.

Fünfundsiebzig Kubikmeter Luft.

Wie lange reicht sie? Wieviel atmet ein Mensch in einer Stunde ein und aus?

Er konnte nicht mehr rechnen. Alle erlernten Weisheiten fielen von ihm ab. Sein Gehirn revoltierte gegen das Grauen.

Er fiel auf das Bett und glaubte und hoffte erstmals in seinem Leben auf ein Wunder.

Aber gibt es sie noch... die Wunder?

Unterdessen war Saada schon weit von Bou Akbir entfernt.

Pierre Serrat hatte auf dem Flug von Camp XI nach Hassi Messaoud eine Idee gehabt, die er sofort in die Tat umsetzte. Sie kam ihm plötzlich, als der Hubschrauberpilot, ein neuer, junger Mann, der erst seit zwei Wochen in Ouargla stationiert war, sich zu Serrat umwandte.

»Hast du die Sauerei gehört?«, fragte er.

Serrat beugte sich vor. Der Motorlärm war so groß, dass weder Saada noch de Navrimont verstanden, was sich der Pilot und Serrat entgegenschrien.

»Welche Sauerei?« Serrat lachte. »Gibt's einen neuen Puff?«

»Nein, nur neue Mädchen. Aber die Sauerei an der Grenze. Nördlich von El-Oued, einem von Gott verlassenen Gebiet am Schott Djerid.«

»Keine Ahnung.« Serrat hob die breiten Schultern. Schott Djerid kannte er. Das war ein Salzsee-Gebiet in Tunesien, ein fürchterliches Stück Land, von der Sonne verbrannt, mit Salz bedeckt, an den Rändern, der Teufel weiß, wie's kommt, noch sumpfig, ein Salzsumpf, der Mensch und Tier hinunterzieht und für alle Zeiten pökelt. Wer von der Straße Nefta nach Gafsa abkommt und sich verirrt, den findet niemand mehr. Hier hat der Satan eine Pfanne aufgestellt, in der er das Entsetzen siedet.

»Regierungsflugzeuge, die Patrouille an der Grenze flogen, wollen eine Karawane gesichtet haben.«

»Na und –« sagte Serrat verwundert.

»Eine Karawane mit Sklaven.«

»Verrückt!« Serrat tippte sich an die Stirn. »Das gibt's nicht mehr. Und hier schon gar nicht. Vielleicht noch im Sudan…«

»Die beiden Aufklärer gingen runter bis auf hundert

189

Meter und überflogen ein paarmal die Karawane. Sie wurden von den Arabern beschossen... mit ganz modernen Maschinengewehren.«

»Das lässt den Hund auf der Hündin jaulen!«, sagte Serrat entgeistert. »Wirklich?«

»Von Constantine haben sie sofort drei Jagdflugzeuge runtergeschickt. Aber sie kamen zu spät. Die Karawane war schon auf tunesischem Gebiet. Man konnte sie sehen... in aller Frechheit machten sie Rast. Die Piloten sagen, es waren mindestens hundert Mädchen...«

Das war der Augenblick, in dem bei Serrat ein Kontakt anschlug. Er schob die Unterlippe vor und atmete tief durch.

»Nur Weiber?«, fragte er.

»Nur! Das ist ja die größte Sauerei! Nächste Woche will eine Kommission nach El-Oued kommen und alles untersuchen. Die besten Kriminalisten aus Algier. Aus Paris holen sie drei Fachleute für internationalen Mädchenhandel. Irgendwo muss da in der Wüste ein Sammelplatz der Händler liegen. Man vermutet die Zentrale in El-Oued. Dort gibt es allein neunundsechzig reiche arabische Händler, die alle ihre dreckigen Finger darin haben können. Alle neunundsechzig stinken von Geld –«

»Das ist wirklich eine Sauerei«, sagte Serrat und lehnte sich zurück. Dabei schielte er nach Saada. Sie genoss den ersten Flug ihres Lebens. Sie sah zum erstenmal die Wüste von oben, wie ein Vogel, und erlebte die Schönheit dieses Landes.

Die Sanddünen mit ihren Wellenmustern, die der Wind gezeichnet hatte, die bizarren kahlen Felsen mit den tiefen Schatten in ihren Falten, die kleinen Wasserstellen und Oasen, verlorene grüne Punkte um einen Brunnen, ein paar schiefe Palmen, verstaubte Tamarisken, das Band der Straße mit den Telefonmasten und den Lichtleitungen, die Wadis und die matt schimmernde Pipeline… die Ölleitung, die das flüssige Gold zur Küste pumpte. Das Öl, das die Sahara veränderte.

Wie schön wird erst Algier sein, die weiße Stadt am Meer, dachte sie. Die hohen Steinhäuser, die breiten Straßen, die blitzenden Autos, die eleganten Frauen, die blühenden Parks, die großen Schiffe im Hafen. Sie kannte das alles nur aus Zeitungen und Illustrierten, die sich Achmed von Ouargla kommen ließ. Ein Scheich muss mehr wissen als sein Dorf, das sah jeder ein und respektierte es auch. Für Saada aber waren die bunten Fotos ein Blick ins Paradies. Ihre Fantasie baute himmlische Paläste in den Städten. Nun war sie auf dem Weg in das ersehnte Land, und sie traf den Doktor dort, den Mann, der ihr Herz mitgenommen hatte… wie es im Traum gewesen war.

Serrat hatte in diesen Minuten ganz andere Gedanken.

Von Ouargla nach El-Oued sind es ungefähr 270 Kilometer, rechnete er. Die Straße ist gut. In einer Nacht müsste man sie herunterreißen können, man braucht nur ein gutes Fahrzeug und eine Ausrede, warum man den Flug nach Algier unterbricht. Um Saada hatte er keine Sorge… sie wusste nicht, wo Algier lag, ob man nach Norden oder Osten fahren musste, sie vertraute ganz auf Serrat, ein Kind voll ergreifender Gläubigkeit an das Gute im Menschen.

Serrat kaute an der Unterlippe und rang mit sich.

Ein Sklavenmarkt, – das ist die höchste Teufelei, die es gibt. Da muss man alle menschliche Seele in den Sand vergraben, da muss das Herz zu einem Salzstein werden, da darf das Hirn nicht mehr denken, und die Augen dürfen nicht mehr sehen und die Ohren nicht mehr hören, was menschlich ist.

Zwar hat sich vieles geändert, dachte er und versuchte,

den letzten Rest seines Gewissens zu beruhigen. Er begann, sich selbst zu überreden. Es gibt sie nicht mehr, die elenden Sklavenzüge, die armen Wesen, nackt, an Ketten geschmiedet, das Joch um den Hälsen, vorwärtsgetrieben von den Nilpferdpeitschen ihrer Antreiber und Händler. Heute machte man das eleganter: Man nannte es einen »Pilgerzug«. Heilige Stätten gibt es überall, und wenn es nicht Mekka war, das beste Alibi der Händler, so war es irgendeine Wüstenstadt, wo ein heiliger Marabu regierte, wo eine Moschee von Allah selbst gesegnet war, wo man Gott und dem Propheten näher war als in der kleinen Dorfmoschee.

Die Anfänger ließen noch Kamelkarawanen laufen, ein mühseliges, langsames Geschäft. Die Erfolgreichen und im Handel Eingeführten benutzten uralte Lastwagen und Omnibusse für ihre »Pilger«. Ganz offiziell rollten sie durch die Städte, ihre Menschenfracht jedem zeigend, denn alle glaubten an die Pilger… die Polizei, das Militär, die Behörden, das andere Volk. Nur die »Pilger« selbst kannten ihr Schicksal und schwiegen.

Die Methode, sie stumm werden zu lassen, war einfach und uralt. Die Verzauberung der Sklaven zu willenlosen menschlichen Hüllen begann gleich am Beginn der Reise ins Ungewisse. Immer waren einige Dumme unter ihnen, die sich nicht abfinden konnten mit dem Gedanken, ab jetzt eine Handelsware zu sein wie eine Orange oder eine Dattel, ein Mehlfladen oder ein Paar Sandalen. Aus dieser Gruppe der Aufsässigen, die schrien und tobten, die Wärter angriffen oder sogar zu flüchten versuchten, holte man drei heraus. Meist waren es ältere Frauen, die doch keinen großen Preis erzielten, in keinem Bordell oder Harem landeten, sondern als billige Arbeitskräfte, als menschliche Esel, die schwersten Lasten tragen sollten.

Vor den anderen »Pilgern« stellte man sie hin, hielt ihnen

ihre Verfehlungen vor und peitschte sie dann so lange, bis der Sand sich rot färbte, das Schreien im Röcheln erstarb und schließlich die zuckenden Körper nicht mehr zu erkennen waren.

Man ließ sie liegen für die immer gegenwärtigen Geier.

Von da ab waren die »Pilger« stumm. Sterben ist etwas Endgültiges... aber verkauft werden heißt wenigstens weiterleben. Vielleicht traf man es gut, bekam einen guten Herrn, ein gutes Lager, reichliches Essen, und die jungen Frauen träumten von einem feurigen Gebieter, der sie in sein Bett holte und dem sie die Kunst ihrer Liebe zeigen durften.

Serrat schrak aus seinen Gedanken auf, als der Pilot den Motor drosselte.

Ouargla. Die große Oase. Weiße Häuser, Moscheekuppeln, schlanke, weißleuchtende Minaretts. Tausende Palmen, Wassergräben, saftige Gärten, das Hotel Transatlantique mit seinem Swimmingpool und Terrassen, die Kasbah, ein Gewirr von verschachtelten Häusern und überbauten Gassen wie ein riesiger Termitenhaufen. Ouargla, die Sehnsucht der Kerle fern an den Öltürmen in der Wüste.

Ingenieur de Navrimont beugte sich zu dem Piloten vor. Er schien die ganze Zeit über geschlafen zu haben und merkte erst jetzt, dass sie über Ouargla niedergingen.

»Wieso denn das?«, brüllte er dem Piloten in den Nacken. »Ich musste doch in Hassi heraus!«

»Da fliege ich zurück. Erst Ouargla, dann Hassi... ich bleibe dort. Das ist einfacher, als hin- und herzufliegen.«

De Navrimont war zufrieden. Ist doch alles Scheiße, dachte er. Ob hier oder in Messaoud oder im Arsch des Teufels... für mich ist das Leben nur eine Last. Gäbe es keinen Schnaps, ich hätte mich längst aufgehängt. Er verfiel in eine weinerliche Stimmung, Tränen schossen in seine Augen, und er putzte sich die Nase. Serrat kannte das. So ist er immer, wenn er einen Tag lang nichts gesoffen hat. Dann klappt er zusammen. Wer weiß, was ihm so auf dem Gewissen drückt? Wer wusste überhaupt etwas von de Navrimont? Als er in die Wüste kam, galt er als ein blendender Erdölingenieur, als ein Fachmann für die Mineurkunst. Er hatte dreimal auf Anhieb richtig gebohrt und war fündig geworden. Das sparte der Gesellschaft »Sahara-Petrol« hunderttausende an Francs, die sie sonst für Probebohrungen ausgegeben hätte. Man vergaß das Alain de Navrimont nicht. Als er ans Saufen kam und immer mehr abrutschte, entließ man ihn nicht, sondern steckte ihn in den äußersten heißesten Winkel der Sahara, in den Erg Tifernine. Dort konnte er sich zu Tode trinken... sein Gehalt war gewissermaßen ein Ehrensold für die ersparten hunderttausende. Er war niedriger als deren Zinsen. Mit anderen Worten: Er belastete niemanden.

Serrat atmete auf, als der Hubschrauber mit de Navrimont wieder aufstieg und in Richtung Messaoud absurrte. Der Ingenieur hatte Serrat Glück gewünscht und ihn gewarnt, keinen Tripper aus Algier mitzubringen. Serrat hatte genickt und gedacht: Glück kann ich brauchen. Das andere wäre Künstlerpech. Wer macht schon vorher einen Abstrich, wenn er mit einer so glutäugigen Katze ins Bett geht?

»Komm, Schätzchen«, sagte Serrat und legte den Arm um Saada. Sie standen auf dem Flugplatz, der Wind trieb Staub über die Piste, ein Landrover mit algerischen Monteuren kam auf sie zugefahren. »Hier bleiben wir eine Nacht, und dann geht's weiter.«

Er lud seine alte Legionärstasche auf den Wagen, hob Saada auf die Ladefläche und sprang selbst hinauf. Der Aufbau schwankte bedenklich. Auch ein Landrover ist nicht für ein springendes Nilpferd konstruiert.

»Der Verwaltungsinspektor erwartet dich schon«, sagte einer der Monteure.

»Der Inspektor kann mir die Mücken aus der Ritze pflücken!«, knurrte Serrat und zeigte auf die Stadt. »Zum Hotel ›Goléa‹. Siehst du nicht, dass ich in Damenbegleitung bin?«

Der Wagen rührte sich nicht von der Stelle. Die beiden Algerier sahen sich fragend an.

»Der Inspektor wird schimpfen«, sagte der andere Monteur. »Wir haben den Befehl, dich sofort zu ihm zu bringen.«

»Zum ›Goléa‹!«, brüllte Serrat und hieb auf die Autokante. »Ein Serrat bestimmt selbst, wann er kommt! Noch ein Wort, Junge, und ihr fliegt durch die Luft, und ich fahre die dreckige Mühle allein.«

Die Algerier zuckten mit den Schultern, stiegen ein und fuhren los. Saada klammerte sich an Serrat fest.

»Gibt es Schwierigkeiten?«, fragte sie.

»Nein, gar keine, mein Schätzchen. Du siehst, es geht weiter.«

»Ja.« Sie tastete nach seiner Riesenhand und umfasste sie. »Ich weiß nicht, wie ich dir danken soll –«

Serrat presste die Lippen zusammen, knurrte wie ein Kettenhund und starrte über den staubigen Flugplatz den flachen weißen Gebäuden entgegen, in denen die Flugplatzangestellten unter rotierenden Ventilatoren saßen und trotzdem schwitzten.

Das Hotel ›Goléa‹ war ein elender Bau mit kleinen Zimmern, einer stinkenden Schankstube und einem Wirt, der Serrat wie einen König begrüßte und Saada mit glitzernden, sachverständigen Augen abschätzte.

Wüstenmädchen. Eine Berberin. Nicht billig und ohne Stolz. Eine Sahara-Hure. Man sollte ausspucken vor ihr.

»Ein Zimmer«, sagte Serrat und schob den Wirt mit einer Handbewegung aus dem Weg. »Ein Zimmer, wie's aussieht, ist egal! Nur ein Bett muss drin sein.«

»Verstehe.« Der Wirt grinste unverschämt. »Ein Sonderpreis, Monsieur: 40 Francs, und alle sind blind im Haus.«

»10 Francs, oder du hast die Rübe in fünf Minuten im Suppentopf!«, brüllte Serrat. Er packte den Wirt am Kragen, hob ihn hoch, trug ihn in die Ecke, und der Wirt machte sich steif und rührte sich nicht und ließ sich wie ein Brett gegen die Wand pressen. »Und einen Wagen«, sagte Serrat leise. »Einen guten, schnellen Wagen. Dafür gebe ich dir 100 Francs Leihgebühr.«

»Und wer sagt mir, dass Sie wiederkommen, Monsieur?« Der Wirt begann zu schwitzen. »100 Francs sind wenig für einen Wagen, der nicht wiederkommt.«

»Vertrau auf Allah und Pierre Serrat.« Serrat setzte den Wirt ab und legte ihm die Riesenpranke auf den Kopf. Es war, als habe ein Löwe sein Opfer geschlagen. Der Wirt verdrehte die Augen und seufzte tief.

»Das ist eine billige Versicherung«, stotterte er.

»Gut.« Serrat griff in seine Rocktasche. »Ich lasse dir meinen Pass hier, du Wüstenfloh. Genügt das? Ohne Pass ist der Mensch kein Mensch mehr.«

»Das genügt.« Der Wirt nickte unter der Hand Serrats. »Wann soll der Wagen bereitstehen?«

»Heute Abend um 22 Uhr.«

»Wo?«

»Vor der Tür, du Esel. Wie sich's gehört. Aufgetankt.«

»Es wird alles getan, wie Sie sagen.«

Serrat ging zurück zu Saada, die an der Theke wartete und der dieses Loch von Hotel wie ein Palast vorkam. »Wir sehen uns die Stadt an«, sagte Serrat und umarmte Saada wie ein Vater sein Kind. »Zuerst trinke ich ein Bier… bei Laroche, dem Patron der ›Sahara-Bar‹. Er hat das beste, kühlste Bier in der Wüste.«

»Und dann gehen wir in die Moschee, nicht wahr?« Die Augen Saadas glänzten voller Glück. Sie trippelte neben Serrat her und glaubte, sie gehe über Rosen.

»In die Moschee? Warum?«

»Ich will Allah bitten, dass er uns beschützt…«

Serrat nickte und zog das Kinn an. Nicht schwach werden, redete er sich vor. Pierre, schluck diese verdammte Sentimentalität herunter. Du willst ein Satansgeschäft machen, denk daran. Wenn du morgen früh zurückkommst, bist du um 10 000 Francs reicher.

Um 22 Uhr, wie befohlen, stand vor der Tür des Hotels ›Goléa‹ ein kleiner, gelb gestrichener Wagen. Ein für Wüstenfahrten umgebauter Renault. Serrat umkreiste ihn, öffnete die Motorhaube, betrachtete den Motor, ließ ihn probelaufen und gab dann dem Wirt seinen Pass und 100 Francs.

Saada wartete im Eingang. Als Serrat winkte, kam sie herangelaufen und stieg in das Auto.

»Wann werden wir da sein?«, fragte sie. Sie glaubte, es ginge jetzt weiter nach Algier.

»In vier Stunden.«

»Mein Herz blutet vor Freude.«

Serrat gab Gas und raste hinaus in die Wüstennacht. Mit gesenktem Kopf starrte ihnen der Wirt nach, spuckte auf den Pass und steckte die 100 Francs in die Hosentasche.

»Der Teufel hole euch alle!«, sagte er laut. »Allah verdamme euch.«

Er war, ohne es zu wissen, ein Prophet, denn wohin Serrat jetzt fuhr, war wirklich der Teufel zu Hause.

Sie fuhren die ganze Nacht durch die schweigende, von einem herrlichen Sternenhimmel überwölbte Wüste. Die Straße nach El-Oued war sehr belebt, was man in der Sahara darunter versteht, dass Serrat in den vier Stunden neun Wagen entgegenkamen, meistens Militärfahrzeuge, und ein Lastwagen der Internationalen Transportgesellschaft in Tunis. Es war ein Möbelwagen, und Serrat schüttelte den Kopf.

»Da zieht einer um«, brummte er. »Mit einem Möbelwagen wie im guten alten Europa. Ein Idiot muss das sein! Möchte wissen, was der mit Polstermöbeln und Nußbaumschränken in der Wüste will. Die fallen ihm auseinander, oder die Termiten zernagen sie ihm.« Er schielte zu Saada, die neben ihm saß, den Kopf nach hinten auf die Lehne geworfen. »Müde, mein Schätzchen?«

»Ja, Monsieur.« Sie legte einen dünnen Seidenschal über das Gesicht. Durch die offenen Fenster zog der Fahrtwind. Es war kalt. »Sehr müde.«

»Dann schlaf. Die Fahrt ist langweilig genug.«

»Sie wecken mich rechtzeitig, wenn wir in Algier sind?«

»Ich wecke dich zur rechten Zeit.« Serrat knirschte mit den Zähnen, beugte sich vor, starrte auf die einsame Wüstenstraße und gab mehr Gas.

Es ist eine ausgesprochene Scheiße, Gangster zu werden, dachte er wieder. Man muss dazu geboren sein, das sehe ich jetzt ein. Aber ein Zurück gibt es nicht mehr. Im Camp soll Ruhe herrschen wie bisher. Dr. Bender ist bereits erledigt. Saada kann ich nicht mehr zurückbringen, hol's der Teufel … es bleibt einem nichts anderes übrig, als ein Saukerl zu werden, ein ganz verdammter Hund. Und 10 000 Francs gibt's auch noch obendrein.

Saada legte den Kopf müde an seine breite Schulter und schlief sehr schnell ein. Serrat bemühte sich, sie möglichst wenig zu schütteln, aber einmal – nach ungefähr einer Stunde – musste er scharf bremsen und an den äußersten Straßenrand ausweichen. Eine Kamelkarawane versperrte die Piste.

»Hurensöhne!«, schrie Serrat aus dem Fenster. »Warum schlaft ihr nicht? Wieso ziehen Karawanen jetzt schon durch die Nacht?! Farbiges Pack!« Er hupte anhaltend, fuhr rücksichtslos zwischen die Kamele und bahnte sich einen Weg. Das heisere Schimpfen der Araber übertönte er mit dem Brüllen schrecklichster Schimpfwörter.

Saada wachte davon nicht auf. Sie schlief wie ein Kind, im Traum lächelnd, sich ganz in den Schutz des starken Serrat gebend. Ihr Vertrauen war grenzenlos, man sah es an ihren ruhigen Atemzügen.

Serrat fuhr, als jage man ihn quer durch die Wüste. Der Staub der breiten Straße nach El-Oued puderte in Kürze den Wagen völlig ein, er verlor alle Farbe und wurde gelb-weiß wie ein riesiger Saharafloh. Nach drei Stunden, kurz vor der Wüstenstadt Touggourt, bremste er wieder und stieg aus. Am Straßenrand lag ein Lastwagen des algerischen Militärs. Vier Soldaten bemühten sich, einen Reifen zu wechseln, aber der Wagenheber war defekt. Nun standen sie ratlos herum und rauchten Zigaretten.

Serrat trat zu ihnen und trat gegen den platten Reifen.

»Nicht gelernt, wie man ein Rad wechselt, was?«, sagte er spöttisch. »Zuerst muss man ihn hochdrehen, Junge.«

Ein Sergeant trat aus der Gruppe, ein bärtiger Mann mit vielen Narben im Gesicht.

»Sie kluges Kind«, sagte er rau. »Machen Sie mal was, wenn der Heber immer abrutscht. Nach zwanzig Zentimetern macht er rrrtsch, und weg ist er. Da müssen drinnen ein paar Zähne abgebrochen sein.«

Man hat noch nie behauptet, dass Serrat bei allen seinen

Schwächen und Gemeinheiten nicht ein Herz für leidende Männer gehabt habe, vor allem, wenn ihnen zustößt, was ihm selbst einmal passieren konnte. Er lief also zu seinem Wagen zurück, sah, dass Saada noch schlief, und hoffte, dass im Werkzeugkasten wenigstens Werkzeug war. Es gibt da die tollsten Dinge bei Autobesitzern. Einmal – Serrat hatte es selbst erlebt – lagen im Werkzeugkasten Thermosflaschen mit gekühltem Whisky.

Der alte Renault hatte wirklich einen Wagenheber in sich. Serrat betrachtete das zierliche Ding kritisch, ging zu dem Lastwagen zurück und grinste verlegen. »Ob's geht, wer weiß das?«, fragte er und klemmte den Tragbolzen in das Hebeloch. »Wer solch kleine Dinger herstellt, sollte mit seinem eigenen Hintern hochgekurbelt werden. Los, versuchen wir es.«

Erstaunlicherweise gelang es. Die Soldaten konnten den Reifen wechseln, gaben Serrat Zigaretten, bedankten sich überschwänglich und nannten ihn Kamerad. Dann fuhren sie lachend ab und winkten Serrat zu.

Wenn ihr wüsstet, wohin ich fahre, dachte er. Langsam ging er zu seinem Wagen zurück, verstaute den Heber wieder im Kofferraum und rauchte draußen, an den Kühler gelehnt, eine der schwarzen, algerischen Zigaretten, die nur Männer vertragen, deren Lunge mit Blech beschlagen ist.

Sie haben Patrouille gefahren, dachte er. Der Sergeant hat's erzählt. Sie suchen Sklavenhändler. In El-Oued haben sie Haussuchungen gemacht, eine ganze Kompanie Soldaten. Ergebnis: Nichts. »Die sind schlauer als Mohammed vor Dschidda«, hatte der Sergeant gesagt. »Man kann es ihnen ansehen, dass sie ein schlechtes Gewissen haben, man riecht förmlich die Gauner an ihnen… aber beweisen Sie es mal! Sie rufen Allah zum Zeugen ihrer Unschuld… es ist ein Wunder, dass Allah nicht Feuer vom Himmel regnen lässt.«

Ich werde sie finden, dachte Serrat. Ich habe eine Nase dafür, und außerdem klebe ich den nächsten dieser Händler an die Wand, wenn er mich belügt. Das hilft immer. Die eigenen Knochen sind ihr wertvollster Besitz, bei allem Reichtum, den sie sich zusammengegaunert haben.

Er blickte auf seine dicke Armbanduhr. Auch sie war ein Teil von Serrat. Sie hatte den Wüstenkrieg mitgemacht, vorher die Ausbildung bei der Legion in Sidi-bel-Abbès, später den wahnsinnigen Treck durch die unerforschte Wüste, durch den höllischen Erg Tifernine, bis man das verfluchte Öl entdeckte, diese Sandflecken, unter denen Millionen lagerten. Millionen aus schwarzer, stinkender Brühe.

Noch durch Touggourt, dann 1½ Stunden bis El-Oued. Und Barzahlung, Jungs, 10 000 auf die Hand. In schönen Scheinchen. Ich will sie zwischen den Fingern knistern hören.

Er stieg nach der Zigarette wieder in den Renault, schob den Kopf Saadas wieder gegen seine Schulter, betrachtete ihren im Schlaf erschlafften Körper, die langen, schlanken Beine, die vollen Brüste, das Madonnengesicht mit den tiefschwarzen, langen Haaren, und er rieb sich die Nase, dachte an seine Frau und die Kinder, die aufständische Berber irgendwo verschleppt und abgeschlachtet hatten, und alles Mitleid verflog sofort.

»Das ganze Leben ist ein Hölle!«, murmelte er, ließ den Motor an und fuhr weiter in die Wüstennacht.

Die schlafende Stadt Touggourt, eine der schönsten Städte zwischen Atlasgebirge und Wüste, mit schlanken Minaretts, einem riesigen Markt, einer großen Karawanserei, modernen Hotels und dem typischen Gewirr von engen, überbauten Gassen und flachen Häusern, auf deren Dächern sich tagsüber die Frauen aufhielten, noch tief verschleiert, wie der Prophet befohlen hatte, dieses Kleinod der Sahara durchquerte Serrat ohne Aufenthalt. Er kam an dem Kamelsattelplatz vorbei, wo ungefähr vierzig Tiere im festgestampften Sand knieten und vor sich hin dösten. Drei Wächter saßen auf einer niedrigen Mauer, die alten, langen Gewehre, wie sie noch heute im Hoggar von den wilden Tuaregs benutzt werden, zwischen den Knien. Sie blickten Serrat bewegungslos nach, weiße Statuen, deren Augen sich nur bewegten.

Serrat war froh, Touggourt hinter sich zu haben, als die Straße nach El-Oued begann. In Städten kann es immer Kontrollen geben. Irgendein Polizist kann auf den Gedanken kommen, seinen langweiligen Nachtdienst durch dumme Fragen aufzulockern. Man konnte zwar keinem verbieten, nach El-Oued zu fahren, die Wüste ist das freieste Land der Welt, gegen das die USA fast ein Zuchthaus sind, aber Serrat wollte keinen weiteren Aufenthalt.

Es war gegen ¼4 Uhr morgens, als er El-Oued erreichte. Saada schlief noch immer in ihrer kindlichen Vertrautheit. Sie war umgesunken, zur Seite gerutscht und lag nun mit dem Kopf an Serrats Oberschenkel. Ein Häuflein Mensch, das in wenigen Stunden als verkaufte Ware in eine ungewisse, aber gewiss nicht angenehme Zukunft transportiert werden würde. Eine Menschenware, ein Stück lebendes Kapital.

Serrat fuhr langsam, mit gedrosseltem Motor durch die schlafende Stadt. Sie war größer, als er gedacht hatte, ein weißes Märchen aus hunderten Kuppeln, modernen, fast europäisch anmutenden Außenvierteln, Palmenwäldern und riesigen Gärten. Hier, am Rande der Salzsümpfe, gab es Wasser genug, gab es eine Fruchtbarkeit, die den müden Fahrer aus der Wüste fast erschlug mit ihrer Pracht. 140 000 Menschen drängten sich auf diesem grünen Fleck inmitten grenzenloser Einsamkeit. Hier hatte Allah seine Hand segnend auf die Erde gedrückt. Aber ebenso übergangslos begann dann wieder die Wüste... steinig, voll Geröll, durchsetzt mit Sanddünen, um dann überzugehen in die Schotts, die Salzseen und Sümpfe, die das Schrecklichste sind, was die Wüste zu bieten hat. So nahe wohnen hier Allah und der Satan zusammen.

Serrat, zum erstenmal in El-Oued, hatte kein Auge für die gerade in der hellen Wüstennacht von bezwingender Schönheit strahlende Stadt. Er hielt sich nicht mit Bewundern auf, mied auch die modernen Viertel, sondern fuhr in die Altstadt, die Kasbah, wo die Jahrhunderte stillstehen und die Menschen Mohammed am nächsten sind.

Vor einem breiten Haus ohne Fenster hielt er an. Ein Schild über der Tür sagte jedem: Hier wohnt der Kaufmann Amar ben Habadra. Er musste kein armer Mann sein, denn die Breite des Hauses und die fensterlose Front bewiesen, dass sich innen große säulentragende Höfe befinden mussten, eine kleine, abgeschlossene Welt, die Amar allein gehörte.

Serrat stieg aus und hieb mit der Faust gegen die dicke Holztür. Dabei sah er kurz auf seine Uhr. Gleich vier Uhr. Über der Wüste ging der Morgen auf. Im Osten färbte sich der Himmel milchig rot. Im Nebenraum, einer Bäckerei, roch es nach frischen Fladen und Brot.

Bei Amar ben Habadra rührte sich nichts. Serrat hämmerte weiter, wie Paukenschläge dröhnte es durch das stille Haus. Das muss einen Scheintoten aufwecken, dachte Serrat und trat gegen die Tür. Dieser letzte donnernde Knall schien bei Amar die Erkenntnis geweckt zu haben, dass es besser sei, nachzusehen, wer da am frühen Morgen sich wie ein Flegel benahm, ehe die Tür vollends zertrümmert wurde.

Serrat trat einen Schritt zurück, als innen ein Riegel

knirschte. Amar öffnete selbst, in den Händen hielt er zwei Revolver. Serrat lachte rau.

»Steck die Pufferchen weg, Junge«, sagte er auf Französisch. Und als er sah, dass Amar anscheinend um diese frühe Stunde nicht gewillt war, die Sprache der Franzosen zu verstehen, fuhr Serrat auf Arabisch fort: »Ich komme als Freund, großer Liebling der Frauen. Und ich bringe dir Ware. Eine Blume der Wüste, eine Rose, an der du noch nie gerochen hast. Eine Wunderblume.«

»Ich handle mit Gewürzen«, sagte Amar steif und steckte die Revolver unter seine Dschellabah in einen breiten Ledergürtel.

»Wer weiß das nicht, Liebling des Propheten?!« Serrat grinste. »Und wenn du glaubst, ich sei ein Spitzel, dann hast du den Geist eines stinkenden Kamelschwanzes! Sieh in meinen Wagen und urteile selbst.«

Amar betrachtete Serrat misstrauisch, hob dann die Schultern, als wolle er sagen: Na, ansehen kostet ja nichts, ging zu dem Renault und beugte sich über Saada. Als er zur Tür zurückkam, war sein Blick wohlwollender und glänzender.

»Na also«, sagte Serrat wieder auf Französisch. »Das fährt einem Mann ins Herz und woanders hin, was? Ist das ein Blümchen?!«

Von jetzt ab verstand Amar auch wieder Französisch und wiegte den Kopf.

»Ich handle mit Gewürzen«, sagte er wieder. »Es tut mir Leid, Monsieur.«

»Der Satan reißt dir den Arsch auf«, sagte Serrat leise und trat nahe an Amar heran. »Gut, du handelst mit Muskatnüssen und Pfeffer, das ist dein Privatvergnügen. Woher du dann diesen Palast hier hast, weiß wirklich nur Allah. Mir geht's darum, die Wüstenblume zu verkaufen. Nenn mir einen Namen, und ich bin sofort weg –«

»Ich bin auch Makler«, sagte Amar ben Habadra. Er schielte lauernd an Serrat, diesem Riesen, empor. »Grundstücksmakler, Monsieur.«

»Aha! Wir kommen uns näher. Mein lieber Amar... ich habe dir ein herrliches Grundstück anzubieten. Hügelig, mit den besten Aussichten, gepflegt, doch nicht beackert – ein Stückchen zum Träumen, ein Landsitz für Liebhaber. Haben Sie einen Interessenten?«

»Lassen Sie mich denken, Monsieur.« Amar legte die Stirn in Falten. Nebenan begann der Bäcker zu singen. Wenn man allein vor einem heißen, duftenden Ofen steht, ist Gesang das einzig Richtige. »Was soll das Grundstück kosten?«

»Zehntausend«, sagte Serrat trocken. Amar riss die schwarzen Augen auf.

»Das ist Wahnsinn, Monsieur.«

»Ein Grundstück solcher Schönheit, Amar? Ungepflügt? Mit Hügeln und Tälern wie im Paradies?«

»Sechstausend ist das höchste, Monsieur.«

»Verrückt. Dann bewohne ich es lieber allein.« Serrat grinste hämisch. »Sechstausend bekomme ich auch für bebaute Grundstücke.«

»Ich mache die Preise nicht... ich verkaufe Gewürze«, sagte Amar abweisend. »Aber ich will mit einem Freund sprechen... warten Sie, Monsieur.«

Er schlug die Tür zu, kam aber nach fünf Minuten wieder. Telefon hatte er also auch in seinem fensterlosen Steinblock.

»Na?«, fragte Serrat.

»Fahren Sie nach el Matmahira.«

»Wo ist denn das?«

»Auf der Straße zur Grenze biegen Sie nach Südosten ab. Es ist eine kleine Felsenstraße, die in ein Gebiet führt, wo es nichts gibt.«

»Solche Gegenden kenne ich gut«, meinte Serrat sarkastisch.

»Nach vier Kilometern öffnet sich ein Tal… das ist el Matmahira. Dort hat mein Freund Jussuf ben Rahman Zelte aufgeschlagen.«

»Toll.« Serrat sah Amar nachdenklich an. Er hält mich für blöd, dachte er. Man sollte ihn an die Wand werfen. »Und mit einem Zelt telefonieren Sie, was?«

»Ich habe Funk«, sagte Amar stolz. »Alles klar?«

Serrat nickte. Per Funk machten sie es. Ganz modern. Sklavenhandel mit Hilfe der Technik. Das Dröhnen der Baumtrommeln hört man nur noch in dämlichen Filmen. Heute geht es zirp-zirp durch die Luft. Die Wüste ist moderner als mancher »königliche Kaufmann« im alten Europa.

»Alles klar, Amar«, sagte er laut. »Ich fahre in dieses Drecksgebirge. Aber wenn dein Freund Jussuf nicht dort ist, komme ich zurück und pulverisiere dein Haus. Allah sei mit dir.«

»Und mit dir, mein Freund.« Amar warf die Tür zu und wischte sich über die Augen. Es ist ein beglückendes Gefühl, bereits morgens um vier Uhr durch ein paar Morsezeichen 1000 Francs Vermittlungsgebühr verdient zu haben.

Saada schlief noch immer fest, als Serrat das Felsental von el Matmahira erreichte. Tatsächlich war dort eine Zeltstadt aufgebaut, ein friedlicher Anblick wie auf einem Campingplatz. Vier lange, aber uralte Omnibusse standen unter schützenden Planen.

Ein »Pilgerzug«.

Was allein störte, waren die Wachen, die Serrat am Eingang des Tales empfingen. Sie sprangen plötzlich hinter Felsblöcken hervor und hatten den kleinen Renault in Sekundenschnelle eingekreist. Serrat hielt an... hier war Nachgeben soviel wie Überleben.

»Jussuf erwartet mich«, sagte er zu dem ersten Araber, der an den Wagen herantrat, ein böse blickender, pockennarbiger Mann. »Ich bringe Ware.« Er ließ den Mann einen Blick auf Saada werfen und durfte sofort weiterfahren.

Jussuf ben Rahman war das Gegenteil dessen, was man bisher über Mädchenhändler gehört hatte. Filme und Romane schildern sie als finstere Gesellen, brutal, verschlagen, mordgierig, bullenhaft oder hypervornehm, dumm oder superklug, aber immer so, dass man weiß: Das da ist ein infamer Lump.

Jussuf war ganz anders. Er war ein höflicher, fast stiller Mensch, sehr gebildet, mit besten Manieren, einer leisen Sprache und einem Maßanzug, wie ihn sonst nur italienische Schneider machen können. Wenn Jussuf auf dem Sessel eines Bankdirektors gesessen hätte oder im Vorstand einer Aktiengesellschaft... man hätte es für angemessen gehalten. Er wirkte auf den ersten Blick sympathisch, und das verlor sich auch nicht bei längerer Unterhaltung. Serrat war so verblüfft über ihn, dass er zunächst Hemmungen hatte, Saada anzubieten.

»Sie sind Jussuf?«, fragte er, als er in dem großen Zelt ben Rahmans saß und seine Zigarette rauchte. Ein Diener servierte trotz der frühen Stunde herrlichen duftenden Kaffee auf arabische Art, zweimal gekocht und gefiltert, einen schwarzen Sud, der Serrat in die Knochen und übers Herz rann wie ein Narkotikum.

»Es scheint so, Monsieur.« Jussuf lächelte zartfühlend. Er hatte gepflegte, manikürte Hände und sprach ein Französisch, das nach Sorbonne roch. »Ihre Blume der Wüste, wie mir mein Freund Amar sagte, ist wirklich etwas Schönes.«

Serrat zog den Kopf zwischen die Schulter. Als er ins Zelt

ging, schlief Saada noch. Was hatte man in der Zwischenzeit mit ihr gemacht? Es gab Serrat wirklich einen Stich ins Herz, als er daran dachte.

»Wo ist sie jetzt?«

»In einem Extrazelt.« Jussuf lächelte höflich. »Goldstücke verwahrt man in Samtkästen, Monsieur.«

»Moment mal!« Serrat sprang auf. »Noch ist es mein Goldstück. Wir haben über den Preis nicht gesprochen.«

»Ist das nötig, Monsieur?« Jussuf holte ein Bündel Scheine aus der Rocktasche und warf sie Serrat vor die Füße. Er tat es elegant, mit einem netten Lächeln, aber es war doch wie eine Ohrfeige: Da, nimm den Judaslohn, du Schwein. Ich werf's dir vor die Füße wie einer Sau das Fressen.

Serrat lief rot an, aber er bückte sich nicht, sondern trat das Geld zurück zu Jussuf. Das Geldscheinbündel zerflatterte.

»Wie viel?«, fragte Serrat.

»Achttausend.«

»Zehn, Jussuf.«

»Acht.« Jussuf trank seinen Kaffee, ruhig, gesittet, wie auf der Terrasse des ›Transatlantique‹ von Touggourt. »Es gibt bei allen Geschäften obere Grenzen, die zu überschreiten unmoralisch wäre.«

»Unmoralisch! Das sagt er!« Serrat brüllte auf. »Jussuf, spielen Sie hier nicht den Gentleman! Sie sind eine ganz miese Type, ein Mädchenhändler, ein Sklaventreiber, ein Sauhund sind Sie! Zehntausend.«

»Acht – oder die Peitsche…«

»Wie bitte?« Serrat beugte sich vor. »Sagtest du Peitsche?«

»Genau. Ich lasse Sie auspeitschen und wegjagen. Wer will mich hindern?!«

»Keiner. Aber zwei Stunden später haben Sie das Militär auf dem Hals.«

»Wenn Sie's überleben, ja. Und was dann? W e r hat mir ein Mädchen verkauft? Ich Ihnen oder Sie mir?«

Serrat schnaufte laut durch die Nase. Diese Lumpen, dachte er. Diese braunhäutigen Schakale. Warum hat man damals mit Napalm nicht alle ausgeräuchert und die Wüste mit Weißen besiedelt?!

»Gut, achttausend«, knirschte er. »Für die restlichen zweitausend gerbe ich Ihnen das Fell, wenn ich Sie wieder mal treffe.«

»Das wird kaum möglich sein.« Jussuf lächelte höflich. »Nach diesem Pilgerzug setze ich mich zur Ruhe. Ich habe mir einen Landsitz an der Côte d'Azur gekauft. Wenn Sie mich dort besuchen wollen, bitte. Sie können dreihundert Meter tief ins Meer abstürzen… das hält der beste Sportler nicht aus.«

»Saukerl!« Serrat zögerte, aber dann bückte er sich doch. Er sammelte die Geldscheine auf, unter den ruhigen, aber in seinem Nacken wie Feuer brennenden Blicken Jussufs, zählte das Geld durch, und es waren genau achttausend neue französische Francs. »Stimmt!«

»Jussuf betrügt nie.« Ben Rahman erhob sich abrupt. »Ich nehme an, Monsieur, Sie möchten schnell wieder zurück nach El-Oued.«

Serrat verstand und knirschte laut mit den Zähnen. Zu allem auch noch ein Hinauswurf. O könnte man diesen Jussuf mit beiden Fäusten doch in die Fresse schlagen.

»Kann ich Saada noch einmal sehen?«, fragte er. Jussuf nickte.

»Wenn es Ihren Sadismus befriedigt… bitte. Ich begleite Sie.«

Sie verließen das große Zelt Jussufs und gingen hinüber

zu einem kleinen Steilwandzelt, vor dem ein Posten stand. Im Lager wurde es jetzt betriebsam. Die »Pilger« krochen aus den Zelten und wuschen sich in langen Trögen. Meistens waren es Frauen. Mit bloßem Oberkörper standen sie da und bespritzten sich mit Wasser. Ein Gewoge von Brüsten. Kreischen und Lachen. Serrat blieb wie angewurzelt stehen.

»Sie lachen ja noch«, stammelte er. Jussuf sah ihn maßlos erstaunt an.

»Warum nicht?«

»Als Sklaven?!«

»Wird es besser, wenn sie heulen? Lachen fördert die Schönheit, und Schönheit hat ihren Preis. Jede ist froh, einen guten Herrn zu bekommen, und Schönheit ist immer ein Kapital... auch für sie. Also sind sie fröhlich.«

»Das ist teuflisch.« Serrat spürte, wie ihm der Schweiß auf die Stirn trat. Kalter Schweiß. Er zögerte, in das kleine Zelt zu gehen, als Jussuf den Eingang offenhielt. Aber dann trat er ein.

Saada lag auf einem Teppichlager, an Händen und Füßen gefesselt. Sie zuckte hoch, als sie Serrat erkannte, und schrie sofort.

»Hilfe, Monsieur! Hilfe! Was machen sie mit mir? Sie haben mich aus dem Auto geholt, hierhin geschleppt und gefesselt! Befreien Sie mich! Wo sind wir denn? Ich habe ihnen gesagt, dass ich die Tochter des Scheichs Ali ben Achmed bin. Sie haben mich ausgelacht. Was ist das alles?«

Serrat schluckte und würgte an den Worten: »Ich kann dir nicht mehr helfen, Wüstenkätzchen«, sagte er. »Es... es ist... verdammt, Monsieur Jussuf wird für dich sorgen. Ich kann es nicht mehr... Ich... ich... mach's gut, Saada –«

»Monsieur Pierre! Helfen Sie mir doch!« Sie bäumte sich auf, und plötzlich schrie sie hell und erschütternd, kroch auf den Knien über den Felsenboden auf Serrat zu und hob die gefesselten Hände. »Warum helfen Sie mir nicht? Wo bin ich denn? Sie… Sie sind doch mein Freund –«

Serrat stöhnte auf, warf sich herum und rannte aus dem Zelt. Jussuf folgte ihm mit eiserner Miene. Draußen griff Serrat in die Tasche und holte das Geld hervor.

»Nehmen Sie es zurück, Jussuf«, sagte er tonlos. »Ich kann so etwas einfach nicht. Ich habe meine Schuftigkeit überschätzt.«

»Bedauere.« Jussuf hob die Hände wie ein Bankbeamter, der einen faulen Scheck annehmen soll. »Ich mache kein Geschäft rückgängig. In meiner Branche ist so etwas nicht üblich.«

»In Ihrer Branche!«, brüllte Serrat. Er ballte die Fäuste und fuhr auf Jussuf zu. Der wich elegant aus, winkte in die Gegend, und hinter den Zelten kamen sechs Araber mit angelegten Gewehren hervor. »Geben Sie Saada wieder heraus.«

»Nein!«, antwortete Jussuf knapp.

»Gut denn!«, schrie Serrat. Der Schweiß lief ihm in ätzenden Bächen über das Gesicht. »Ich kaufe sie Ihnen ab. Für acht haben Sie sie mir abgekauft… ich biete Ihnen jetzt zehn!«

»Sie Idiot«, sagte Jussuf völlig ruhig. »Ich gebe sie nicht her unter zwanzigtausend…«

»Zwanzigtausend?!« Serrat riss den Mund auf. Ein dumpfes Stöhnen begleitete diese Erschütterung. »O Sie Satan! Sie Ausgeburt der Hölle! Ich bringe Sie um –«

»Guten Tag, Monsieur.« Jussuf verbeugte sich knapp, wie es einem Geschäftspartner zukommt, und entfernte sich langsam und mit eleganten Schritten. Um Serrat aber bildete sich ein Ring Araber, die ihn mit den Gewehrläufen vom Zelt wegstießen zu seinem Wagen.

»Hilfe!«, hörte er Saada schreien. »Hilfe! Serrat... Serrat... . helfen Sie mir! Bitte – bitte – bitte – Vater Serrat –«

Das war der Augenblick, wo Serrat aufbrüllte wie ein tödlich getroffener Stier. Er presste die Hände gegen die Ohren, rannte zu seinem Wagen, warf sich hinein, gab Gas und raste aus dem Felsental hinaus.

Aber das »Vater Serrat« blieb in seinen Ohren, fraß sich in sein Herz, bohrte sich in seine Knochen. Vater Serrat... Vater... Es war ein Wort, das man ihm vor Jahren gemordet hatte.

Vater –

Serrat raste auf der Straße nach El-Oued zurück. Er benahm sich wie ein Irrer. Eine ganze Strecke lang heulte er vor sich hin wie ein Schakal.

Drei Tage später stiftete er für das Waisenhaus von Algier achttausend Francs. Die Schwester, die das Geld in Empfang nahm, umarmte ihn und nannte ihn einen guten, von Gott gesegneten Menschen.

Cathérine Petit machte ihren Plan wahr... sie nahm sich einen Jeep vom Camp, das Fahrzeug des Kochs, und fuhr zur Oase Bou Akbir. Allein, die Pistole umgeschnallt, einen verbeulten, weißen Hut auf dem Kopf, in einem Anzug aus verblichenem Khaki, an den Füßen halbhohe Schnürstiefel.

Ali ben Achmed verzog das Gesicht, als man sie ihm meldete und er sie vorlassen musste, wenn er nicht einen Skandal entfachen wollte. Er kannte Cathérine zu gut... sie würde sich vor sein Haus stellen und so lange auf die Fenster und alles, was Achmed gehörte, schießen, bis er als Chef der Oase gar nicht anders konnte, als sie – dann allerdings wegen Sachbeschädigung – zu empfangen.

Cathérine machte nicht viel Worte, als sie in den großen Empfangssalon geführt wurde, wo ein Diener bereits Kaffee servierte, das Zeichen aller arabischen Gastgeber, dass der Besuch willkommen sei.

»Wo ist Dr. Bender?«, fragte sie ohne Einleitung. Achmed, der gerade aus dem Nebenraum trat und sich die Hände abtrocknete, die er in eine Schüssel mit rosenduftendem Wasser gehalten hatte, blieb verblüfft stehen.

»Der deutsche Hakim? Das fragen Sie mich, Mademoiselle?«

»Ali, sprechen Sie mit mir vernünftig.« Cathérine setzte sich nicht, obgleich der Diener mehrfach auf die großen, ledernen Sitzkissen hindeutete. Sie blieb mitten im Raum stehen, die Hände an den Gürtel gelegt, cowboyhaft, die Beine gespreizt. Achmed sah schnell weg... für ihn verband sich Weiblichkeit mit anderen Eigenschaften, als Cathérine jetzt vorwies. »Er ist bei Ihnen.«

»Nein.«

»Doch! Sie haben ihn abgeholt.«

»Und er ist wieder gegangen.«

»Zu Fuß, was? Halten Sie mich für eine ausgedörrte Idiotin?«

»Bei Allah, nein.« Achmed setzte sich. Seine schwarzen Augen sahen nachdenklich auf Cathérines offene Pistole. Sie zieht schnell, dachte er. Schneller, als wir denken oder handeln können. Sie muss es jahrelang geübt haben... sie kann mit der Pistole zaubern. »Er bekam von mir einen Maulesel.«

»Einen was?«, fragte Cathérine überrumpelt.

»Maulesel, Mademoiselle Cathérine. Ich bot ihm an, einen Wagen vom Camp herbeizurufen, – er wollte nicht. Soll man einen Menschen mit einem so starken Willen wie den Hakim hindern? Er ritt weg. Ist er nicht angekommen?«

»Würde ich sonst nach ihm fragen?«

»Das stimmt. Wo kann er nur sein?« Achmed wiegte den Kopf. Es sah grotesk aus und doch wiederum so, dass Cathérine nahe dem Platzen war. Er spielt mit uns allen Katz und Maus, er weiß genau, wo Bender ist. Hier im Haus, bei Saada, dem Bräutchen! Aber ich räuchere sie aus! Reiz mich nicht zu sehr, Achmed. Ich habe draußen im Jeep ein Kilo Dynamit in kleinen, niedlichen Rollen. Und Zündschnüre. Und ein Feuerzeug. Dein Palast zerbläst zu Staub, wenn ich es will.

Sie senkte angriffslustig den Kopf. Achmed blickte schnell zur Tür. Dort standen zwei Diener sprungbereit – aber er ahnte, dass sie gegen dieses Teufelsweib Cathérine wie zahnlose Greise waren.

»Wo ist Saada?«, fragte sie.

Das Herz Achmeds machte einen wilden, schmerzhaften Sprung. Seine Augen schienen mit Blut übergossen zu werden.

»Sie ist zu ihrer Tante nach In Salah gefahren.«

»So plötzlich?«

»Sie brauchte Luftveränderung.«

»Und Dr. Bender ist mitgefahren –«

»Ich schwöre beim Barte Mohammeds – nein!« Es war ein Schwur, den Achmed besten Gewissens aussprechen konnte. Bender lag noch in seinem Grab tief unter diesem Haus und atmete kaum, um so lange wie möglich den Luftvorrat zu behalten. »Sie ist allein gefahren. Was sollte auch der Hakim bei ihr? Sie ist gesund.«

Achmed sprach es mit größter Mühe. Wo ist sie wirklich, dachte er. Alle lügen und heucheln sie! Sie wissen, wo Saada sich versteckt, sie wollen den Doktor nur wiederhaben, damit sie ihn zu Saada führen! Alle haben sich verschworen gegen mich! O Allah, was habe ich getan, dass man mich so straft…

Cathérine setzte sich. Sie wusste: Im Augenblick war nichts aus Achmed herauszubekommen. Geduld ist ein Kind der Wüste... wer es misshandelt, kann seinen Tod herbeirufen.

Sie trank ihren Kaffee, streckte dann die Beine in den Stiefeln vor und sah Achmed lange und schweigend an. Ali hielt diesen Blick eine Zeit lang aus, dann wurde er unsicher, nervös und steckte sich aus Verlegenheit eine Zigarette an.

»Wann heiraten Saada und Bender?«, fragte sie plötzlich. Achmed schoss aus seinem Kissen wie gestochen.

»Wo heiraten?«, brüllte er. »Ich bringe ihn um!«

»Danke.« Cathérine erhob sich von dem Lederkissen. »Das war echt, Ali. Ich weiß jetzt, dass Bender und Saada nicht zusammen sind. Was mit Saada ist, interessiert mich nicht. Von mir aus kann sie auf dem Mond sein! Aber wo ist Dr. Bender?!« Sie legte die Hand auf den Knauf der Pistole; Achmed sah es mit Missbehagen. »Zuletzt war er mit Ihnen zusammen, Ali.«

»Denken Sie an den Maulesel, Mademoiselle.«

»Das glaubt Ihnen kein Hund.«

»Sie sind auch kein Hund, sondern ein Mensch«, sagte Achmed geschmeidig. »Ich kann Ihnen Zeugen bringen.«

»Zeugen. Die ganze Oase nickt, wenn Sie etwas sagen, Ali! Dr. Bender ist im Lager nicht angekommen –«

»Dann muss man ihn suchen.« Achmed schüttelte traurig den Kopf. »Die schreckliche Wüste. Unerfahrene frisst sie wie Geier.«

»Um Dr. Bender zu suchen, bin ich hier.« Cathérine sah Achmed starr an, und der Scheich hatte nicht die Kraft, diesem Blick standzuhalten. »Sie allein wissen, was mit ihm geschehen ist. Ich könnte eine Anzeige machen... dann käme das Militär in die Oase und krempelt sie um wie einen alten Rock. Das Ergebnis wäre gleich Null.«

»Allerdings.« Achmed lächelte schwach. »Wo kein Wasser ist, kann der Ochse nicht saufen.«

»Ihre weisen Sprüche in Ehren, Ali... aber ich finde Dr. Bender!«

»Dann sind Sie ein Wunder, Mademoiselle.«

»Vielleicht. Moderne Wunder sind oft technischer Natur.« Sie dachte an das Kilogramm Dynamit, das sie im Jeep verstaut hatte. Ich lege es doch ans Haus, dachte sie. Ich blase es in die Luft. In der Nacht werde ich einen Platz finden, wo ich die Patronen verstecken kann. Und dann stelle ich mein Ultimatum. Achmed wäre kein lebensfroher Araber, wenn er diese Sprache nicht sofort verstände. Jetzt, im Augenblick, muss ich gehen. Ich habe nichts gegen ihn in der Hand.

Achmed dachte in einer anderen Richtung. »Natürlich können ihn Hubschrauber finden. Vielleicht auch Suchtrupps. Man sollte sich dorthin wenden, wo Geier kreisen«, fügte er hämisch hinzu.

»Ich weiß.« Cathérine drehte sich um und verließ grußlos den Raum. Achmed sah ihr nach, bis die Tür geschlossen wurde.

»Ein Teufel ist sie«, sagte er dann leise. »Wahrhaftig! Man soll nicht glauben, dass sie ein Weib ist –«

Cathérine handelte sofort. Sie tat zunächst das, was schon Bender einmal getan hatte und was sich als sehr wirksam erwiesen hatte: Sie umkreiste die Oase mit dem Jeep. Sie fuhr um Bou Akbir herum, tankte nach vier Stunden aus dem Reservekanister und fuhr weiter. Achmed, der hinter einer Ziermauer auf dem Dach seines hohen Hauses stand, wischte sich den Schweiß von der Stirn.

»Was soll das?«, sagte er immer wieder, wenn Cathérine zwischen den Palmen auftauchte. »Das ist ja verrückt! Sie hat doch etwas im Sinn! Aber was, Allah, was? Ohne Zweck fährt kein Mensch dauernd um Bou Akbir! Es ist wie bei dem verfluchten Arzt... am Ende sprach ihn Saada an! Auf wen aber wartet Cathérine?!«

Er stieg nach drei Stunden hinunter in den Keller und fand Dr. Bender schlafend. Ihm war aller Zeitbegriff abhanden gekommen. Die Petroleumlampe war ausgebrannt. Tiefste Dunkelheit lag in dem großen Grab. Achmed ließ eine neue Lampe kommen und leuchtete Bender ins Gesicht. Er erwachte sofort und sprang auf.

»Geht es los?«, fragte er schwer atmend.

»Was soll losgehen?« Achmed wurde durch diese Frage überrumpelt. Er stellte die Lampe auf den Steinboden.

»Mein Begräbnis. Was wollen Sie noch sagen, Achmed? Ich kann Ihnen nur eins versichern: Ich weiß nicht, wo Saada ist! Aber ich weiß eins genau: Ich liebe sie!«

»Das alles ist unwichtig.« Achmed lehnte sich gegen die Wand. Plötzlich zitterte er. »Ich hatte Besuch aus Ihrem Lager. Er hat mich überzeugt, dass Saada nicht bei Ihnen war, als wir sie dort suchten. Sie ist mit dem Rad weggefahren und seitdem verschwunden.«

»Das lügen Sie mir vor, Achmed!«

»Nein. Doktor, ich bitte Sie –« Achmed hob beide Hände. »Mein Vaterherz ist zerstört. Saada ist weg! Niemand hat sie mehr gesehen. Ich zerbreche an diesem Kummer! Können Sie das verstehen? Saada ist verschwunden –«

Dr. Bender starrte Achmed wortlos an. Und dann begriff auch er, was das bedeutete, was mit Saada geschehen sein konnte, wenn Achmed nicht wieder ein blendendes Theater spielte.

»Sie... sie ist wirklich weg?«, stammelte er heiser.

»Ja. Aufgelöst wie ein Wassertropfen in der Sonne.«

»Lassen Sie Ihre blumigen Vergleiche!«, brüllte Bender außer sich. Das Bewusstsein, Saada könnte wirklich in der

Wüste verschollen sein, machte ihn zu einem Bündel vibrierender, zuckender Nerven. »Warum unternehmen Sie denn nichts?! Warum sperren Sie mich in ein Grab, anstatt Saada zu suchen?«

»Suchen? Wo denn?« Achmed wischte sich über die Augen. Betroffen sah Bender, dass der Scheich weinte. Hier unten, in einem steinernen Sarg, konnte er seine Härte abfallen lassen. Hier war er ein hilfloser Mensch, ein Vater, der vor Angst um sein Kind an den Rand des Zusammenbruchs getrieben wurde. »Meine Reiter sind in alle Ecken ausgeschwärmt, ich habe ein Vermögen geboten für Saadas Auffinden… sie kommen alle wieder aus der Wüste zurück, allein, mit traurigen Augen.«

»Und warum wollen Sie mich hier ersticken lassen?«, rief Dr. Bender.

»Sie sind der Anlass von Saadas Verschwinden. Nur Sie allein! Man hat das Rad im Camp XI gesehen… also suchte Saada Sie. Dann war das Rad wieder weg und mit ihm mein Kind! Es lebte noch und wäre bei mir, wenn es Sie nie in der Wüste gegeben hätte, Doktor. Das sehen Sie doch ein?!«

»Welch eine schiefe Logik ist das, Achmed.«

»Sie haben Saada gezeigt, was menschliche Liebe ist! Sie haben sie genommen wie der Hund die Hündin! Und daran ist sie zerbrochen, an Ihnen, Sie weißer Lump!« Achmed stieß sich von der Wand ab. »Gestehen Sie, dass Sie den Tod verdient haben. Denken Sie jetzt nicht an Ihre Gesetze. Denken Sie bloß an die Gesetze des Blutes! An die Gesetze der Natur, Doktor! Denken Sie daran, dass auch Sie eine Tochter hätten… schön wie Saada… und es kommt jemand und verursacht ihren Tod, ganz gleich, unter welchen Umständen… Was würden Sie tun, Doktor?«

Dr. Bender schwieg. Er ging langsam zu seinem Lager zurück, warf sich auf den Rücken und schloss die Augen.

»Machen Sie das Grab wieder zu, Achmed«, sagte er tonlos. »Und nehmen Sie die Lampe mit. In einem Sarg ist es dunkel.«

Mit schleifenden Schritten, gebrochen und um Jahre älter, verließ Achmed den Keller. Die Lampe ließ er stehen, und auch die Tür ließ er offen. Bender sah es sofort, aber er rührte sich nicht. Das ist eine neue Teufelei, dachte er. Stehe ich auf und gehe hinaus in den Gang, steht dort ein Wärter und tötet mich. Auf der Flucht… das beruhigt das Gewissen Achmeds…

Er wartete… aber nichts rührte sich. Kein Laut, nur vollkommene Stille um ihn.

Er schob sich von seinem Diwan, schlich zur Tür und wartete dort. Er drückte gegen das Holz, die Tür schwang auf und schlug an die Wand.

Stille.

»Hallo –« sagte Bender mit trockener Kehle. »Hallo. Die Tür ist ja offen.«

Keine Antwort.

Er machte einen Schritt vorwärts, hinein in den völlig dunklen Gang und verharrte dann wieder.

Kein Geräusch, kein Schaben, keine Regung. Nur schwarze Finsternis.

Es ist eine Falle, dachte er. Wenn ich mir nicht sicher war… jetzt bin ich es. Nur ein paar Schritte weiter noch, und es geschieht. Was, das wusste er nicht, aber er war auch nicht neugierig darauf. Er tappte zurück in sein Grab, lehnte die Tür wieder an, nahm die Lampe, stellte sie neben sich und warf sich wieder auf das Bett.

Saada, dachte er, und sein Herz verkrampfte sich. Ist sie wirklich in der Wüste verschollen? So etwas gibt es doch gar nicht. Sie kennt den Erg Tifernine wie ihre Oase. Aber was wollte sie im Camp XI, und was hat man ihr dort erzählt? Ist sie auf Cathérine geprallt? Hat Serrat sie entdeckt?

Eiskalt durchrieselte es ihn. Die Angst schnürte ihm die Luft ab.

Cathérine. Das Mädchen, das ihr Herz neu entdeckte. Das zu ihm kroch ins Gefängnis. Ein herrliches wildes Tier... und ein Raubtier, wenn Saada in ihre Fänge kam.

Und dann Serrat. Dieser Bulle, der alles niederwalzte, was sich ihm in den Weg stellte. Der auch Saada zerbrechen würde wie ein Stück trockenes Holz, wenn er sie in die Finger bekam. Serrat, dessen Hass gegen alle Eingeborenen schon an Wahnsinn grenzte. Mein Gott, wenn er Saada im Lager ergriffen hatte –

Bender sprang hoch und rannte zur Tür. Er stieß sie auf und brüllte in den dunklen Gang hinein.

»Achmed... hören Sie mich an! Was Sie auch mit mir vorhaben... hören Sie mich an! Suchen Sie Saada im Camp! Fragen Sie Cathérine! Fragen Sie Serrat! Aber fragen Sie nicht höflich... spannen Sie Serrat zwischen zwei Kamele und lassen Sie ihn langsam zerreißen, bis er gesteht! Er weiß, wo Saada ist... nur er! Achmed... hören Sie mich?! Hööööööören Sie?!«

Seine Stimme gellte schauerlich und wurde zurückgeworfen. Aber niemand antwortete ihm.

Da wagte er es, rannte zurück, nahm die Lampe und stürmte den Gang hinunter. Niemand hielt ihn auf. Auch an der Treppe nicht, die Tür oben war auch nur angelehnt, er stieß sie auf, befand sich in einer Art Stall und sah durch die Fenster, dass es Abend war.

Auch die Tür des Stalles war offen... er rannte hinaus, war in einem Teil des Gartens von Achmed und rannte auf das Haus zu.

Zwei Diener kamen ihm entgegen... er wollte etwas rufen, schwenkte die Lampe ... aber die Diener beachteten ihn gar nicht, sahen durch ihn hindurch, als sei er Glas, und gingen ungerührt weiter.

Das machte Bender völlig kopflos. Er warf die Lampe ins Gras, rannte weiter und kam durch die großen Flügeltüren der Terrasse ins Haus. Achmed saß allein vor einem goldeingebundenen Koran und betete. Neben ihm hockte auf einem seidenen Kissen der alte Kebir, der Priester, und murmelte vor sich hin.

»Fragen Sie Serrat!«, schrie Dr. Bender. »Saada muss noch im Camp sein!«

Achmed blickte von seinem Koran hoch und sah Bender mit unendlich traurigen Augen an.

»Serrat ist seit zwei Tagen in Algier«, sagte er. »Sei ruhig ... lass mich für Saada beten –«

Er neigte den Kopf über den Koran und murmelte weiter die Suren um Gnade im Paradies.

Dr. Bender stand unschlüssig herum, bis er begriff, dass er frei war, dass niemand ihn fest hielt, dass er aus dem Grab entstiegen war und hinausgehen konnte, wohin er wollte. Das lähmte ihn zuerst, denn neu geboren zu werden ist ein Vorgang, den man als erwachsener Mensch selten erlebt.

»Geben Sie mir einen Wagen, ein Kamel, einen Esel, irgend etwas«, sagte er dann. »Ich muss sofort zurück ins Lager. Ich bringe Ihnen Saada wieder.«

»Hier kann nur Allah sprechen«, sagte der alte Kebir tadelnd. »Geh, Ungläubiger ... dein Atem ist wie Pest!«

»Dann lassen Sie mich wenigstens telefonieren.«

Achmed schüttelte stumm den Kopf. Er war ein gebrochener Mann ... mit Saada war seine Seele fortgegangen.

Taumelnd verließ Dr. Bender das Haus und traf draußen auf der Straße den Einkaufswagen des Magazins. Der Ungar Molnar steuerte ihn, Ferruggio, ein kleiner mieser Italiener, dem man nachsagte, er habe seine eigene Mutter erschlagen, weil sie ihm verboten hatte, ins Kino zu gehen, saß neben ihm. Sie bremsten sofort so stark, dass die Reifen quietschten. Dr. Bender lief mit wehenden Armen auf sie zu.

»Jungs!«, brüllte er. »Jungs! Euch schickt der Himmel. Sofort zurück zum Camp! Ich erkläre euch alles später!«

Molnar und Ferruggio ließen Dr. Bender herankommen, ohne sich zu rühren. Dann stiegen sie aus und lehnten sich gegen den kleinen Dodgewagen.

»Er lebt noch«, sagte Ferruggio erstaunt. »Selbst auf die Araber ist kein Verlass mehr.«

»Ruhe!« Molnar, der flinke, listenreiche Ungar, überdachte die Situation. Serrat war weg, aber Dr. Bender durfte nicht wieder auftauchen. Man konnte jetzt Serrat nicht fragen, er hätte Rat gewusst, aber es ging auch ohne ihn, verdammt noch mal.

Bender war heran und stand keuchend vor Molnar und Ferruggio.

»Wir müssen zurück ins Camp!«, schrie er. »Schnell! Alles ist nicht so wichtig…«

»So so?«, sagte Molnar langsam. »Nun hör einmal, mein Junge: Wir kennen dich nicht! Du bist nie im Lager gewesen. Es hat nie einen Arzt gegeben! Den wir einmal hatten, der ist in der Wüste verschollen, und dort bleibt er auch! Ist das klar?«

Dr. Bender starrte Molnar und Ferruggio aus flatternden Augen an. »Seid ihr denn alle verrückt?«, stammelte er. »Hier geschehen Dinge, die –«

»Schluss!« Molnars Hand wehte durch die Luft. »Halt den Mund, Kerl. Merk dir eins: Wenn du dich im Lager blicken lässt, auch nur in der weiteren Umgebung, brennen wir dir ein paar Löcher in den Balg. Was du machst, ist uns gleichgültig. Von mir aus kannst du dich wie ein Sandwurm in die Wüste wühlen. Nur in unsere Nähe kommst du nicht. Und telefonieren kannst du auch nicht! Wer dich ans Telefon lässt – und wir kennen ja jedes Telefon in der Oase – der lernt das Fliegen! Verkriech dich irgendwo, wenn du schon lebst, und spiele Skorpion. Und jetzt aus dem Weg!«

Dr. Bender starrte Molnar an, als verstehe er nicht, was dieser sagte. Dann sprang er vor, stellte sich vor das Auto und breitete die Arme aus.

»Ihr Idioten!«, schrie er. »Ihr wisst nicht, worum es geht! Serrat will Saada zur Seite bringen… und ihr alle werdet krepieren an der Hadjar-Krankheit. Sie ist bei euch im Lager, wisst ihr das überhaupt?!«

Ferruggio stieg ungerührt in den Wagen. »Soll ich ihn umfahren, Ungar?«, fragte er trocken. Molnar winkte ab.

»Das gibt Kratzer und Beulen am Wagen. Nein, du Mafioso… das geht auch anders.«

Er ging zu Dr. Bender, holte ohne Warnung aus, blitzschnell, aus der Schulter und einer Drehung heraus, und hieb ihm die Faust maßgenau an die Kinnspitze. Bender sah ihn ungläubig an, bis sich sein Blick umflorte, er taumelte zur Seite und fiel am Straßenrand zusammen, als sei er knochenlos.

Dort blieb er liegen wie ein Haufen Abfall. Niemand kümmerte sich um ihn. Man ging an ihm vorbei und sah ihn nicht einmal an.

Es war zur gleichen Zeit, als auf der anderen Seite der Oase Cathérine über die Mauer in den Garten Ali ben Achmeds schlich… in einem Sack auf dem Rücken zwei Pfund Dynamit in kleinen, runden Rollen…

Die »Pilger« brachen gegen neun Uhr auf.

Die Zeltstadt verschwand in großer Eile, die Omnibusse wurden beladen, die Frauen saßen zusammengepfercht in den blechernen Kästen, bei geschlossenen Scheiben und Schiebedächern.

Jussuf demonstrierte noch einmal, wie fröhlich die »Pilger« zu sein hatten: Er ließ vor der Abfahrt eine ältere Frau, die kaum ein Kapital darstellte, auspeitschen, bis sie starb, weil sie unter ihren Kleidern einen Zettel verborgen hatte, den sie irgendwo verlieren wollte. Er enthielt einen Hilferuf an den Finder.

»So hart sind hier die Sitten«, sagte Jussuf höflich zu Saada, die mit gefesselten Händen und Füßen dem grausamen Schauspiel zusah. »Auch deine Schönheit und der Wert, den du repräsentierst, werden mich nicht hindern, das Gleiche mit dir zu tun, wenn du aufsässig wirst. Kann man dir also die Fesseln losbinden?«

»Versuche es nicht, du stinkender Schakal!«, zischte ihn Saada an. »Ich stürze mich sofort auf dich und erwürge dich.«

»Es ist tragisch, dass die Dummheit weiter verbreitet ist, als man glaubt«, sagte Jussuf elegant. »Selbst Töchter eines Scheichs werden nicht verschont. Bringt sie in den Wagen 1.«

Zwei Männer ergriffen Saada, schleiften sie zum ersten Omnibus und hoben sie hinein. Die anderen Frauen nahmen sie so in ihre Mitte, dass man Saadas Fesseln nicht sah, wenn man von draußen auf die »Pilger« blickte.

»Ich werde schreien!«, rief Saada. »Schreien! So lange schreien, bis ihr mich tötet!«

»Man tötet nicht zwanzigtausend Francs.« Jussuf lächelte ihr freundlich zu. »Die anderen Frauen werden dafür sorgen, dass du ruhig wirst. Sie werden die Schläge bekommen, die dir zukommen... das ist ein praktisches Verfahren.«

Und so war es auch. Die anderen Frauen, getrieben von der Angst, warfen sich über Saada und drückten sie auf den Boden des Busses. Dort lag sie, eine Fußbank für acht Füße, als die Karawane abfuhr. Jussuf folgte ihr in einem weißen, wundervollen Cadillac. Ein Chauffeur in weißer Livree lenkte das Fahrzeug. Als sie aus dem Tal el Matmahira herauskamen, entfalteten die Fahrer vorne an den Bussen die grüne Fahne des Propheten. Spruchbänder an den Seiten der Wagen erklärten allen, was hier über die Straße rollte.

»Wir loben Allah für seine Güte.

Wir werden Mekka sehen und vor Allah knien.

Allah ist groß und seine Güte ewig.«

Bis zur Grenze geschah nichts. Polizisten und Militär kontrollierten nicht einmal die »Pilgerbusse«. Erst an der Grenze nach Tunis wurde es kritisch. Ein junger Leutnant wollte unbedingt in die Wagen sehen.

Saada wurde wieder auf den Boden gedrückt. Eine Frau stopfte ihr ein altes, nach Schweiß stinkendes Tuch in den Mund.

Saada wehrte sich, stieß mit dem Kopf, den Knien und den Armen, – aber was war das gegen die Übermacht der anderen, verängstigten Frauen. Dann lag sie unter den Füßen, atmete durch die Nase die heiße verbrauchte Luft und glaubte zu ersticken.

Was wird aus mir, dachte sie. Wo bringen sie mich hin?

Sie haben mich alle verraten... alle... mein Vater... Serrat... und mein Doktor... Alle...

Und dann weinte sie.

Jussuf in seinem weißen Cadillac zeigte lupenreine Transportpapiere für 210 Pilgerinnen. Die Beamten machten sich nicht die Mühe zu zählen und winkten. Der Schlagbaum ging hoch... die Karawane rollte hinüber nach Tunis.

Jussuf wartete, bis seine »Pilgerinnen« in Sicherheit

waren, dann gab er ein Zeichen, und die Omnibusse preschten weiter auf der Straße nach Tozeur.

Kurz vorher aber schwenkten sie ab in die Salzwüste, hinein in die Moore, vor deren Betreten sich selbst der Teufel gehütet hätte. Auch Saada befreite man wieder aus ihrer unbequemen Lage, holte sie unter den hämischen und gemeinen Bemerkungen der anderen Frauen aus dem Bus und lud sie um in den weißen Cadillac Jussufs.

»Das ist keine Auszeichnung«, sagte Jussuf mit vollendeter Höflichkeit, »sondern Pflege des Kapitals. Und noch etwas will ich dir zeigen, Saada.« Er öffnete das Fenster, ließ sich einen Stein geben und schleuderte ihn vielleicht sieben Meter weit weg. Dort fiel er auf einen schwappenden Boden und versank langsam. »Salzsumpf, Saada«, erklärte er nüchtern. »Ein Mensch versinkt dort unweigerlich. Wenn es sein muss, werfe ich auch ein Kapital weg.«

Saada nickte. Ihre Kehle war so eng, dass jeder Atemzug schmerzte. Jussuf winkte aus dem Fenster.

»Los! Wir haben Zeit verloren –«

Die Salzwüste Schott Djerid verschluckte die kleine Karawane wie ein urweltliches Ungeheuer.

Jussuf Ben Rahman war bester Laune.

Der neue »Pilgerzug« schien das Geschäft der Saison zu werden. 210 meist junge Frauen aus den ärmsten Gegenden der südlichen Sahara, der Kabylei und den schroffen, von der Sonne ausgedorrten Südhängen des Atlasgebirges bedeuteten ein gutes Konto. Viele der »Pilgerinnen« waren freiwillig mitgekommen, mit einem Arbeitsvertrag, der ihnen mehr versprach, als was sie je in ihrem Leben in den schmutzigen, hitzedurchglühten Dörfern erwarten konnten: ein sauberes Zimmer, geregelte Arbeitszeit, reellen Verdienst in guten Francs, gute Behandlung bei Befolgen aller Anordnungen, ärztliche Betreuung. Was verlangte man mehr vom Leben? Die Verträge hatten nur einen Haken: Sie lauteten auf fünf oder sogar zehn Jahre. Einige waren sogar unbefristet, das waren die Verträge der schönsten jungen Frauen, die eine Menge kosteten und die den investierten Betrag in einer abgegrenzten Zeit nicht wieder hereinbringen konnten.

Aber was bedeutete Zeit in Afrika? Was waren Jahre? Zeit... man hatte sie so viel wie Sand in der Wüste. Die Zukunft in den kleinen Oasen der Sahara war kein Geheimnis Allahs... man konnte sie sich ausrechnen am Leben der vorherigen Generation. Es war ein erbärmliches Leben. Wie herrlich schien dagegen die Zukunft in den fernen großen Städten oder in den weißen Häusern der reichen Herren, die Jussufs Agenten den Mädchen versprachen. Das war ein Paradies, und wenn man es erreichen konnte, indem man sich verkaufte... warum sollte man es nicht.

Nur wenige Frauen ahnten, in was sie sich da eingelassen hatten. Nur ein paar Mädchen waren – wie Saada – ohne ihren Willen in der »Pilgerkarawane« Jussufs. Sie waren von ihren Eltern verkauft worden, oder man hatte sie, nachdem Jussufs Agenten die Schönheiten genau betrachtet und abgeschätzt hatten, einfach auf offener Straße geraubt. Das ging schnell und schmerzlos mit Hilfe eines Wattebausches voll Chloroform... wachten die Mädchen später auf, lagen sie hinten in den breiten amerikanischen Wagen der Händler wie zusammengebundene Hühner.

Mit diesen Mädchen und Frauen hatte Jussuf einige Sorgen. Aber er bezwang diesen Widerstand auf seine im wahrsten Sinne durchschlagende Art: Er ließ – wie in el Matmahira – drei Frauen zu Tode peitschen, und von da an war Ruhe in allen Omnibussen.

Nun fuhren sie ungefähr zwei Stunden durch den Salzsumpf von Djerid, ganz langsam, sich über die schmale feste

Piste tastend, neben sich den unbarmherzigen salzigen Tod, denn ein Wagen, der hier abglitt, versank in dem breiigen Boden ohne Aussicht auf Rettung. Jussuf fuhr mit seinem weißen Cadillac voran... nur er kannte diesen Pfad durch die Hölle. Von der anderen Seite des Schott Djerid aus, von der kleinen Oase Kebili, war es einfacher. Hier gab es einen Weg durch die festere Salzwüste bis an den Rand des Sumpfes... aber kaum jemand benutzte ihn, denn wen treibt es freiwillig in ein Stück Erde, das selbst die Geier meiden? Und das will etwas heißen in Afrika!

Und doch bewegten sich an diesem Tage vierzehn Wagen von Kelibi in die Salzöde hinein. Schweigsame, gut angezogene Herren in leuchtendweißen Dschellabahs oder europäischen Maßanzügen saßen am Steuer, rauchten während des langsamen Fahrens ihre schwarzen Zigaretten und blinzelten unter den fast schwarzen Sonnenbrillen in die schreckliche flimmernde Wildnis. Am Rande der Sümpfe hielten sie an, fuhren zusammen, als wollten sie eine Wagenburg bilden, und stiegen aus.

»Es ist noch Zeit, Freunde«, sagte einer von ihnen und blickte auf eine goldene Schweizer Uhr. »Jussuf muss noch mitten im Sumpf stecken... es ist mir unbegreiflich, wie er überhaupt durchkommt.«

»Wer den Teufel so zum Freund hat wie er... wundert es dich dann auch noch?«

Die vornehmen Herren holten aus ihren Wagen einige dicke Teppiche, legten sie auf den Boden, spannten einige Sonnendächer darüber und ließen sich dann nieder. Zwei Diener, die mitgekommen waren, servierten kurz darauf heißen, dampfenden Kaffee in kleinen Porzellantassen und verteilten Schalen mit kandierten Früchten.

Es war ein friedliches Bild... und doch rasteten hier vierzehn Teufel.

Unterdessen rumpelten die Omnibusse hinter Jussuf her durch den Salzsumpf. Die Wagen hatten sich mit Salzkristallen überzogen und funkelten in der Sonne, als seien sie mit Diamantenstaub belegt. Jussuf hatte die Klimaanlage seines Cadillac eingeschaltet und bot Saada aus einer Thermosflasche köstliche, kalte Orangenlimonade an.

»Ich will nicht«, sagte Saada mit geballten Fäusten. »Ich will, dass du mich in den Sumpf wirfst.«

»Es gibt einen schöneren Tod.« Jussuf wandte den Kopf zu Saada. Ihre wilde verzweifelte Schönheit begeisterte ihn. Eine Zeit lang hatte er den Gedanken gehabt, sie selbst zu behalten und mitzunehmen nach Constantine in sein herrliches Haus inmitten des großen Parks. Es gab dort ein Frauenhaus im alten Stil, mit verschwiegenen Gärtchen und plätschernden Brunnen, Bogengängen aus zierlichen Marmorsäulen und Zimmer voller Luxus und köstlicher Kühle. Aber dann verwarf er diesen Plan wieder. Saada war ein großes Kapital, und sie war zu schön für sein eigenes Frauenhaus. Es würde Streit geben, Hass und Auflehnung der anderen Frauen. Nicht, dass Jussuf nicht genug Mittel besaß, jeglichen Aufstand seiner Weiber niederzuknüppeln, – aber er liebte Ruhe im eigenen Haus. Er besaß fünf wunderschöne, junge Frauen, und sie reichten ihm. Saada als sechste dazuzunehmen wäre ein Luxus gewesen, den sich Jussuf zwar leisten konnte, der aber nicht unbedingt notwendig war. Und so wurde Saada während der Fahrt durch die Salzwüste in Jussufs Gedanken bereits verkauft, an den Barbesitzer Ali Hadschar, einen glatzköpfigen, dicken Mann, der einen ungeheuren Verbrauch an Tänzerinnen für seinen »Tanzpalast« in Annaba, dem früheren Bône, hatte. Wo er die Mädchen alle ließ, warum er immer wechselte, das weiß niemand, und Jussuf fragte auch nicht danach. Es ging ihn nichts an. Wichtig war nur, dass Hadschar zahlte, ohne langes Handeln und in bar. Was dann mit den Mädchen geschah... das Auge Allahs allein sah es, und es war auch seine Sache, nicht die Jussufs.

Dreimal versuchte Saada, aus dem Wagen Jussufs zu fliehen und sich in den Sumpf zu stürzen. Ihre Verzweiflung war so groß, dass sie Jussuf geradezu zwang, brutal gegen sie zu werden und sie beim letzten Versuch – sie riss plötzlich die Tür auf und wollte aus dem Auto springen – an den Händen und Füßen wieder zu fesseln. Dann schlug er sie, nicht mit der Peitsche, sondern mit der flachen Hand, ins Gesicht. Ihr schöner Kopf flog hin und her, und jeden Schlag begleitete sie mit einem nicht schmerzhaften, sondern wilden, herausfordernden Aufschrei, der Jussuf rasend werden ließ.

»Warum willst du sterben?«, schrie Jussuf sie an. »Was ist so schön an diesem Tod? Sei vernünftig!«

Die »Pilgerkarawane« stockte. Jussuf warf Saada auf den Rücksitz und hielt sie fest. Sie war wie eine Katze, kratzte und biss um sich und entglitt immer wieder seinen Händen. Erst als er sie kurz würgte und die Luft abschnitt, wurde sie schlaff unter seinen Fingern und ergab sich erneut dem Stärkeren.

Keuchend saß Jussuf dann neben ihr und flößte ihr den eiskalten Orangensaft zwischen die Lippen.

»Mein Vater wird mich suchen«, sagte Saada, nachdem sie wieder etwas bei Kräften war. »Und der Doktor wird mich rächen...«

Jussuf senkte den Kopf. Zum erstenmal hörte er von einem Doktor. Das machte ihn nachdenklich und vorsichtig.

»Wer ist der Doktor?«

»Ein deutscher Hakim in Bou Akbir. Er wird mich suchen und finden.«

»Aha!« Jussuf wischte sich über die Augen. Der Scheich

war ihm gleichgültig, von ihm drohte keinerlei Gefahr…
aber der deutsche Arzt gefiel ihm gar nicht. Dass Serrat ihn
verschwiegen hatte, war ein übler Trick gewesen. Jussuf
hätte Saada nie übernommen, wenn er von der Existenz
eines Europäers im Leben des Mädchens gewusst hätte, das
war so sicher, wie sie jetzt mitten im Salzsumpf standen,
unter einer Sonne, die wie geschmolzenes Blei war.

Er hat mich doch betrogen, dachte Jussuf und kniff die
dünnen Lippen zusammen. Ich habe mir für achttausend
Francs nicht ein Mädchen, sondern eine Hetzjagd gekauft.
Gibt es diesen deutschen Arzt wirklich, dann wird man mit
Schwierigkeiten rechnen müssen, vielleicht sogar mit einer
Lösung der Probleme durch eine Waffe.

»Wie heißt der Arzt?«, fragte er. Saada lächelte ihn hasserfüllt an.

»Er wird dich finden! Ich weiß es!«

»Wie heißt er?«, fragte Jussuf noch einmal.

»Ich werde nie den Namen nennen.«

»Warum sind die Menschen so dumm?« Er steckte sich
eine seiner schwarzen Zigaretten an, riss die Bluse Saadas
hoch und legte den Zeigefinger der anderen Hand auf eine
Stelle unter ihre rechte Brust. Dann hob er die glühende
Zigarette vor ihre Augen. »An dieser Stelle werde ich sie
ausdrücken«, sagte er. »Es ist ein höllischer Schmerz, und
eine Narbe bleibt für immer zurück. Ist ein Name so wertvoll? Bedenke… ein Körper hat viele Stellen, wo man Zigaretten ausdrücken kann. Lohnt es sich?«

Jussuf sagte es so freundlich, als führe er eine unverbind-
liche Unterhaltung auf der Terrasse eines Hotels. Das war
das Gefährliche an ihm, er lächelte und trieb Konversation,
aber was er sagte und tat, war ungeheuerlich und teuflisch.

Er wartete ein paar Augenblicke auf die Reaktion Saadas,
und als sie bloß den Kopf in den Nacken warf, trotzig und

mit zusammengebissenen Zähnen, hob er bedauernd die Schultern und drehte die Zigarette in seinen Fingern, bis sie zu einer glühenden Waffe wurde. Mit ihr näherte er sich der Brust Saadas, langsam, auf einen Schrei wartend, auf das Zusammenbrechen ihrer Kraft vor dem Entsetzen der Verstümmelung.

Jussuf bewunderte das Mädchen, als er die glühende Spitze der Zigarette so nahe an ihrer Haut hatte, dass sie die Glut schon spürte. Und erst da, im letzten Moment, bevor Jussuf zudrückte, sagte sie mit geschlossenen Augen:

»Dr. Bender –«

Dann sank sie in sich zusammen, heulte auf wie ein Schakal und drückte das Gesicht gegen die Autotür.

Ich habe ihn verraten… schrie es in ihr. Ich habe seinen Namen genannt aus Angst. Ja, ich habe Angst, große Angst. O Allah, vergib mir… ich habe nicht die Kraft, mich verstümmeln zu lassen… Ich habe Angst –

Jussuf rauchte seine Zigarette stumm zu Ende. Dann demonstrierte er gelassen wie alles, was er tat, seine Macht. Er klappte aus dem Armaturenbrett seines Cadillac ein kleines Funkgerät, stülpte sich die Kopfhörer über und begann mit einem irgendwo in der Weite des Landes wartenden Partner einen Funkverkehr.

»Hier Mizda…« sagte er in das kleine Mikrofon. »Hier Gusbat… hier Gusbat… Ich höre.«

Jussuf blickte auf Saada, während er sprach. Er betonte die Worte einzeln, damit sie klar waren und keine Rückfragen mehr erforderten.

»Hier Mizda. In der Oase Bou Akbir lebt ein deutscher Arzt. Er heißt Dr. Bender. Er ist auf Liste eins zu setzen. Wiederhole, Gusbat.«

Und die Stimme im Kopfhörer wiederholte: »Er ist auf Liste eins zu setzen…«

»Danke. Ende.«

Jussuf packte das Funkgerät wieder weg... als er es zurück in das Armaturenbrett klappte, sah es aus wie ein normales Autoradio.

Von diesem Augenblick an war Dr. Ralf Bender in den Augen Jussufs bereits ein toter Mann. Liste eins... das bedeutete die Ausrottung aller Gefahr. Das bedeutete ein Todesurteil. Bisher hatten nur vier Menschen auf Liste eins gestanden... sie waren eines Tages in der Weite des Landes verschwunden, hatten sich aufgelöst im Nichts, als seien sie nie gewesen. Die Behörden in Algier schlossen die Akten der vier Männer ein. Ungeklärte Fälle. Es war sinnlos, auf eine Antwort zu warten... Fragen sind in der Wüste wie das Warten auf eine Ernte im Sand.

»Weiter –« sagte Jussuf zu seinem Chauffeur und winkte den hinter ihm haltenden Omnibussen zu. »Unsere Freunde warten schon.«

Dann versank er wieder in die Lautlosigkeit des Denkens, starrte in die Salzsümpfe und lauschte auf das Schluchzen Saadas hinter seinem Rücken.

Er war froh, wenn diese »Pilgerfahrt« zu Ende ging. Und beneidete Ali Hadschar nicht, wenn er wirklich Saada kaufte. Für zwanzigtausend Francs nahm er sich einen Teufel ins Haus... und Jussuf gönnte es ihm, denn Hadschar war ein Mensch, der es verdient hätte, in siedendem Fett zu rösten.

Eine Stunde später tauchte auf der flachen Scheibe der Salzwüste am Horizont die Wagenburg der Käufer auf. Jussuf hupte, und die Signalhörner der Omnibusse stimmten ein. Es war ein fröhliches Hupen, als träfe sich eine lustige Reisegesellschaft. Die Frauen in den Bussen drückten die Gesichter an die salzigen Scheiben und sahen kichernd hinaus auf die näherkommenden Autos.

Die neuen Herren.

Wie sahen sie aus?

Dort wartete das Schicksal der nächsten fünf oder zehn Jahre auf sie. Dort standen die Männer, denen sie untertan sein würden... als Sklavin, als Geliebte, als Hilfe, vielleicht einmal sogar als Herrin, wenn die Reize ihrer Körper stärker waren als der Wille der Männer.

Vierzehn Wagen, zählten die Frauen.

Das war enttäuschend. Was geschah mit den anderen? Sie waren 210 Frauen!

Von diesem Augenblick an begann in den Bussen bereits der Kampf um das Licht. So eng sie auch saßen, sie bemühten sich, sich herauszuputzen. Sie kämmten die Haare mit den gespreizten Händen, sie rissen die dünnen Hemden auf, um ihre Brüste zu zeigen, nur die älteren Frauen starrten resignierend vor sich hin. Für sie ging die Fahrt weiter... sie waren die wirklichen Sklaven, denn unter der Schar der jungen schönen Fohlen waren sie die grauen, ewig getretenen Arbeitsesel.

Mit erhöhter Geschwindigkeit verließ Jussuf den engen Sumpfpfad. Der feste Boden war auch für ihn eine Befreiung von einem inneren Druck. Jedes Mal spürte er ein dumpfes Gefühl im Nacken, wenn er eintauchte in den salzigen schwappenden Tod, und jedes Mal war er bereit, Allah überschwänglich zu danken, wenn er wieder die gute, harte Erde unter sich fühlte.

Aus der Wagenburg kamen ihm die vierzehn Herren entgegen. Würdig, ein Pilgerzug für sich, fast feierlich. Nur die Augen glühten erwartungsvoll. Was brachte Jussuf diesmal aus der Wüste mit? Welche Blumen hatte er eingesammelt?

An der Spitze lief Ali Hadschar, über seinen Glatzkopf die Kapuze der Dschellabah gezogen. Jussuf erkannte ihn schon von weitem. Dick und massig stampfte Hadschar durch den Salzsand.

Nicht unter dreißigtausend, schwor sich Jussuf in diesem Moment. Oder ich behalte Saada wirklich für mich. Er wird ein Vermögen für sie hinlegen... und selbst dann sollte man ihn noch anspucken. Er ist ein widerlicher Mensch, ein Geier, ein Aasfresser.

Der weiße Cadillac hielt. Jussuf sprang hinaus und kam Hadschar die letzten zehn Schritte entgegen.

»Mein Freund!«, rief er dabei und breitete die Arme aus. »Welche Freude, dich zu sehen! Gesund wie immer!«

Sie umarmten und küssten sich.

Dreißigtausend, dachte Jussuf dabei. Er stinkt widerlich nach saurer Milch –

Der Handel war nicht so glatt, wie es sich Jussuf von Ali Hadschar erhofft hatte. Schuld daran war wieder Saada, aber nicht ihre Gegenwehr, sondern ihr Preis.

Nachdem Hadschar drei hübsche junge Mädchen gekauft hatte und für sie zusammen zehntausend Francs bezahlte, blickte er in den weißen Cadillac und lächelte Jussuf wissend an.

»Ein Privatgeschäft, mein Freund?«, fragte Hadschar. »Die besten Bissen für den Gastgeber... nennt man so etwas Gastfreundschaft? Darf man nicht einmal einen Blick auf die Blume der Wüste werfen?«

»Sogar drei und vier... sie ist zu verkaufen.« Jussuf beugte sich in den Wagen, löste Saada die Fesseln an den Füßen und Händen und zog sie hinaus in die Sonne. Dort zögerte er, aber dann dachte er daran, dass alles nur ein Geschäft sei, und riss Saada die Bluse vom Körper. Ali Hadschar wölbte die Lippen vor, auf seiner Glatze sammelte sich Schweiß. Welche Brüste, dachte er. Welcher geschmeidige Körper! Hier liegt eine Quelle, die man zum Sprudeln bringen kann. Jede Nacht wird sie sprudeln, harte gute Francs … zuerst als Attraktion auf der Tanzfläche, umzuckt von den sich drehenden bunten Scheinwerfern, später an den Tischen und in den Zimmern, wo sie Schlange stehen werden, die alten, fetten, geilen Kerle, die tagsüber das Geld schaufeln und nachts es wieder wegwerfen für einen keuchenden Tanz auf festem Fleisch.

Hadschar trat nahe an Saada heran und griff nach ihrem Rock. Aber im gleichen Augenblick klatschte es, Hadschar taumelte zwei Schritte zurück und drückte die Hand gegen seine linke Backe. Jussuf verbiss sich ein Lächeln, er warf Saada einen fast dankbaren Blick zu.

»Dieses Luder!«, schrie Hadschar und starrte Jussuf an. »Hast du das gesehen … sie schlägt mich! Eine Frau schlägt mich! Das ist noch nie vorgekommen! Fünftausend für sie allein … und ich lasse sie durch das Salz kriechen wie einen Wurm!«

»Sie kostet dreißigtausend …« sagte Jussuf ruhig. »Nicht einen Centime weniger. Und in bar. In französischer Währung. Spare dir alle Worte … ich handle nicht um Saada.«

»Euch wird der Teufel holen!«, schrie Saada dazwischen. »Ich bin die Tochter des Scheichs von Bou Akbir! Die Köpfe wird man euch abschlagen –«

»Ist das wahr?«, fragte Hadschar verblüfft.

»Keiner schlägt uns den Kopf ab«, sagte Jussuf gleichgültig.

»Ach was … dass sie eine Scheichtochter ist.«

»Ja, das stimmt.«

»Und wie kommst du an sie?«

»Ich habe sie auch gekauft. Von einem Weißen!«

»O Allah!« Hadschar schlug die Hände zusammen und ging um Saada herum. Er musterte sie wie ein junges, noch nicht eingerittenes, eben von den Weiden gefangenes Pferd, bei dem es gefährlich war, zu nahe heranzutreten. »Das wäre eine Sensation. Es tanzt die Tochter des Scheichs! Es liebt die Tochter des Scheichs! Das kostet hundert Dinare extra! Das bringt Dollars ins Haus. Pfunde, Gulden, Deutsche Mark, Rubel …«

»Ich weiß es, Ali.« Jussuf lächelte mild. »Deshalb der Preis.«

»Zwanzigtausend«, rief Hadschar. »In Dollars!«

»Ich handle nicht.« Jussuf nahm die Bluse aus dem Sand und warf sie Saada zu. Sie drückte die Stofffetzen gegen ihre prallen Brüste. »Geh zurück in den Wagen –«

»Halt!« Hadschar hob die Hand. Er rannte vor Jussuf hin und her und schien innerlich wie eine Rechenmaschine zu ticken. Dreißigtausend Francs … wie lange dauert es, bis sie sich amortisiert hat? Wie viele Liebhaber muss sie haben, ehe ein einziger Franc Verdienst herauskommt?

»Du bist ein Gauner!«, sagte Hadschar und blieb vor Jussuf stehen. »Du ruinierst mich.«

»Es zwingt dich keiner, sie zu kaufen.«

»Und wem bietest du sie nachher an?«

»Vielleicht Omar ben Sarret.«

Hadschar wurde blass und rollte die dicken Augen. Sarret, das war ein Name, den er nur mit Flüchen aussprach. Vor drei Jahren noch war Hadschar der König aller Barbesitzer von Annaba. Es gab kein schöneres Lokal als seines, und es gab keine schöneren Mädchen als in den Hinterzimmern von Ali Hadschar. Man wusste das von Marokko bis Ägypten. Aber dann tauchte Sarret auf. Jung, voll Unternehmergeist, geschult in Paris. Ein Mensch mit Ideen. Und in drei Jahren verlor Hadschar seine Alleinherrschaft. Das neue Lokal Sarrets, »Erosrama« – eine Breitwandausgabe von Musik, Tanz, entblößten Körpern, jungen, gut geschulten Dirnen und einem Spielsalon, wo man Frauen gewinnen konnte – wurde ebenso berühmt wie Hadschars »Sahara-Club«. Seit dieser Tatsache war der Name Sarret für Hadschar wie Gift. Er ließ sein Herz hämmern wie eine alte Wasserpumpe.

»Ich kaufe sie«, sagte er rau. »Aber es ist mein letztes Geschäft mir dir.« Sie gingen zusammen zu Hadschars Wagen, und dort zählten sie einträchtig die Geldbündel ab, die Hadschar aus einer ledernen Tasche nahm. »Der Teufel hole dich«, sagte er zum Abschied. Aber Jussuf schüttelte lächelnd den Kopf und streckte den Arm nach Saada aus.

»Du musst ihn holen, Ali! Ich habe noch andere Geschäfte.«

An diesem Nachmittag verkaufte Jussuf dreißig Mädchen. Es waren die hübschesten und jüngsten, keine älter als zwanzig Jahre. Ihr Schicksal stand ab jetzt fest: Solange sie ihre Herren reizen konnten, hatten sie ein erträgliches Leben, märchenhaft gegen das Leben in den einsamen Bergdörfern, aus denen sie kamen. Was in zehn Jahren oder schon früher sein würde, wenn ihre Liebe nicht mehr die Herren erglühen ließ, daran dachte jetzt niemand. Die Wege des Menschen hat Allah bestimmt… was hilft es, sich darüber Gedanken zu machen? Vorbestimmung ist alles… auch der Verkauf in das Bett eines reichen Mannes.

Hadschar betrachtete Saada aus sicherer Entfernung wie einen jungen Hengst, der gleich die Hufe hebt. In Annaba war es einfach, sie zu bändigen, aber hier, unter den Augen der anderen Freunde, musste man ein Beispiel von strenger Güte geben. Er versuchte es zunächst mit Verhandeln.

»Komm mit!«, sagte er. »Ich bin jetzt dein Herr. Du weißt, was das bedeutet. Ich kann mit dir tun, was ich will. Du bist mein Eigentum wie ein Stuhl, ein Teppich, ein Stück Holz… Komm mit –«

Saada antwortete nicht. Sie saß in der offenen Tür des weißen Cadillac und starrte in den heißen Sand. Hadschar kam noch einen Schritt näher, vorsichtig, wie man sich einem Raubtier nähert.

»Ich verspreche dir ein eigenes Zimmer und 10% vom Umsatz«, sagte er. »Das habe ich noch nie einer Frau angeboten! Was willst du mehr?«

»Geh weg, du Haufen Kamelmist!«, sagte Saada laut.

Hadschar schluckte ein paarmal und streichelte nervös seine Glatze.

»Ich glaube, du verkennst die Situation«, sagte er und zwang sich, ruhig zu bleiben. Er wusste, dass Jussuf ihn beobachtete, dass er trotz der Geschäfte mit den anderen Interessenten immer einen Seitenblick zu Saada warf. Alle Frauen standen nun, umringt von den Leuten Jussufs, in der Salzwüste. Die Busse waren leer. Wie eine Tierherde drängten sich die Frauen zusammen. Ein geballter Haufen Fleisch, aus dem man sich die besten Stücke herausholen konnte.

»Du kommst nach Annaba in die Bar ›Sahara-Club‹. Das ist das beste Haus am Platze«, fuhr Hadschar fort und wunderte sich, dass er überhaupt Erklärungen abgab. »Du wirst tanzen und servieren, natürlich nackt, und hinterher wirst du meinen Freunden die langen Stunden der Nacht vertreiben. Du wirst ein eigenes Zimmer haben, gutes Essen, kannst dich pflegen... und 10% gehören dir! Du musst zugeben, dass ich großzügig bin.«

»Geh weg!« Saada warf den Kopf zur Seite. »Dein Atem stinkt nach verfaulten Fischen –«

Einen Augenblick stand Hadschar starr, dann warf er die Kapuze der weißen Dschellabah über seine Glatze und winkte den drei Mädchen, die er bereits gekauft hatte. Sie standen etwas abseits, unbekümmert und fröhlich, ihre kleinen Reisebündel neben sich an den Füßen, und lachten kichernd über die Dinge, die sie sich erzählten. Als Hadschar winkte, schwiegen sie sofort.

»Holt sie euch!«, schrie er. »Bringt sie in meinen Wagen! Sie will nicht gehen! Für jede von euch 100 Dinare extra!«

100 Dinare... das war ein Zauberwort. Wie Hyänen fielen die drei Mädchen über Saada her, zerrten sie aus dem Cadillac, rissen sie an den Haaren, hielten ihr die Arme fest und schleiften sie durch die Salzwüste zu dem Wagen Hadschars.

»Warum wehrt ihr euch nicht?«, schrie Saada, als man sie an der Herde der wartenden Frauen vorbeitrug. »Ihr seid über zweihundert, – sie sind nur dreißig! Ihr könnt sie zerreißen, wenn ihr wollt! Fallt über sie her! Macht Fetzen aus ihnen! Warum steht ihr herum wie eine Hammelherde vor dem Schlachthaus?! Schwestern... wehrt euch...«

Die Mädchen hielten ihr den Mund zu, warfen sie in Hadschars Wagen und drückten Saada dann mit ihren eigenen Körpern nieder. Hadschar sprang hinter das Steuer, ließ den Wagen an und gab Gas. In einer Wolke von Sand und Salzkristallen brauste er davon.

Die anderen Käufer sahen ihm nach und wandten sich dann an Jussuf, der drei Mädchen in Positur stellte und völlig entkleidete. Es waren weißhäutige Berberinnen, zierlich, mit kleinen Brüsten, fast noch Kinder, aber schon mit den wissenden Augen der Liebeerfahrenen.

»Hast du ihm eine Katze verkauft?«, fragte einer der Männer und stieß Jussuf an.

»Nein, den leibhaftigen Teufel!« Jussuf streichelte über die knospenhafte Brust des ihm am nächsten stehenden Mädchens. »An ihm wird er zugrunde gehen. Vergesst nicht meine Worte, Freunde –«

Cathérine hatte es geschafft, ungesehen bis an das Haus Achmeds heranzukommen. Immer von Busch zu Busch schleichend, wie damals, als sie Saada am Fenster ihres Zimmers sah und trotz der Wachen bis unter den Balkon kam, erreichte sie auch jetzt das Haupthaus und suchte, hinter einem dichten Malvengestrüpp liegend, eine günstige Stelle, wo sie die zwei Pfund Dynamit anlegen konnte.

Ihr Hass auf alles, was ihr Dr. Bender genommen hatte, war so groß, dass alle Vernunft aus ihr gewichen war. Sie wollte nicht nur Achmed in die Luft sprengen, der nachweislich der Letzte gewesen war, der Dr. Bender gesehen hatte und der nun behauptete, er wisse nicht, wo er ist, nein, sie wollte mit diesem Dynamit alles vernichten, was einmal im Leben Benders eine Rolle gespielt hatte. Dazu gehörten dieses Haus, die Schönheit des Gartens, die Zimmer Saadas... alles sollte vernichtet werden, jede Erinnerung in die Luft stoßen und zerflattern in einer glühenden, krachenden Lohe.

Das Geheimnis, wo sich Dr. Bender und Saada befanden, war für Cathérine keine Frage mehr. Ob sie getrennt in der Wüste verschollen waren, ob sie gemeinsam irgendwo lebten, ob sie sich getroffen hatten, was auch immer geschehen war... Cathérine war es jetzt gleichgültig. Für sie ging nicht wiederum ein Lebensabschnitt, sondern das Leben an sich zu Ende.

Wer kannte schon Cathérine Petit, die gar nicht Petit hieß, sondern Rochelle? Wer wusste etwas von dem Bankier Pierre Rochelle, der die Krankenschwester Cathérine heiratete, weil sie ihn so gut gepflegt hatte, als er mit einem Leistenbruch im Hospital lag? Wer wusste etwas von Louis, ihrem Sohn, der ein Jahr später auf die Welt kam, und wer kannte die heiße Liebesgeschichte zwischen ihr und dem schwedischen Chauffeur Rochelles, einem Mann, der Cathérine erst zeigte, was Liebe ist, nachdem sie in den kraftlosen Armen des alten Rochelle drei Jahre lang ausgehalten hatte und sich drei Jahre vorkam wie ein Stück Steak, das er zwischen elf und zwölf Uhr nachts verzehrte, pünktlich wie die Uhr fast... jede Nacht, eine Pflichtübung gewissermaßen, eine natürliche Schlaftablette, denn hinterher schlief Rochelle traumlos und kindhaft bis zum späten Morgen.

Dann die Entdeckung, der Hinauswurf wie ein Hund, die gerichtliche Zuerkennung des Kindes an den Vater, der Tod Svens, der nie geklärt wurde, denn gerade er, der Mann, der Autos liebte wie Frauen, wurde überfahren, an einem Abend in einem Vorort von Paris, wo nachweislich in dieser Stunde nur vier Autos durch die Straße fuhren. Eines packte ihn und schleuderte ihn gegen die Hauswand. Der Fahrer flüchtete... Es war ein Algerier, sagten die Augenzeugen. Kein Zweifel... er sah so aus, man kennt ja die Typen.

Cathérine ging nach Algerien. Sie nannte sich Petit. Und sie schwor sich, nie mehr einem Mann zu gehören. Deshalb ging sie zu den Männern, dorthin, wo die Sehnsucht nach Frauen am stärksten war, – zu den Ölbohrern in die Sahara. Sie wollte sich selbst kasteien. Sie wollte sich bestrafen. Und sie wollte die Männer hassen lernen, dort, wo sie keine Maske mehr trugen von Zivilisation und Moral. In der Wüste.

Und dann kam Dr. Bender. Und die Welt veränderte sich wieder. Sie wurde schön und duftete nach Frühling. Und es gab wieder eine Zukunft, und es gab ein Gefühl, das alles andere überspülte. Selbst die Erinnerung an Louis, ihren Sohn.

Ein anderes Leben, dachte sie. Ein neues Leben. Ganz neu...

Jetzt lag sie im Gras hinter einem Malvenbusch, in den Händen die zu Rollen gepackten zwei Pfund Dynamit. Das war alles, was ihr von dem neuen Leben geblieben war. Und sie wusste nun eines ganz sicher: Es lohnte sich nicht, zu leben. Es lohnte sich nur noch das Chaos.

Sie wartete, bis sie glaubte, ungesehen zu sein. Zwei Diener hatten den Garten verlassen, nachdem sie im Hintergrund, bei den Garagen, eine kleine Tür geöffnet hatten, die Cathérine aber nicht weiter beachtete. Dann lag der weite Garten still und verträumt unter der sengenden Sonne. Nur der artesische Brunnen bei den Rosenbeeten plätscherte.

Cathérine richtete sich auf, nahm das Dynamit und ging schnell an die Hauswand. Sie fand in der Mitte des Hauses eine Tür, die unverschlossen war und in der Geräte für die Gartenarbeit aufgehoben wurden. Hier baute sie fachmännisch, wie sie es von den Mineuren der Ölbohrer gesehen hatte, die Päckchen an die Wand, legte die Zündschnüre, verknotete sie zu einem Strang und führte ihn wieder hinaus in den Garten. Dann schloss sie die Tür und erinnerte sich daran, dass eine Explosion in einem geschlossenen Raum um vieles größer ist als im Freien.

Sie legte die Zündschnur auf den Rasen, bückte sich und suchte in den Taschen nach den Zündhölzern.

In diesem Augenblick öffnete sich die kleine Tür bei den Garagen vollends, und eine große, gefleckte Katze trat heraus. Es war ein herrlicher Gepard, langbeinig, voll sehniger Kraft, den kleinen runden Kopf mit der schwarzen Strichmaske vorgestreckt. Er witterte sofort den Menschen, den fremden Geruch, der nicht in dieses Haus gehörte, duckte sich etwas und peitschte mit dem langen Schwanz die Erde. Ganz langsam, als gähne er, öffnete er den Fang, und die rote Zunge glitt zwischen den langen weißen Zähnen hervor. Misstrauisch belauerten die kleinen, schwarzen Augen die fremde Gestalt am Haus. Das alles geschah lautlos, ohne große Bewegung.

Cathérine hatte die Zündhölzer gefunden und schob die

Schachtel auf. Der Gepard senkte den Kopf tiefer und begann, lautlos wie vorher, federnd wie bei der Aufhebung der Schwerkraft, auf Cathérine zuzulaufen. Er schlug einen Bogen, kam von hinten auf sie zu, betrachtete, drei Meter von ihr entfernt, ihren gebeugten Rücken und hob lautlos noch einmal den Kopf, um die Witterung einzusaugen.

Ein fremder Geruch, ein böser Geruch.

Der Gepard sagte es deutlich... ein dumpfes Grollen brach aus seiner Kehle.

Cathérine, die gerade ein Streichholz angestrichen hatte, fuhr herum. Sie verlor dabei das Gleichgewicht, fiel auf den Rücken und starrte auf das Tier, das gleichzeitig mit ihrem Fallen einen Satz machte und neben ihr auf dem Rasen landete. Das Gebiss mit den spitzen Reißzähnen leuchtete.

Nur eine Sekunde starrten sich Mensch und Tier an, dann wussten sie, dass sie sich vernichten mussten. Gleichzeitig schnellten sie vor...

Der Gepard mit offenem Fang, Cathérine ohne Waffen, nur mit ihren Fäusten, denn an ihre Pistole kam sie nicht mehr. Das Aufeinanderprallen geschah zu schnell.

Beide Fäuste stieß sie dem Gepard in das Maul, zwischen die Zähne, die blutige Rinnen auf ihren Handrücken rissen. Die Riesenkatze brüllte auf und hieb beide Tatzen in Cathérines Schulter, riss Stücke von Fleisch heraus und versuchte, sich über sie zu wälzen. Der wahnsinnige Schmerz zerriss in Cathérine alle Sehnsucht nach dem Tod, nach dem ersehnten Ende eines Lebens, das sie als verpfuscht ansah. Dieser Schmerz war so groß und allgewaltig, dass der Trieb, zu siegen und zu leben, größer war als alles andere.

Sie schrie ebenfalls auf, trat dem Tier gegen den Bauch, bohrte ihre Fäuste bis tief in den heißen, keuchenden Schlund des Gepards, ergriff dort etwas, es musste die Zunge sein, und riss daran... zu einem Knäuel aus Schreien und Blut geworden, wälzten sie sich über den Rasen, ineinander verkrallt, verbissen und ohne Hoffnung, jemals wieder voneinander loszukommen.

Die Fäuste Cathérines im Maul des Tieres nahmen ihm die Luft. Wie zwei Hämmer rammte sie die Fäuste in die Kehle, die Beine der Riesenkatze zuckten und schlugen neue Wunden in den Körper Cathérines, aber sie ertrug es, sie sah, wie sie stärker war, dass selbst ein Raubtier ihr nicht gewachsen war, und das erfüllte sie mit einer solchen Kraft, dass sie sich über den Gepard wälzte, ihn auf den Rücken drückte und seinen Kopf, der wie festgeschmiedet an ihren Armen hing, mit aller Wucht auf die Erde schlug und mit jedem Hieb ihre Fäuste tiefer in die Kehle trieb.

So blieb sie liegen, bis der Gepard erstickt war. Ihr Blut floss aus den beiden Schulterwunden über die Katze, aber sie spürte den Schmerz jetzt nicht mehr. Fasziniert starrte sie in die Augen des Raubtieres, sah in ihnen die Todesangst, sah das Ende kommen, den großen ewigen Schatten, das Vergehen des Denkens, das Brechen der Klarheit, die Dumpfheit des Todes. Noch einmal trieb sie mit einem wilden Stoß ihre Fäuste in den Schlund, verriegelte die Lungen, und noch einmal bäumte sich der Gepard auf, hieb mit allen vieren auf sie ein, ehe er sich streckte und verendete.

Ganz langsam zog Cathérine ihre Arme und Fäuste aus dem Maul des Raubtieres, kniete neben ihm und blickte es an. Dann erhob sie sich, wandte sich zurück zum Haus und sah Ali ben Achmed auf dem Balkon von Saadas Zimmer stehen, mit weiten, ungläubigen Augen. Vier Diener standen abseits, in sicherer Entfernung, Netze und Stangen in den Händen.

»Du hast Sithra getötet?«, fragte Achmed. Seine Stimme schwamm zu Cathérine hin wie ein fernes Rauschen. »Mit den bloßen Händen… o Allah, was bist du für eine Frau –«

Cathérine schwankte mit leeren Augen auf die Diener zu. Sie machten Platz, ließen sie vorbeigehen, öffneten das Tor zur Straße und schlossen es wieder hinter ihr.

Aus Wunden am ganzen Körper blutend, ging sie zu ihrem Jeep, setzte sich ans Steuer und fuhr zurück zum Camp XI. Eine ungeheure Willenskraft hielt sie aufrecht, ließ sie das Steuer des Wagens umklammern, die Mitte der Wüstenstraße einhalten und das Lager erreichen.

Wie ein Gespenst stieg sie aus, ging mit steifen Beinen in die Sanitätsbaracke und riss sich im Behandlungszimmer die Fetzen ihrer Kleidung vom Leib. Nackt, zerrissen von den Gepardpranken, blutüberströmt, wankte sie zum Schrank, in dem das Verbandsmaterial lag.

Molnar, der in seiner Schreibstube ein Geräusch gehört hatte, streckte den Kopf in das Zimmer und wollte fragen: »Na, wieder zurück, Cathérine?« als er den nackten, blutenden Körper herumschwanken sah.

Molnar zögerte nicht lange. Er rannte zurück und zog an der Katastrophensirene. Grell heulte sie los und riss die Männer von den Baustellen herum. Auch Ingenieur de Navrimont fuhr aus dem Bett. Ein neuer Ölbrand, jagte es durch seinen Kopf. Kaum wieder hier aus Ouargla, geht der Mist los! Jetzt fliegt Brennot wieder ein, der Amerikaner muss löschen, es gibt lange Berichte, Militär sucht die Gegend nach den Saboteuren ab ... o verflucht, warum hat man nicht den Ersten, der das Öl entdeckte, einfach aufgehängt?!

Er zog sich an und rannte zu Molnar. Aber der war nicht im Büro. Der nächste Weg ist immer zu Cathérine, wenn etwas nicht stimmt... de Navrimont machte darin keine Ausnahme und stürzte in das Krankenrevier. Hier lag Cathérine in ihrer blutigen Nacktheit auf dem Tisch, und Molnar war dabei, die blutenden Wunden zu behandeln, so gut er es konnte.

Ingenieur de Navrimont, der die Situation verkannte, brüllte auf.

»Molnar!«, schrie er hell. »Sie Irrer! Sie Lustmörder! Alarm! Alarm!«

Er stürzte sich auf den Ungar, hieb ihm die Faust ins Gesicht und wunderte sich, dass er trotz seines Suffes noch so viel Kraft in den Muskeln hatte. Molnar schoss gegen die Wand und rutschte dort zu Boden. Dafür füllte sich der Raum mit den ersten Arbeitern. Sie starrten entgeistert auf die blutende Cathérine.

»Er wollte sie umbringen!«, heulte Navrimont. »Er war dabei, sie in Stücke zu schneiden!«

Molnar rührte sich, als ihn grobe Fäuste packten und schüttelten. Navrimont und zwei Arbeiter waren dabei, über Cathérine große Lagen von Zellstoff zu werfen. Sie waren hilflos wie die Kinder, die ein Wasserrohr angebohrt hatten.

»Ich habe ihr nichts getan!«, brüllte Molnar von der Wand her. »Ich hörte sie kommen, gehe ins Zimmer und sehe sie so… zerfetzt. Da habe ich Alarm gegeben…«

Von den Bohrstellen heulten die Wagen heran. Niemand wusste, warum die Sirene geheult hatte, aber jeder war sofort bereit, zu helfen. Die Bohrlöcher waren in Ordnung, das stellte man gleich fest, als die Mannschaften der verschiedenen Außenstellen sich auf dem großen Platz des Camps trafen. Es musste etwas im Lager sein… und plötzlich war es still unter den Männern. Sie sahen sich an und dachten alle das gleiche.

Die Hadjar-Krankheit.

Nun ist sie da. Und der Doktor ist weg… und Serrat bleibt noch eine Woche in Algier. Wir sind der verlorenste Haufen der Welt.

Aber dann kamen die ersten Nachrichten aus der Sanitätsbaracke.

Cathérine ist verletzt. Ein Gepard hat sie angefallen. Im Garten von Scheich Achmed. Mit den bloßen Händen hat sie das Raubtier erstickt. Aber schrecklich sieht sie aus. Wie ein Stück Hackfleisch.

Die Männer umstanden stumm die Baracke und warteten weiter. Das Öl war ihnen jetzt völlig gleichgültig, der Teufel konnte es holen und sich damit seinen Hintern salben.

Cathérine. Das allein war jetzt wichtig. Cathérine lag im Sterben, hieß es. Ihr Blutverlust ist zu groß. Das Herz schlägt kaum noch. Die Idioten da drinnen bekommen die Blutungen nicht zum Stillstand. Sie stehen herum wie die Bettnässer vor dem nassen Betttuch! Nach Ouargla zu fliegen ist bereits zu spät.

Blutspender werden gesucht.

Blutgruppe Null.

Vierzig Männer traten vor. Ernst, mit verkniffenem Mund, wässerigen Augen.

Cathérine. Sie stirbt. Ist denn so etwas überhaupt möglich? Unsere Cathérine…

Im Behandlungszimmer lag sie noch immer auf dem Tisch. Auf der Erde hatte sich eine Blutlache gebildet. Molnar und Navrimont hatten große Mullpakete auf die zerrissenen Schultern gepackt und wussten nun nicht weiter. Blutspender standen genug draußen, aber wie macht man eine Blutübertragung?

Die Männer blickten sich an und senkten dann die Köpfe. Und da, in diesem Moment, sagte jemand, was die meisten dachten:

»Zum Teufel, wo ist denn der Doktor?«

»Ja, wo ist er?«, schrie Navrimont. »Ihr Idioten, bei Achmed! Holt ihn her… sofort… und wenn ihr kriegsmäßig die ganze Oase ausräuchert. Nur bringt ihn gesund hierher!«

»Ich nehme den schnellsten Wagen!«, schrie Molnar. Er boxte sich durch die Menge und rannte zu dem kleinen Jeep, mit dem Cathérine gekommen war. Der Sitz, das Lenkrad, die Schaltung, alles war blutverschmiert. Molnar sprang auf den Sitz und raste los wie ein Irrer.

Ich allein weiß ja, wo er ist, dachte er. Ich habe ihn vor ein paar Stunden niedergeschlagen. Nur eine Viertelstunde vor Cathérine bin ich von Bou Akbir zurückgekommen… o Himmel, hätte ich gewusst, was sich dort abgespielt hat!

Wie würde wohl Serrat jetzt handeln? Würde er auch den Doktor holen? Oder würde er sagen: »Lass sie verrecken! Katze gegen Katze, das ist ein ehrlicher Kampf.«

Molnar beugte sich über das Lenkrad. Der kleine Jeep hüpfte über die Wüstenstraße wie ein irrer Floh.

Cathérine, dachte er weiter. Unsere Cathérine! Wenn sie stirbt, was sind wir dann?! O Gott, wir haben keine Mutter mehr. Bis heute haben wir ja alle nicht gespürt, was sie uns bedeutet.

Molnar starrte in die Wüste und fühlte an dem Nass auf seinen Wangen, dass er weinte. Und er fand das ganz natürlich, denn ohne Cathérine in der Sahara zu leben erschien ihm jetzt unmöglich.

Er fuhr eine Viertelstunde und hatte die Abzweigung nach Bou Akbir bereits in einer Rekordzeit erreicht, als er entsetzt in die Ferne blickte. Dort wurde der Himmel gelb und bleich und bewegte sich wie in Wellen. Die Sonne verlor allen Glanz und war wie eine polierte Scheibe, die durch Watte leuchtete.

Molnar kannte dieses Naturphänomen… es war gleichbedeutend mit einem zeitlich begrenzten Weltuntergang. Wer jahrelang in der Wüste gelebt hat, beginnt bei dieser Himmelserscheinung sofort mit seiner Sicherheit. Er verkriecht sich, verstopft alle Ritzen, bringt Tiere und

Fahrzeuge unter Dach und beginnt zu warten und zu hoffen.

Der Sandsturm.

Aus dem Nichts kommend. Eine heulende, wirbelnde Wand aus Sand, die alles unter sich begräbt. Eine Hölle aus winzigen, harten Körnchen. Ein Ersticken im Staub.

Molnar starrte auf die heranbrausende Wand und gab Vollgas. Er wusste, dass es sinnlos war, davonzulaufen... der Sturm holte ihn ein, und wenn's in Bou Akbir selbst war. Der Sturm aber würde auf jeden Fall verhindern, dass Dr. Bender nach Camp XI gebracht wurde, selbst wenn Molnar ihn finden würde.

Molnar heulte wie ein junger Hund, als ihm das klar wurde. Der Tod Cathérines war unaufhaltsam. Die Wüste selbst verhinderte ihre Rettung... sie deckte das Leichentuch aus Sand über sie.

»Ich hasse dich, Gott!«, schrie Molnar in den noch blauen Himmel über sich. »Ich hasse dich! Aber ich werde dich lieben und nach Lourdes pilgern, wenn du Cathérine leben lässt –«

An diesem Tag war Gott anscheinend zum Handeln nicht bereit.

Er ließ den kleinen Molnar vom Sandsturm überrollen.

Brüllend fielen die wirbelnden Gebirge über ihn herein, fegten den Jeep von der Piste in die Dünen, hoben den Ungarn in die Höhe und rollten ihn vor sich her wie einen Ball.

Um 16 Uhr 24 erreichte der Sandsturm das Lager XI. Er deckte zwei Hallen ab und begrub die Baracken einen Meter hoch im Sand.

Um 16 Uhr 59 bogen sich die Palmen von Bou Akbir. Die Menschen rannten schreiend in ihre Häuser. Sie zogen das Vieh hinter sich her, verrammelten die Türen und beteten zu Allah. Der alte Kebir, der Priester, sang mit zitternder

Stimme die Suren der Gnade. Er lag mit Achmed in dessen Haus auf dem Gebetsteppich und wagte nicht den Kopf zu heben.

Wie tot lag die Oase im Vorbotenwind des Sandsturmes. Selbst die Katzen verkrochen sich in Löcher und unter Steinen. Die Geier auf den Hausdächern und Palmen steckten die nackten Köpfe unter die Flügel. Alles Lebende hielt den Atem an.

Nur ein Mensch ging langsam, die Hände in den Hosentaschen, durch die ausgestorbene Oase.

Dr. Bender.

Er wusste, was da in wenigen Minuten über ihn herfallen würde, aber er fürchtete es nicht. Die Häuser waren ihm verschlossen, niemand kümmerte sich um ihn, er war ein Ausgestoßener, dem der Tod eine Erlösung sein sollte.

Als die Palmen im Wind zu jammern begannen und die ersten Sandstrahlen sein Gesicht peitschten, legte er sich an einer Gartenmauer auf die Erde, zog das Hemd, das er in einem Brunnen nass gemacht hatte, über den Kopf, stopfte einen Zipfel des tropfnassen Stoffes zwischen die Lippen und schützte seinen Nacken mit einer alten, zerrissenen Matte, die er aus dem Wind fischte, als sie an ihm vorüberwirbelte.

So lag er auf der Erde, armseliger als jeder wilde Hund, und drückte sich an die Gartenmauer.

Und dann war der Sandsturm da, brüllend und heulend, eine Faust aus wirbelnden Körnern, die alles niederpreßte.

Dr. Bender hob einmal den Kopf und ließ ihn sofort wieder sinken.

Die Welt geht unter, dachte er. Meine Lungen füllen sich

mit Sand. Ich spüre es… jeder Atemzug ist ein widerliches Knirschen.

Er biss auf den nassen Zipfel seines Hemdes und presste das Gesicht dicht an die Gartenmauer.

Über seinem Körper häufte sich ein Hügel aus Sand.

Ali ben Achmed lag auf seinem Gebetsteppich, die Stirn auf den Boden gedrückt, die Hände flach daneben und betete leise. Sein Kopf zeigte nach Osten, nach Mekka, zum Platz, wo Mohammed die Worte Allahs verkündet hatte. Um sein Haus tobte der Sandsturm, heulte der Wind, wirbelten die staubfeinen Körner durch jede Ritze, knirschten die Wände im Druck der Orkanwellen und bebte das Dach in den Verankerungen. Er hörte, wie sein herrlicher Garten unterging in diesem Toben der Natur… die Palmen wurden aus der Erde gerissen, der gepflegte Rasen wurde zur Wüste, die Brunnen versandeten, die Blütenbüsche verdorrten in Minutenschnelle im heißen Atem des Sturmes. Er hörte das alles, denn er kannte die Gewalt dieser Sandflut, aber er wagte nicht, den Kopf zu heben oder gar aufzustehen und hinauszublicken in das Chaos, das über seine Oase hinwegfegte. In der Gebetsecke seines großen prunkvollen Raumes lag er nun wie ein armseliges Häuflein Lumpen, mit geschlossenen Augen, Allah um Gnade anflehend und um Vergebung aller Sünden, die er in seinem Leben auf sich geladen hatte.

Seine Diener hatten sich verkrochen… in die Keller, in die festen Ställe, irgendwo in dem weiten Haus, wo der Sturm sie nicht fassen konnte. Die edlen Pferde standen still in ihren Boxen, die Köpfe gesenkt, die Ohren gespitzt, und lauschten auf das Heulen des Windes. Sie waren Kinder der Wüste, aufgewachsen mit allen Schrecken dieses glühenden, mörderischen Landes. Sie wussten: Weglaufen hat keinen Sinn, es bedeutet den sicheren Tod. Solange die Wände halten, solange ein Dach über ihnen ist, waren sie sicher. Der Sand, der durch die Ritzen und Türen hereinwehte, war ihre Heimat. Aber ihre großen, runden Augen blieben wachsam, ihre Ohren registrierten jeden Laut, die Nüstern waren gebläht.

In der Oase erstarb alles Leben. Bis auf Dr. Bender, der an die Mauer gepresst mitten im Sturm lag, gab es nichts Lebendes mehr auf den Straßen. Nur ein Hund, ein kleiner struppiger Kerl, braun mit weißen Flecken, ein krummbeiniger, hässlicher Kerl, irgendwo in einer Ecke dieser Oase geboren, ohne Heimat, weggejagt von allen Türen, ein armseliges Wesen, ausgestoßen wie Dr. Bender, irrte im Windschatten der Wand herum, kroch von Stein zu Stein und suchte Schutz. So traf er auf den liegenden, halb zugewehten Menschen, beschnupperte ihn, erkannte ihn als lebendes Wesen und presste sich in seiner großen Not an ihn.

Bender hob den Kopf und zog den kleinen Hund an sich. Er schob ihn zwischen seine Arme, drückte ihn vor sein Gesicht, vergrub seinen Kopf in das harte, struppige, sanddurchsetzte Fell und spürte das wilde Zittern der ängstlichen Kreatur.

»Ruhig, mein Kleiner«, keuchte Bender durch den Zipfel seines nassen Hemdes und umarmte den leise wimmernden Hund. »Ganz ruhig... wir überleben... es geschieht uns nichts... Bastarde sind zäh... Wir wollen doch leben, was?«

Ein neuer Sturmstoß drückte sie gegen die Mauer. Es war Bender, als stürze ein Sandgebirge über ihn, die Luft blieb weg. Irgendwo musste ein Vakuum entstanden sein... er riss den Kopf hoch und machte den Mund weit auf, auch wenn ihm der Sand bis in die Kehle wehte.

Luft – Luft – Mein Gott – Luft! Ich will nicht ersticken... ich will leben... leben –

Dann war auch diese schreckliche Sekunde vorbei, er atmete durch und fand die Luft köstlich, wie mit herrlichem Duft durchsetzt. Der Wind hatte ebenso plötzlich nachgelassen, wie er gekommen war, nur eine Staubwolke senkte sich noch über die Oase, Nachhut einer tödlichen Vernichtung.

Dr. Bender schob sich auf die Knie und presste den kleinen, hässlichen Hund an sich. Das krummbeinige Kerlchen sah ihn an aus weiten, tiefbraunen, sprechenden Augen, dann leckte es ihm die Hand und drückte die spitze Schnauze an seine Halsbeuge.

Eine unendliche Zärtlichkeit überkam Dr. Bender. Er drückte den Hund fester an sich und streichelte mit zitternden Händen das struppige Fell.

»Wir leben, mein Junge«, sagte er leise. Seine Stimme war tonlos, wie vom Sand aufgesogen. »Tatsächlich, wir haben es geschafft. Wir Ausgestoßenen leben weiter.« Er hob den kleinen Hund hoch und lachte ihn an, und der struppige, hässliche Kerl spürte die Freude des Menschen und gab ein helles Bellen von sich und strampelte mit allen Beinchen.

»Was nun?«, sagte Bender, als sie zusammen an der Mauer saßen. Die Oase Bou Akbir hatte ihre Schönheit verloren. Die Gärten waren versandet, die Felder verwüstet, vor den Häusern türmten sich Sandberge, am Rande hatten sich neue Dünen aufgetürmt, die Palmenreihen der Außenwälder ragten nur noch mit den Wipfeln oder bis zur Hälfte verschüttet aus den neu gebildeten Sandbergen. Noch regte sich nichts im Ort... Menschen und Tiere blieben verkrochen, man traute dem plötzlichen Frieden der Natur nicht. »Bleiben wir zusammen?«

Der kleine Hund leckte wieder die Hand Benders. Es war seine Antwort. Du bist mein Herr. Ich folge dir. Wir sind die einsamsten Wesen auf der Welt. Keiner will uns... wir haben nur uns selbst –

»Gehen wir«, sagte Bender und klopfte den Sand aus seinem Anzug. »Suchen wir uns was zum Essen. Betteln liegt mir nicht… da ist Klauen schon angenehmer. Komm, Ludwig…« Er blieb stehen, als der kleine krummbeinige Hund an der Mauer verharrte. »Ja, du bist gemeint. Du heißt ab heute Ludwig.« Er ging in die Hocke und hielt die Hand auf. »Komm her, Ludwig… wir wollen stehlen gehen. Das wird jetzt unser Leben sein, bis ein Wunder kommt. Wir gehen nicht unter, Ludwig, wir nicht! Komm –«

Er wandte sich ab und ging zurück in die Oase. Er blickte sich nicht um, aber er wusste, dass der kleine Hund ihm nachdenklich nachschaute. Dann lächelte Dr. Bender… neben ihm tauchte ein tappendes Knäuel auf und blieb an seiner Seite. Ludwig hatte endlich seinen Herrn gefunden.

Auf dem Markt waren die Stände umgekippt und voller Sand. Kein Mensch war zu sehen. Dr. Bender knüpfte aus seinem Hemd eine Art Tasche und packte hinein, was herumlag.

Obst. Datteln. Fladen aus Wildweizen. Eine Blechkanne voll Limonade. Ein Beutel Maismehl. Tomaten. Eine Wassermelone.

Alles war mit feinstem Sand paniert… aber wer Hunger hat, den stört nicht das Knirschen zwischen den Zähnen. Ludwig entwickelte eine feine Nase… er kam aus einem zusammengebrochenen Stand mit einem Stück Hammelfleisch wieder und rannte Bender voraus zurück zum Rand der Oase.

Weg von den Menschen. Heute ist Feiertag.

Ein großes Stück Fleisch!

O Allah, du liebst auch die Kreatur –

Dr. Bender folgte ihm, den Hemdensack mit seinen Schätzen über die Schulter geworfen. In einem alten, verfallenen Ziegenstall am Rande eines Wadis, eines ausgetrockneten Flussbettes, in dem nie ein Tropfen gelaufen war, solange man in Bou Akbir denken konnte, fand er ein Quartier und packte sein zusammengestohlenes Leben aus. Ein Häufchen Essen... es kann für vier Tage reichen, rechnete er.

Und dann?

Neben ihm, auf der Erde, schmatzte Ludwig.

Die Welt war so klein geworden wie ein Stück Hammelfleisch.

In seiner Gebetsecke war Ali ben Achmed zusammengebrochen.

Er lag, die Hände auf den Magen gedrückt, auf dem Rücken und stöhnte laut. Ganz plötzlich war das gekommen... mitten im Gebet, im Heulen des Sandsturmes, überkam ihn eine schreckliche Übelkeit, dann durchjagten Stiche seinen Leib, er hatte das Gefühl, jemand spalte seinen Magen mit einer glühenden Klinge auf, er schrie auf und fiel auf den Rücken.

Das ist die Angst, dachte er. Die Angst, vom Sand begraben zu werden. Die Angst vor dem Tod! Sie zerfrisst mich, sie zerreißt mich. O Allah, verzeih, ich bin ein Sünder!

Aber als der Sturm nachließ – Achmed hörte es an dem leiseren Brausen der Sandwolken – blieb der bohrende, stechende Schmerz in seinem Leib. Im Gegenteil, etwas Neues kam hinzu: In seinen Eingeweiden schien Feuer auszubrechen. Er heulte laut auf, wälzte sich auf dem Gebetsteppich, und kalter Schweiß bedeckte in Sekundenschnelle seinen ganzen Körper.

So trafen ihn seine Diener an, als sie aus ihren Verstecken hervorkrochen und stumm vor dem Untergang des prächtigen Gartens standen.

»Holt Jussuf –« heulte Ali ben Achmed und schwankte, gestützt durch zwei Diener, zu seinem Diwan. »Schnell...

holt ihn…« Dann sank er in die Kissen, hielt sich wieder den Magen und würgte, als müsse er sich erbrechen.

Jussuf kam nach zwanzig Minuten. Er war ein verknitterter Mann mit einem Spitzbart, der früher als Sanitäter bei der Freiheitsarmee gedient hatte und sich als Arzt ausgab. Was er konnte, hatte er den Militärärzten abgeguckt, und das war sehr wenig, wenn es um Innere Medizin ging. Verbände konnte er machen, auch eine Wundversorgung, doch vor Krankheiten, die man nicht sah, war er machtlos. Ein Schuss ins Bein… das war etwas Reelles… aber Krämpfe im Magen, da konnte man nur raten.

Er untersuchte Ah ben Achmed, klopfte auf den Magen, was Ali zu lauten Schreien reizte, öffnete dann seinen Koffer und entnahm ihm einige Instrumente, die Achmed mit tief liegenden, flatternden Augen betrachtete.

»Was ist es, Jussuf?«, stöhnte er. »O Allah, ich verbrenne innerlich…«

»Im Darm ist ein Überdruck«, sagte Jussuf weise. »Wir nehmen ihn weg, Ali. Nur ruhig Blut.«

Was Jussuf tat, war entwürdigend, aber Achmed hatte keinen Sinn mehr für Würde. Er kämpfte gegen eine Ohnmacht an, so jagte der Schmerz durch seinen Körper. Er drehte sich auf die Seite, ließ seine Kleidung hochheben, und Jussuf gab ihm nach guter alter Militärarzt-Manier zunächst ein Klistier.

Es war Achmed, als zerplatze er. Er brüllte auf, und als er sich entleert hatte, lag er schlaff und willenlos auf dem Diwan. Jussuf betrachtete nachdenklich das Herausgespülte. Es war neben Kot auch Blut darin, und das machte ihn kritisch.

»Du hast sicherlich einen Dattelkern verschluckt, und der hat den Darm angekratzt«, sagte er. »Keine Aufregung, Ali. Es wird alles gut.«

Das war eine Lüge, denn gleich darauf schickte er einen Diener zu dem alten Kebir. Im Vorraum von Achmeds Schlafzimmer fing er den Alten ab. Kebir, der den Sandsturm in der kleinen Moschee überlebt hatte, sah schrecklich aus. Sein langer Bart war vom Sand steif wie ein Brett.

»Er hat eine Krankheit, die ich nicht kenne«, sagte Jussuf ehrlich und zeigte mit dem Daumen in den Schlafraum. »Wenn man seinen Bauch berührt, schreit er auf, und im Kot ist Blut. Beim Militär habe ich einen solchen Fall noch nicht gehabt. Ich habe ihm Schmerztabletten gegeben, aber sie schlagen nicht an. Was soll man jetzt tun?«

Der alte Kebir sah Jussuf traurig an und ging zu Achmed. Der Scheich lag apathisch, die Hände auf der Brust gefaltet, und starrte gegen die Decke. Sein Gesicht, einst von einer wilden Schönheit, die er auch auf Saada vererbt hatte, war fahl und eingefallen. Wie ein Toter wirkte er, spitznasig und hohlwangig. Der alte Kebir bekam einen Schrecken und setzte sich auf die Diwankante.

»Allah hat mich verflucht«, sagte Achmed mit zitternder Stimme. »Er hat mir Saada genommen, lässt meine Oase untergehen und zerreißt meinen Leib. Es geht zu Ende, Kebir. Bete mit mir...«

Der Alte betrachtete die tief liegenden Augen Achmeds und erinnerte sich daran, dass Abdallah nicht anders ausgesehen hatte. Der weiße Arzt hatte die Leiche gestohlen, und jeder in der Oase wusste, dass Abdallah an der geheimnisvollen Hadjar-Krankheit gestorben war. Für sie gab es keine Medikamente, sie war eine Geißel Gottes.

Kebir strich sich seinen sandgefüllten Bart und bemühte sich, würdig zu sprechen.

»Man sollte den weißen Hakim bitten«, sagte er. »Ganz gleich, wie es mit ihm ist... es geht um dein Leben, Ali. Du magst ihn hassen... aber wenn einer helfen kann, dann nur er! Das sage ich dir, obwohl ich alle Weißen zum Teufel wünsche.«

Achmed schloss die Augen. In seinem Leib tobten Flammen. »Sucht ihn…« sagte er kaum hörbar. »Sucht ihn… Auch diese Strafe Allahs will ich auf mich nehmen, dass mich ein Weißer berührt… Lasst ihn überall suchen –«

Dann fiel er in Ohnmacht. Kebir wischte sich über das Gesicht. Es ist zu spät, dachte er. Wenn es die Hadjar-Krankheit ist… o Allah, verschone uns anderen. Lass die Oase Bou Akbir nicht ein Totenfeld werden –

Er rannte aus dem Zimmer, schrie alle Diener zusammen und befahl ihnen, auszuschwärmen und den weißen Hakim zu suchen.

Der kleine Ungar Molnar hatte Glück… der Sturm fraß ihn nicht auf. Nachdem er ein paar Meter wie ein Ball gerollt war, blieb er hinter einem Felsstein liegen, umklammerte ihn und überlebte so auf freier Wüste den Sandsturm. Zerschunden, voller Schrammen und Risse, stand er nach dem Inferno auf und atmete die klare Luft ein wie Blütenduft. Er fühlte sich wie an einem Herbstabend in der Pußta, so gering war die Hitze nach diesem brüllenden Orkan. Schwankend ging er zurück zu dem kleinen Jeep, der auf der Seite lag und einem Sandhügel glich. Über eine halbe Stunde saß Molnar neben dem Auto, atmete wie ein Blasebalg und wunderte sich, dass er noch lebte. Dann dachte er an Cathérine, und er sprang auf, um den Jeep auszugraben. Es ist sowieso zu spät, dachte er. Sie ist längst tot! Auch wenn ich Dr. Bender finde… er kann nur ihren Tod feststellen. Aber Serrat, verdammt noch mal, diesen Serrat werden wir umlegen. Wir alle… darin sind wir uns jetzt einig.

Wenn er von Algier zurückkommt, wird er den Weg vom Hubschrauber bis zu seinem Zimmer nicht mehr überleben. Seine ganze Bullenstärke wird ihm nichts mehr nützen… Es wird keinen von uns geben, der nicht auf ihn abdrückt. Für Cathérine bringen wir zehn Serrats um!

Mit der Schaufel, die jeder Wüstenjeep als Ausrüstung mit sich führt, grub er den Wagen aus, wuchtete ihn auf die Räder, indem er ihn so lange schaukelte, bis er umkippte und richtig stand… dann setzte er sich hinter das Steuerrad und ließ den Motor an.

Das war ein neues Wunder, an das Molnar nie geglaubt hätte. Da drinnen ist alles versandet, dachte er vorher. Motor, Getriebe, Zündung, Bremsen, alles ein Sandbrei. Aber der Jeep sprang an, und er fuhr sogar, wenn auch knirschend wie hundert Männer, die sich auf die Zähne bissen. Molnar jubelte laut, er hieb auf das Steuerrad und benahm sich wie ein Irrer.

Er fährt… er fährt – ich werde den Doktor erreichen! Ich komme nach Bou Akbir.

O Gott, mein Gott, mein lieber Gott… lass Cathérine noch leben…

Nach einer Stunde erreichte Molnar die Oase. Ein Gewimmel von Menschen empfing ihn. Das große Aufräumen hatte begonnen.

Man grub Bou Akbir aus dem Sand.

Nachdem sie den Salzsee Schott Djerid verlassen hatten und auf die gut ausgebaute Straße nach Gafsa gekommen waren, ließen die Mädchen von Saada ab. Es war auch nicht mehr nötig. Die katzenhafte Stärke ihrer Gefährtinnen besiegte Saada völlig. Eingeklemmt zwischen den anderen, hockte sie in dem großen Wagen und starrte auf die Wüstenberge. Ali Hadschar, ihr neuer Herr, beobachtete sie im Rückspiegel, während er fuhr.

Sie ist ein wirkliches Kapital, dachte er. Sie ist das schönste Mädchen, das ich je eingekauft habe. Mit ihr werde ich in Annaba das ganz große Geschäft machen.

Angst, dass Saada ihm fortlaufen oder Gäste alarmieren könnte, hatte er nicht. Noch kannte Saada nicht seine Methoden, die Mädchen zum Schweigen und zum Gehorsam zu zwingen; noch wusste sie nicht, was sie in der Bar erwartete, dass sie ein rechtloses Stück schönen Fleisches war, das jeder genoss, der dafür bezahlte. Ein Stück praller Sinnenlust, dessen Klagen keiner hören wollte. Wer zu Ali in die Hinterzimmer kam, für den war ein schönes Mädchen kein Mensch mehr, sondern nur ein Objekt seiner Geilheit.

Ali Hadschar hielt kurz vor der Stadt Gafsa an und wandte sich zu Saada um. Sein Glatzkopf leuchtete in der Sonne.

»Wir kommen gleich nach Gafsa«, sagte er, »und dann fahren wir weiter zur Küste nach Gabès. Es hat keinen Zweck, Polizisten zu rufen oder sich zu benehmen wie eine Irre… Keiner würde dich beachten, die meisten Polizisten kennen mich, und es wäre nicht gut für deine Samthaut, wenn ich die Peitsche gebrauche. Verstehen wir uns?«

Saada sah an Ali vorbei wie an einem Haufen Unrat. »Mein Vater wird mich suchen und finden«, sagte sie stolz. »Und dann wird er dir den Kopf abschlagen.«

»Wo soll er suchen?« Hadschar lachte heiser. »Wie kann ein Mensch ahnen, welchen Weg du nimmst? Wir sind in Tunis und kehren nach Algerien zurück. Das wird niemand herausfinden.«

»Sie werden es!«, sagte Saada fest. »Ich glaube an meinen weißen Hakim.«

Ali fuhr weiter. Der Deutsche lag ihm wie ein Stein im

Magen. Aber dann beruhigte er sich selbst. Der Weg, den er mit seinen Mädchen nahm, war die ausgeklügeltste Route, die es nur gab. Nicht eine Spur würde es geben, nicht einen Hauch von Verdacht.

Was ist ein einzelner, kleiner Mensch in der Weite Afrikas? Eher findet man eine Perle in einem Urwald –

Saada merkte sich den Weg genau. Sie blieb ruhig, als sie schnell Gafsa durchfuhren und abbogen auf die breite Staatsstraße nach Gabès. Am Abend erreichten sie die Hafenstadt, fuhren direkt zum Hafen und hielten an einem Pier, an dem eine schmucke, weiße Jacht lag. Hadschar stieg aus und grunzte zufrieden. Die anderen Mädchen klatschten begeistert in die Hände. Für sie war diese Reise in ein neues Leben wie ein Wunder.

Die große Stadt. Das blaue Meer. Das weiße Schiff. Der Reichtum, der überall auf sie eindrang. Die Autos. Die Fülle an Lebensmitteln.

Eine Welt voll Wunder, wenn man aus der tiefsten Wüste kam, aus den gebleichten Felsen, aus Dörfern, in denen eine Kanne voll klaren Wassers schon einen Schatz bedeutete.

Saada stieg aus und sah sich um. Auch sie war zum erstenmal am Meer, und es faszinierte sie. Die unendliche Wasserfläche war unbegreiflich. Die Schiffe, die darauf herumfuhren, das turbulente Leben im Hafen, die großen Steinhäuser, der Reichtum... alles war auch ihr wie ein wahrgewordenes Märchen. Aber gleichzeitig begriff sie, dass diese neue Welt nur Schein war, dass sie eine Sklavin geworden war, über die diese Welt herfallen durfte, weil sie dafür bezahlte, dass dieses Märchen tödlich war und sie daran zerbrechen würde.

Sie zögerte nur ein paar Sekunden... es waren die Augenblicke, in denen drei Helfer Hadschars das Gepäck ausluden und zwei Mädchen schon über die schmale Gangway auf das weiße Schiff gingen... dann machte sie zwei weite, katzenhafte Sätze zum Quai und warf sich mit ausgebreiteten Armen in das Meer.

Ali stieß einen dumpfen Schrei aus.

»Rettet sie!«, brüllte er dann. »Springt ihr nach! Hundert Dinare für den, der sie herausholt!« Er selbst rannte an das Ufer und sah auf Saada, die instinktiv schwamm, untertauchte, zu versinken schien, wieder an die Oberfläche kam und weiterschwamm... hinaus ins freie Meer, in den sicheren Tod.

Zwei Angestellte Hadschars hechteten hinterher ins Wasser. Es waren geübte Schwimmer... sie kraulten Saada nach, erreichten sie schon nach wenigen Metern und fielen im Wasser über sie her. Brutal hieben sie ihr auf den Kopf, fingen die Untertauchende auf und brachten sie an Land. Dort hoben sie die Ohnmächtige auf das Schiff und trugen sie in eine Kabine, die Ali abschloss; den Schlüssel steckte er in seine Tasche. Das Bullauge, das wusste er, war verschraubt.

Der letzte Versuch Saadas, zu flüchten oder zu sterben, war gescheitert.

In der Nacht legte das weiße Schiff von Gabès ab und fuhr hinaus ins Meer. Ein weiter Weg lag vor ihnen... von Gabès um die ganze Landspitze von Tunis herum zurück nach Algerien, wo man in Annaba, dem früheren Bône, landen würde. Ein Seeweg von 800 Kilometern. Aber der sicherste Weg für die Mädchen des Ali Hadschar. Eine Fahrt von knapp drei Tagen, ohne Aufenthalt, wenn das Meer ruhig blieb.

Ali stand vorne am Bug, als sein weißes Schiff schäumend das Meer durchpflügte. Er ließ mit voller Fahrt reisen... die Hauptlast des Schiffes bestand aus Benzin. Alle Laderäume lagen voll Tonnen, selbst auf Deck waren die Benzinfässer festgezurrt.

Als die Lichter von Gabès am Horizont versanken und nur das dunkle, schwach bewegte Meer um ihn war, atmete Ali auf. Von nun an gab es keine Gefahr mehr für ihn. In Algerien hinderte ihn niemand, die Mädchen an Land zu bringen... die Polizeiposten an dem Küstenstreifen, wo Hadschars privater Landungssteg sich befand, lebten vom Geld Alis. Sie wurden blind und taub, wenn das weiße Schiff von großer Fahrt zurückkehrte.

Das Schicksal Saadas war unabwendbar geworden.

Am nächsten Tag schien eine helle Sonne über dem Meer. Es lag vor dem Schiff wie ein blauer Zaubersee. Ali hatte gut gefrühstückt, die anderen Mädchen sonnten sich nackt auf dem Hauptdeck, und Ali war zufrieden mit seinem Einkauf. Lauter junge, unverbrauchte Körper. Schlank, braunhäutig mit einem Seidenglanz, kleine feste Brüste. Er stellte sich vor die Mädchen, die ihn unbefangen ansahen und anlächelten, sich wie die Katzen an der Sonne streckten und dehnten und das neue Leben genossen. Für sie war der Sprung vom Wüstendorf in die große Welt ein Geschenk Allahs. Was hieß hier verkauft, was hieß Sklavin? Zu Hause, in den Steinhöhlen, waren sie nicht weniger rechtlos, wurden sie als Arbeitstiere gehalten, mussten später ihrem Manne untertan sein und galten weniger als ein Esel oder ein Kamel. Das Recht der Frau... es gab es nicht in der Wüste. Wenn ein Kamel starb, trauerte die ganze Familie... starb eine Frau, wurde sie in die Grube gekippt und zugeschaufelt. Denn Allah hat die Frau geschaffen zur Arbeit und zum Gebären... dass sie auch eine Seele hat, davon steht nichts im Koran.

Hadschar gönnte sich einen schönen Morgen. Er legte

sich zwischen die nackten Mädchen, betastete ihre Brüste, streichelte ihre Schöße und zeigte dann, wer der Herr war. Er bestimmte eines der Mädchen, ein kräftiges Ding aus Ghardaia mit Brüsten wie Speerspitzen, mitzukommen, nahm sie mit in seine große Kabine und vergnügte sich mit ihr über eine Stunde lang... ein glatzköpfiger, keuchender, schwitzender Vulkan, der erst Ruhe gab, als das Mädchen schlaff wie eine Puppe in seinem Arm lag. Dann brauste er sich, denn er war ein sauberer Mensch, zog einen neuen weißen Haikh an und ging zur Kabine Saadas. Als er sie aufschloss, saß Saada am verschraubten Bullauge und sah hinaus auf das blauleuchtende Meer.

»Ein herrlicher Morgen«, sagte Ali. Er setzte sich neben die Tür auf einen Hocker und legte eine kurze, geflochtene Peitsche über die Knie. Saada antwortete nicht, sie drehte sich auch nicht zu ihm um. »Die anderen Mädchen liegen in der Sonne, trinken Orangensaft, haben weißes Brot mit Honig gegessen und lassen den Seewind über ihre Körper wehen. Du könntest das auch, wenn du vernünftig wärst. Sieh doch ein, dass es keinen Sinn hat, sich zu wehren...«

Hadschar wartete, aber Saada zeigte keinerlei Regung. Es war, als habe er gegen den Wind gesprochen. Da ließ er die kurze Peitsche gegen seine Schenkel klatschen, und diesen Ton schien Saada zu kennen. Sie zog die Schultern etwas hoch, ihr Kopf senkte sich nach vorn. Ali lächelte breit.

»Steh auf«, befahl er. »Leg die Kleider ab und tanze.«

Saada rührte sich nicht. Nur ihre Finger verkrampften sich ineinander. Ali klatschte wieder mit der Peitsche gegen seine Schenkel.

»Ich weiß, du kannst noch nicht so tanzen, wie es sein muss. Aber du wirst es lernen. Den besten Lehrmeister sollst du bekommen... mich! Los, tanze!«

Saada bewegte sich nicht. Sie zeigte auch keinerlei Regung, als Hadschar aufsprang und hinter sie trat. Erst, als der erste Peitschenhieb ihre Schultern traf und durch das Kleid hindurch einen Striemen in die braune Haut schnitt, fuhr sie wie eine Schlange herum und sprang Ali an.

Der Glatzkopf wich geschickt zurück und hieb auf ihre vorgestreckten Arme. »O du Teufel!«, sagte er dabei. »Du wildes Füchslein! Muss ich dich wirklich erst zerbrechen, ehe du vernünftig wirst?!« Er warf sie mit einem neuen Schlag zurück an die Wand, klemmte dann die Peitsche unter die Achsel, stürzte sich auf Saada und riss ihr mit zwei kräftigen Rucken das Kleid vom Körper. Nackt stand sie vor ihm, in einer Schönheit, die ihn verwirrte, gespannt wie eine Bogensehne, geduckt wie ein Löwe zum Sprung. Ihre vollen, straffen Brüste wogten im hastigen Atmen. Die Muskeln in ihren Schenkeln waren gespannt.

»O Allah –« sagte Hadschar voll Überzeugung. »Welch schöne Menschen lässt du wachsen –« Dann nahm er die Peitsche wieder in die rechte Hand und wog sie, als sei sie eine Stange Manna. »Tanz!«, befahl er noch einmal.

Saada blieb stehen, ihre Augen sprühten Feuer, und als sie jetzt den Kopf schüttelte, fielen ihre langen Haare über ihren nackten Körper wie ein Vorhang.

»Ich verfluche dich!«, sagte sie leise. »Ich verfluche dich –«

»Ich bin tausendfach verflucht worden und nicht daran gestorben«, antwortete Hadschar mit verzerrtem Lächeln. Er dachte an seine Bar in Annaba, an das Kapital, das Saada für ihn bedeutete, und er verdrängte mit diesen Gedanken alle Gefühle, die der Anblick ihres herrlichen Körpers in ihm erweckt hatte. Sie ist ein Objekt zum Geldverdienen wie alle anderen, sagte er sich vor. Bisher habe ich noch jeden Widerstand gebrochen... warum soll sie anders behandelt werden als die anderen Weiber?

Er atmete tief ein und schlug dann zu. Rücksichtslos

klatschte die kleine Peitsche auf die nackte Haut Saadas... ein paarmal sprang sie wie eine Wildkatze vor, mit kleinen spitzen Schreien, aber sie erreichte Hadschar nie, sondern taumelte unter seinen Schlägen wehrlos zurück.

Nach einer Viertelstunde Kampf gab sie auf. Schwer atmend lehnte sie an der Wand und bedeckte zum Zeichen der Niederlage mit beiden Händen ihr Gesicht.

»Tanze –« sagte Hadschar wieder. Er ging zu einem Schränkchen, holte ein Tonband heraus und stellte es an. Musik von Flöten, Handtrommeln und klagenden Geigen erfüllte die Kabine. Eine Melodie der Wüste, unendlich traurig wie die Wüste selbst.

Und Saada tanzte. Mit geschlossenen Augen bewegte sie den misshandelten Körper... erst zaghaft, nur in den Hüften wiegend, dann stärker, ein paar Schritte nach vorn und zur Seite, die Arme hoben sich, streiften den Vorhang der Haare von ihrer herrlichen Nacktheit, die Brüste schwankten im Rhythmus, die Beine tänzelten, der Leib drehte sich, die Schenkel bebten... atemlos stand Hadschar an der Tür und starrte Saada an wie ein Wunder.

Ich tanze... dachte sie... ja, ich tanze. Ich habe kapituliert vor seiner Peitsche. Aber nur heute... der Schmerz war so groß, und er hätte mich in Fetzen gepeitscht. Er kennt kein Mitleid. Aber einmal kommt der Tag der Rache. Einmal wird jeder Schlag vergolten werden.

Tanze... tanze, Saada... wirf die Füßchen, lass die Arme kreisen, zeige deine nackte Schönheit... lass den Leib im Rhythmus zittern... Ich will leben... jetzt weiß ich es... ich will leben für die Rache... und für dich, mein Liebling, mein weißer Hakim. Ich weiß, du wirst mich finden, und dann möge Allah wegschauen vor dem, was die Rache der Wüste ist!

Sie tanzte, bis das kleine Tonband abgespielt war, und ließ

sich danach auf das Bett sinken. Unter ihren zerwühlten Haaren starrte sie Hadschar hasserfüllt an.

»War es so gut?«, fragte sie heiser.

»Es war das Schönste, was meine Augen je gesehen haben.« Ali Hadschar klatschte in die Hände. »Wir werden es jeden Tag üben. Wenn wir Annaba erreicht haben, wirst du der Stern Afrikas sein!«

Und so geschah es auch. Jeden Tag dreimal übte Hadschar mit Saada tanzen. Während die anderen Mädchen unbehelligt in der Sonne auf dem Oberdeck lagen, denn bei ihnen kam es nicht auf den Tanz, sondern auf ihren Rhythmus im Bett an, musste Saada sich nach den Klängen der Tonbandmusik drehen und durch die Kabine wirbeln.

Zuerst wehrte sie sich wieder, ganz bewusst, um Hadschar das Gefühl zu lassen, sie langsam, aber stetig zu besiegen. Nach dem vierten Übungskurs tanzte sie ohne Gegenwehr. Hadschar verfiel ihrer List… er war glücklich, dass ihr Widerstand gebrochen war und Saada – wie er glaubte – sein bestes Geschäft würde.

»Sie werden dich mit Gold überhäufen«, sagte er und setzte sich neben sie. »Die reichsten Männer werden dir zu Füßen liegen. Und ich verspreche dir… nach zehn Jahren bist du wieder frei! Eine reiche, glückliche Frau… In zehn Jahren, dachte er dabei. Frei wird sie sein, aber nur, um in einem heimlichen Grab zu liegen. Es wird nie einen Zeugen geben, der gegen Ali Hadschar aussagen kann.

Er tätschelte ihre Schenkel, und sie ließ es geschehen, voll Ekel, der ihr wie Galle hochkam.

Erst in Annaba sein, dachte sie. Weg von diesem Schiff, von dem es kein Entrinnen gibt. Wenn ich das Land wieder unter den Füßen habe, müssten sie mich schon anketten. Solange ich laufen kann, werde ich versuchen, in die Wüste zurückzukommen.

Sie biss die Zähne zusammen, als Hadschar sie küsste... aber als er sie hintenüber auf den Rücken legen wollte, trat sie blitzschnell nach ihm. Hadschar nahm es ihr nicht übel... er grunzte tief, lachte und verließ die Kabine.

»Auch das wirst du lernen«, sagte er an der Tür. »Im Leben ist alles Gewohnheit –«

Drei Tage zog die weiße Jacht durch das Meer, bis die Küste Algeriens im Morgendunst auftauchte.

Annaba.

Der weiße Hafen.

Die Mädchen standen an der Reling und jubelten. Auch Saada stand auf Deck und starrte der langsam näherkommenden Küste entgegen.

Meine Freiheit, dachte sie. Meine Freiheit.

Ich grüße dich –

Molnar, der kleine Ungar, wurde von dem Gewühl der Menschen in Bou Akbir fortgespült. Wen er auch fragte, er bekam keine Antwort. Wen kümmerte jetzt der weiße Hakim, wo man dabei war, die Heimat aus dem Sand zu graben?

Er irrte mit seinem Jeep durch die Oase, bis er auf die Idee kam, am Rande zu suchen, dort, wo die wilden Hunde hausten und die streunenden Katzen. Er suchte in den Höhlen und in den Wadis, an den alten Mauern und verlassenen Häusern... und er traf auf einen kleinen krummbeinigen Hund, der ihn beschnupperte, anknurrte und weglief.

Molnar sah ihm nach und hatte ein merkwürdiges Gefühl. Dieser Hund lief nicht weg... er zeigte eine Spur. Er blieb nach fünf Metern stehen, bellte wieder und lief dann weiter, sich immer umblickend, ob der fremde Mann ihm auch folgte.

»Verdammter Köter!«, sagte Molnar auf Ungarisch. Aber er tappte Ludwig nach, durch ein verwildertes Wadi, zu einem verfallenen Stall, in dem der kleine Kerl bellend verschwand.

Molnar zögerte. Dann stieß er die schiefe Tür auf und trat ein.

Auf der Erde, zwischen Obst und Eßresten, lag Dr. Bender und schlief vor Erschöpfung. Molnar blieb an der Tür stehen und bekreuzigte sich.

Ich habe ihn gefunden, dachte er. Er lebt wie ein Hund mit einem Hund zusammen ... aber er lebt. Und Cathérine wird leben, wenn es nicht schon zu spät ist.

Er kniete neben Dr. Bender und spürte, wie ihm die Tränen aus den Augen rannen.

»Doktor –« stammelte er. »Doktor, wachen Sie auf.« Er rüttelte Bender, bis dieser aus einem bleischweren Schlaf erwachte und zunächst nicht wusste, was um ihn herum geschah. Doch dann erkannte er Molnar und zuckte hoch.

»Sie müssen mit!«, schrie ihm Molnar ins Gesicht. »Zurück zur Station! Cathérine ... sie stirbt ... Sie müssen sie retten! Sie verblutet – Doktor, helfen Sie doch –«

Bender taumelte hoch und merkte erst jetzt, wie schlapp er geworden war, wie ausgelaugt von der Hitze und dem Sandsturm. Er lehnte sich gegen die Stallwand, sonst wäre er wieder umgefallen.

»Was ist mit Cathérine?«, fragte er und rang nach Atem. »Wo ist Serrat?«

»Serrat ist in Algier! Wenn er zurückkommt, bringen wir ihn um.«

»Etwas anderes könnt ihr wohl alle nicht, was? Umbringen! Das ist der Weisheit letzter Schluss! Umbringen! Das ist so einfach, was? Da löst man alle Probleme! Sind wir denn geboren worden, um uns umzubringen?« Bender schwankte zur Tür, riss sie auf und trat ins Freie. Ludwig folgte ihm, eng an seinem rechten Bein. Vor ihnen lag jenseits des Wadis die glühende, flimmernde Wüste unter einem bleiblauen Himmel. Nur der Horizont war fahlgelb ... dort raste der Sandsturm weiter über andere Oasen und schreiende Menschen. »Ihr kennt mich also wieder? Ich bin kein Toter mehr? Kein Gefangener der Wüste? Kein Ausgesetzter, der krepieren kann?«

»O Gott, Doktor, reden Sie nicht so viel! Kommen Sie, Cathérine liegt auf dem Tisch im Behandlungszimmer, von einem Gepard zerrissen. Und alle stehen herum und wissen nicht, was sie tun sollen ...«

Dr. Bender nickte. Er bückte sich, nahm Ludwig auf seinen Arm und wandte sich zum Gehen.

»Fahren wir, Molnar.« Er schien noch gar nicht zu begreifen, was der Ungar ihm erzählt hatte. Mit steifen Beinen stakste er zu dem kleinen Jeep, der oben am Ufer des Wadis stand. Molnar rannte hinter ihm her.

»Wollen Sie den Köter mitnehmen?«, rief er.

Bender fuhr herum, als habe man ihn getreten. »Das ist kein Köter!«, schrie er plötzlich. »Das ist das einzige Wesen, das mich liebt. Das ist ein Geschenk Gottes.«

Er drückte Ludwig an sich, und der kleine Hund legte seine feuchte kalte Schnauze an seinen Hals und leckte ihn dankbar.

In der Nacht erreichten sie das Lager XI.

Alle Scheinwerfer brannten, Kolonnen gruben die Garagen und Materialschuppen aus dem Sand. In der Verwaltungsbaracke waren alle Zimmer erleuchtet. Der Sanitätswagen aus Camp XII stand vor der Tür. Man hatte in der größten Not von dort den Sanitäter geholt, den kleinen Italiener, der der Letzte seiner Familie war, den die Blutrache übrig gelassen hatte.

Den kleinen Hund an sich gedrückt, betrat Dr. Bender die Baracke. Ingenieur de Navrimont kam ihm entgegen und starrte ihn an wie einen Geist. Er hatte seit Stunden nichts getrunken, sein Magen brannte, aber er hielt durch, selbst dann, als der Italiener aus Camp XII die Wunden mit Alkohol auswusch und der Duft des Sprits wie Rosenhauch in Navrimonts Nase zog.

»Sie lebt noch…« stotterte er und fasste Dr. Bender an den Ärmeln. »Aber wie… Es kann nicht mehr lange dauern… Mein Gott, dass man Sie gefunden hat… Doktor, ich schwöre Ihnen… von all diesen Intrigen weiß ich so gut wie nichts…«

Bender nickte. Er schob Navrimont zur Seite und ging in das Behandlungszimmer. Die Männer, die um die nackte Cathérine standen, wichen zurück und schienen in die Ecken zu flüchten. Der Anblick, den Bender bot, war erschreckend. Dazu der kleine Hund an seinem Hals, der mit funkelnden Augen jeden beobachtete.

Der Italiener von Camp XII saß beim Kopf Cathérines und gab ihr eine Plasma-Infusion. Die schrecklichen Wunden waren abgedeckt, das Blut auf dem Tisch und auf dem Fußboden getrocknet.

Bleich, kaum atmend, ausgeblutet, lag Cathérine auf dem Tisch. Sie musste ein wunderbares Herz haben, das nach dem starken Blutverlust noch schlug.

»Cathérine –« sagte Dr. Bender und setzte Ludwig vorsichtig auf den kleinen Nebentisch zwischen die Mullbinden und Zellstoffrollen. »Uns beide hat die Wüste gefressen –«

Bevor Dr. Bender die Behandlung Cathérines übernahm, brauste er sich erst den Wüstenstaub vom Körper. Dann trat er, nur mit einer Hose und einer Schürze bekleidet, mit bloßem Oberkörper an den Tisch heran und untersuchte die Wunden. Sie sahen furchtbar aus, weil niemand sie sachgemäß behandelt hatte. Das Einzige, was der Sanitäter noch hatte tun können, war die Injektion einer Morphiumspritze gegen die wahnsinnigen Wundschmerzen und das Anlegen des Plasmatropfes. Cathérine selbst war besinnungslos, sie lag bereits in einer Art Koma, aus dem es kaum noch ein Erwachen gibt. Das Wunderwerk ihres Herzens aber schlug noch immer.

»Das war das einzige Richtige, was du tun konntest«, sagte Bender zu dem kleinen Italiener. Der Blutrachemann sah sich glücklich zu den anderen um. Stundenlang hatten sie ihn beschimpft, er sei ein Idiot, und hatten ihm gedroht, ihn aufzuhängen, wenn er nicht endlich an Cathérine etwas tat.

Dr. Bender tat zunächst das, worauf die Männer seit Stunden gewartet hatten... er holte alle Blutspender ins Zimmer, die die gleiche Blutgruppe wie Cathérine hatten. Der Sanitäter musste ihnen die Arme waschen und mit Alkohol einreiben, was bei Navrimont zu Verdrehungen der Augen führte. Bender sah es, ging zu einem Schrank, holte eine Flasche Pernod heraus und warf sie Navrimont zu. Der Ingenieur fing sie auf und sah Bender dankbar wie ein Hund, der einen Knochen bekommt, an. Dann setzte er die Flasche an den Mund und trank den unverdünnten Schnaps wie Wasser.

Bevor Bender den ersten Blutspender an den Dreiwegehahn anlegte, nähte er die großen Wunden an Cathérines Körper. Er streute vorher soviel Penicillinpuder hinein, wie möglich war, aber er wusste im Voraus, dass es eine riesige

Wundentzündung geben würde, wenn sie überhaupt überlebte. Dann lag der erste Mann, ein Mineur, neben Cathérine auf dem Tisch und gab sein Blut ab. Er war stolz darauf, auch wenn er unter der Bräune eine fahle Haut bekam. Wenn sie lebt, wird es durch mein Blut sein, sagte sein Blick. Unsere Cathérine wird mit meinem Blut leben!

Drei Spender wurden angeschlossen, dann unterbrach Bender die Übertragung. Das Herz begann zu flattern. Er spritzte ein Kreislaufmittel und schloss einen Tropf mit Traubenzuckerlösung an. Dann sah er sich um.

»Das ist alles«, sagte er zu den an den Wänden stehenden Männern. »Mehr kann die Medizin auch nicht! Jetzt muss Gott uns helfen!«

»Und wo ist er?«, fragte einer aus dem Hintergrund.

»Hier im Zimmer, Leute.« Dr. Bender setzte sich neben die röchelnd atmende Cathérine auf einen Schemel, den ihm der Italiener unterschob. »Ich meine, ihr geht alle raus! Ihr habt nicht verdient, mit Gott in einem Zimmer zu sein…«

Betreten, stumm verließen die Männer den Raum. Nur Navrimont blieb zurück und gab Bender die halbleere Pernodflasche zurück. Er wollte noch etwas sagen, aber dann schüttelte er den Kopf, legte nur die Hand auf die Schulter Benders und rannte dann aus dem Zimmer.

Die ganze Nacht saß Bender neben Cathérine. Er ließ sie auf dem Tisch liegen, nur ein Kissen hatte er unter ihren Kopf geschoben. Es ist besser so, dachte er. Wenn ich schnell operieren muss, verliere ich keine Zeit beim Transport vom Bett zum Tisch. Und im Übrigen ist es gleich, wo sie liegt… sie spürt es doch nicht. Zum Sterben ist ein Tisch genauso bequem wie ein Bett.

Wann er einschlief, wusste er nicht. Er erwachte, weil sich eine Hand leicht über seinen Kopf bewegte. Streichelnd, zärtlich eine schwache, müde Hand…

Er hob den Kopf und hielt die Hand fest. Der Morgen drang mit den ersten Strahlen der noch flachen Sonne ins Zimmer. Die Kälte der Wüstennacht lag noch im Raum.

»Cathérine…« sagte Bender leise und umklammerte die kalte, zuckende Hand.

»Mein Liebling…« Sie hatte den Kopf zur Seite gedreht und sah ihn aus fiebrigen Augen an. Augen, in denen das Vergehen lag. Augen, die verrieten, dass in wenigen Stunden die Hölle in dem zerrissenen Körper aufbrach.

Der Wundbrand. Die Infektion, gegen die Bender machtlos war. Die Vergiftung des Blutes.

»Du lebst –« sagte sie leise. »Du lebst…«

»Und du lebst auch, Cathérine…«

»Wie lange noch, Liebling?«

»Solange ich will!« Er stand auf und beugte sich über sie. Er küsste sie und wusste, dass es ihr letztes Glück war.

Sie schloss die Augen und lächelte selig. »Wohin gehen wir?«, fragte sie schwach.

»Nach Paris. Nach Köln. Nach München… wohin du willst.«

»Nach St. Dorante. Kennst du St. Dorante?«

»Nein.«

»Es ist ein kleiner Ort an der Côte d'Or. Mitten in den Weinbergen. Abends duften alle Straßen nach Reben. Ich bin dort geboren. Lass uns nach St. Dorante gehen.«

»Wohin du willst, Cathérine.«

»Und im Winter knirscht der Schnee unter den Stiefeln. O Schnee. Ich weiß kaum noch, wie Schnee aussieht…«

Sie streckte sich und zuckte nicht zusammen, als Bender ihr eine neue Morphiuminjektion gab. Dann erneuerte er den Tropf und untersuchte ihre Wunden. Sie hatten gezackte, tiefrote Ränder und waren heiß wie gebacken.

Es hat auch keinen Sinn mehr, sie nach Ouargla oder sogar Algier zu fliegen, dachte er. Es hat alles keinen Sinn mehr. Die Wüste hat uns aufgesaugt... warum wollen wir ein Wassertropfen sein, der sich vor dem Verdunsten wehrt? Der Fatalismus der Araber überkam ihn, und plötzlich verstand er sie, wenn sie sagten: Es ist der Wille Allahs –

Hufgeklapper schreckte ihn auf und ließ ihn ans Fenster laufen. Drei Reiter jagten auf ihren kleinen, schnellen Pferden in das Lager und sprangen ab. Drei Berber in schmutzigen Dschellabahs und verschwitzten Kopftüchern.

»Wo ist der Hakim?«, schrien sie die ersten herbeilaufenden Männer an. »Wir müssen zum Hakim... sofort.«

Man führte sie in die Verwaltungsbaracke. Minuten später klopfte es bei Bender. Ingenieur Navrimont trat ein, hinter ihm die drei Männer aus Bou Akbir. Navrimont sah verfallen aus, als habe er schon tagelang im Sarg gelegen.

»Man braucht Sie, Doktor«, sagte er mit kaum vernehmbarer, heiserer Stimme. »Ali ben Achmed ist plötzlich erkrankt. Ich habe, Ihr Einverständnis vorausgesetzt, sofort aus Ouargla einen Hubschrauber angefordert. Achmed hat... verdammt noch mal... er hat die Hadjar-Krankheit! Was nun, Doktor?«

»Nichts!« Dr. Bender blickte auf Cathérine. Sie lag im Morphiumschlaf. »Für sie ist es zu spät... für Achmed ist es zu spät... für alle ist es zu spät! Wir leben in einem Totenhaus, Navrimont. Aber von mir aus fliegen wir nach Algier mit dem Scheich...« Er senkte den Kopf, und seine Wangenmuskeln mahlten. »Ich werde ihn begleiten... und ich werde mich in Algier mit Pierre Serrat unterhalten –«

Die Rückkehr in die Oase Bou Akbir war wie der Einzug in ein Gräberfeld. So schnell es die versandete Piste erlaubte, fuhr Dr. Bender mit dem Jeep Navrimonts zu Ali ben Achmed. Die drei Reiter hatten ihn in ihre Mitte genommen... einer ritt mit wehender Dschellabah voraus, die beiden anderen folgten in der Staubwolke, die der kleine hüpfende Wagen aufwirbelte.

Bou Akbir lag noch immer unter Sand begraben. Stumm, verbissen arbeiteten die Menschen und gruben ihre Häuser, Gärten, Brunnen und Ställe aus. Sie arbeiteten für ihr nacktes Leben, denn hier, mitten in der einsamsten Wüste des Erg Tifernine, bedeutete Kapitulation vor dem Sand auch gleichzeitig den Tod.

Was an Tieren laufen konnte, schleppte die geflochtenen Körbe voller Sand weg und kippte sie am Rande der Oase an den neuen Dünen aus. Ein ununterbrochenes Kommen und Gehen war das, eine Karawane aus Kamelen, Eseln, Rindern und Frauen, die ihre Sandkörbe auf dem Kopf wegtrugen. Sogar die Hunde hatte man eingesetzt ... findige Bauern hatten sie vor kleine Karren gespannt und ließen sie unter großem Geschrei die Lasten ziehen. Es war wie in einem Ameisenhaufen, in den man mit einem Stock gestochen hat ... ein Gewimmel von Leibern überzog den ganzen Ort.

Dr. Bender fuhr sofort zum Haus Achmeds. Dort empfing ihn der Haushofmeister, ein dicker, brutaler Kerl, der Bender ein paarmal unten in dem Kellergrab mit den Fäusten geschlagen hatte. Jetzt war er von einer hündischen Unterwürfigkeit, weinte, als er Bender ins Haus geleitete, und berichtete mit wankender Stimme von den Leiden seines Herrn.

»Jetzt ist er ruhig, ganz ruhig ...« sagte er. »Er betet –«

»Das wird ihm in seiner Lage wenig nützen«, antwortete Bender fast brutal. »Wenn das so einfach wäre, Viren wegzubeten –«

Im Schlafzimmer Achmeds saß der alte Priester Kebir neben dem Diwan und las leise aus dem Koran vor. Ali sah grau und verfallen aus, ein Gesicht wie aus Asche. Die

Augen hielt er geschlossen, die Lippen schimmerten bläulich rot. Er hatte sich die Kleider vom Leib gerissen und lag, bis auf einen blauen Slip, nackt in den Kissen. Sein Leib schien angespannt zu sein. Ab und zu durchzuckte ein Zittern den ganzen Körper.

Dr. Bender trat wortlos an ihn heran und setzte sich neben ihn auf die Diwankante. Der alte Kebir schielte über den Rand des Korans zu ihm, aber unterbrach seine Lesung nicht. Auch du kannst nicht mehr helfen, hieß dieser Blick. Wenn es die Hadjar-Krankheit ist, sollte man den Körper nicht mehr quälen, sondern Allah um Milde bitten.

Bender beugte sich über Achmed und legte ihm die Hand flach auf den Bauch. Der Kranke zuckte zusammen und öffnete die Augen. Sein Blick war fiebrig und irrte umher, bis er auf dem Gesicht Benders hängenblieb. Als tastete er in seinen Erinnerungen, so starr blieb er, dann schien Klarheit in die Gedanken zu kommen ... Alis Hand tastete nach Bender.

»Doktor –« sagte er mühsam. Es war mehr ein Röcheln. »Doktor, was ist mit mir?«

»Ich weiß es noch nicht.« Bender drückte leicht auf die gespannte Bauchdecke. Achmed verzog das Gesicht und stöhnte.

»Feuer –« murmelte er. »Wie Feuer, Doktor! Ich verbrenne innerlich.«

»Hatten Sie Durchfall?«, fragte Dr. Bender. Die Symptome für eine Hadjar-Krankheit waren nicht vollkommen, es fehlten im Bild einige wichtige Farben. Dazu gehörten die vollkommene Blutleere der Schleimhäute und eine gelbliche Verfärbung der Haut. Achmed hatte zwar bläuliche Lippen, aber seine Schleimhäute waren noch rosa, und seine Haut war aschfarben, aber nicht schmutziggelb.

»Nein, Doktor.« Ali umklammerte die Hände Benders.

»Können Sie mir helfen? Können Sie es? Sagen Sie die Wahrheit, Doktor.«

»Ich weiß es nicht – das ist die volle Wahrheit.« Bender zog die unteren Lider herab… rosa. Er sah in den Mund Achmeds… rosa. Er machte einen Gewalttest und ließ seine Hand flach auf den Magen fallen. Ali verzog zwar das Gesicht, aber schrie nicht auf.

»Kein Blut im Kot?«, fragte Bender unschlüssig.

»Doch!«

»Wann?« Bender zog die Brauen zusammen. »Spontanes Blut? Es lief einfach heraus?«

»Nein. Jussuf machte mir ein Klistier. Dabei kam es.« Achmed schien das Sprechen sehr anzustrengen… er drückte den Kopf in die Kissen zurück und verfiel wieder, als löse sich das Fleisch von seinen Knochen. Bender blickte zur Seite zu dem murmelnden uralten Kebir.

»Wer ist Jussuf?«

»Unser Hakim.« Kebir ahnte Schwierigkeiten und antwortete nur so viel wie nötig.

»Ein ausgebildeter Arzt Ihres Volkes?«

Da haben wir es, dachte Kebir. Diese Frage musste kommen. Was sagt man darauf? Eine halbe Lüge ist auch eine halbe Wahrheit.

»Kann sich eine Oase wie Bou Akbir einen eigenen studierten Hakim leisten? Kommt hier jemand hin und wartet auf Kranke? Ein Verrückter müsste er sein! In den Städten liegt das Geld für ihn auf der Straße. Hier kommen nur die Regierungsärzte hin, wenn sie eine Seuche vermuten! O nein… Jussuf ist ein tüchtiger Mann, der bei einem Arzt gelernt hat! Er hat im Befreiungskrieg sogar operiert.«

»Also ein Sanitäter?«

»Nennt ihr es so? Was er auch ist… er versteht sein Handwerk. Für uns reicht er… es ist Allahs Wille.«

»Das ist einfach, wirklich!« Bender stand auf. »Ein Klistier, das war ein Verbrechen! Wollt ihr Achmed umbringen?!«, schrie er plötzlich. »Hier ist wohl alles Allahs Wille?! Hass und Mord, das Verschwinden von Menschen – alles im Namen Allahs, was?«

Der alte Kebir hob die Schultern und las weiter im Koran, der heiligen Schrift des Islams. Er wird uns nie verstehen, dachte er. Wie kann er das auch? Weniger wissen und mehr glauben... da liegt das Glück! Es lebt sich leichter, und es stirbt sich leichter, wenn Allah der Einzige ist, der alles regelt. Wenn es beginnt, dass der Mensch stärker und mächtiger ist als Gott, wie kann er dann an das Paradies glauben? Ohne es aber, ohne die Houris, die Mohammed uns versprochen hat am Ende des Lebens, ohne die Wonnen der Sieben Himmel ist das Sterben eine Strafe.

»Was wollen Sie tun, Doktor?«, fragte nun auch Kebir, als Ali ben Achmed wieder aufstöhnte.

»In ein paar Minuten wird ein Hubschrauber landen und Achmed nach Algier bringen.«

Der alte Kebir hob den Kopf und warf den Koran weg. »In die Hauptstadt? Warum? Können Sie ihn noch retten?«

»Das wiederum weiß nur Allah –« sagte Bender mit dickem Hohn. »Auf jeden Fall werden wir ihn so schnell wie möglich operieren.«

»Ihr werdet ihm den Bauch aufschneiden?«

»Ja, wir werden hineingucken und sehen, was es ist. Eines weiß ich fast mit Sicherheit... es ist nicht die Hadjar-Krankheit.«

»Nicht?« Der alte Kebir sprang auf. Auch Achmed öffnete die Augen, aber er war zu schwach, um etwas zu sagen. »O Allah, Allah!«, schrie der alte Priester. »Wir danken dir.« Er fiel, als habe man ihm die Füße weggetreten, flach auf das Gesicht und streckte die Arme weit vor. So lag er, den Kopf nach Osten, zum allerheiligsten Mekka, und sang in den dicken Teppich hinein die Suren des Dankes und der Ergebenheit.

Dr. Bender untersuchte noch einmal den leise wimmernden Ali. Dann gab er ihm eine schmerzstillende Injektion, aber gleichzeitig auch eine Kreislaufstütze. Der Puls war flach und weich, die Atmung unregelmäßig. Als die bohrenden Schmerzen in seinem Leib nachließen, versuchte Achmed ein Lächeln. Sein Gesicht wirkte wie eine verzerrte Maske.

»Alles ist so leicht«, sagte er. »Die Schmerzen gleiten weg wie die Nachtschatten vor der Morgensonne. Was haben Sie mit mir gemacht, Doktor?«

»Ich habe Ihnen ein Morphinpräparat injiziert, Achmed. Wenn nachher das Flugzeug kommt, werden Sie schlafen. Und wenn Sie wieder aufwachen, kann schon alles vorbei sein...«

»Werde ich wieder aufwachen, Doktor?« In dieser Frage lag keine Angst vor dem Tod, sondern nur die Bitte um Wahrheit.

»Ich hoffe es sehr, Achmed.« Bender setzte sich wieder neben ihn. Seitlich von ihnen lag der alte Kebir auf dem Teppich und sang verzückt seine Suren. »Seit wann haben Sie Magenschmerzen?«

»Seit Jahren, Doktor. Aber nie stark.«

»Wie ist es bei fetten Speisen?«

»Ich habe oft danach gewürgt. Seitdem werden bei mir nur magere Hammel geschlachtet. Fettiges Gebäck esse ich nie, oder nur bei Besuchen, um nicht unhöflich zu sein. Hinterher nehme ich ein Pulver.«

Bender zog die Brauen zusammen. »Wer hat Ihnen das verschrieben?«

»Jussuf.«

»Kann ich das Pulver einmal sehen?«

»Im Kasten neben meinem Kopf.«

Dr. Bender suchte in der Art Nachttisch, bis er eine Dose fand, bei der Achmed nickte. Sie war mit einem weißen Pulver gefüllt, und Dr. Bender beleckte seine Fingerspitze und nahm eine Probe heraus.

»Dagegen kann man nichts sagen ... das war richtig. Es ist ein Magnesiumpulver. Aber warum haben Sie nie einen richtigen Arzt aufgesucht, Ali?«

»Wo denn?« Achmed starrte an Bender vorbei gegen die reich mit Goldmalerei verzierte Wand. »Der nächste Arzt ist in Hassi Messaoud ... er ist ein Weißer. Von der Ölgesellschaft.«

»Dr. Prillier, ich weiß. Er hätte Ihnen schon vor Jahren geholfen!«

Achmed schwieg. Aber auch ohne Worte wusste Bender, was Achmed dachte. Der Hass gegen die Weißen war zu groß gewesen, um sich von ihnen berühren zu lassen, selbst wenn es ein Arzt war. In Ouargla und El-Golea praktizierten dann die ersten algerischen Ärzte, meistens in den neu eingerichteten Krankenhäusern. Aber ein Scheich Achmed fährt doch nicht wegen eines Magendruckes nach Ouargla! Soll man ihn auslachen? Ein Pulver genügt, ein Pulver hat immer geholfen ... bis jetzt.

Achmed, befreit von allen Schmerzen, schwebend wie auf einer Wolke, eingehüllt in ein Gefühl von solcher Seligkeit, wie er es nie gekannt hatte, hob den Kopf. Bender drückte ihn sanft wieder in die Kissen zurück.

»Sie bleiben bei mir, Doktor? Sie verlassen mich nicht?«

»Nein, Ali.« Dr. Bender lächelte schmerzlich. Wie total verrückt dieses Leben ist, dachte er. Vor ein paar Stunden war ich ein Aussätziger, ein Stück Dreck, weniger als Ludwig, dieser kleine, struppige Hund, diese elende, verkommene Kreatur von einem Bastard ... ich lag unter dem Sandsturm, und hätte er mich begraben, wäre ich in ihm erstickt. Ich wäre an der Mauer verfault, bis mich die Hyänen gewittert hätten oder die ewig über den Menschen kreisenden Geier. Aber dann wird Cathérine von einem Gepard zerfetzt, dann bekommt ein Wüstenscheich einen Magendurchbruch ... und die Welt, diese verfluchte Welt ist wieder heil, man wird eine Kraft, an die sich andere klammern, der Aussatz fällt ab wie harmloser Grind, man rechnet und bettelt um Vergessen ... welch eine schleimige, widerliche Masse Schlamm ist doch der Mensch!

»Ich bleibe bei Ihnen«, sagte Bender mit trockener Kehle. »Ich fliege mit Ihnen nach Algier. Schon wegen Saada –«

Der Körper Achmeds zuckte auf. Noch im Weggleiten des Morphiumschlafes erreichte sein Hirn der Name, der für ihn alles bedeutete. Mit großer Mühe riss er die Augen auf.

»Was ... Doktor ... Sie ... Warum soll Saada in Algier sein?«

»Es ist eine Idee von mir. Ich kann es nicht erklären. Ich weiß nur, dass Serrat in Algier ist. Und mit Serrat wurde Saada zuletzt gesehen.«

Die Augen fielen Achmed zu. Die Injektion wirkte jetzt mit aller Stärke. Aber jetzt wollte er nicht schlafen, jetzt stemmte er sich gegen den Freund, der ihm die Schmerzen wegnahm. Verzweifelt warf er die Arme hoch ... er meinte wenigstens, dass er es tat, in Wahrheit zuckte nur seine Hand um ein paar Zentimeter in die Luft.

»Saada –« schrie er. »Doktor, sagen Sie die Wahrheit! Sie wissen mehr, mehr! Sie wissen es! Sie Ausgeburt der Hölle! Was hat Serrat mit Saada gemacht?!«

Achmed tobte ... aber es war nur ein inneres Toben. Nur er hörte seine Worte, bettete sich in seinen Schrei ... aus dem

Mund kam nur ein unverständliches Stammeln, bis auch dieses erlosch. Ali ben Achmed schlief.

Zehn Minuten später landete der Hubschrauber, den Navrimont vom Camp XI nach Bou Akbir weitergeschickt hatte. Cathérine lag schon hinten, festgeschnallt auf einer Trage. Der kleine Blutrache-Italiener saß neben ihr auf einer Eisenkiste und hielt die Infusionsflasche hoch. Er grinste verlegen, als Dr. Bender aus dem Haus gerannt kam und in die Kanzel des Hubschraubers blickte. Der Pilot, Léon Boucher, der Dr. Bender damals von Ouargla zur Station XI gebracht hatte, legte die rechte Hand mit einem militärischen Gruß an die Lederkappe.

»So sehen wir uns wieder, Doktor?«, brüllte er durch den Lärm der Rotorflügel. »Sie sehen nicht erholt aus!«

Aus dem Haus trugen vier Diener den in eine schneeweiße Dschellabah gehüllten Achmed. Der alte Kebir folgte ihm mit lautem, leierndem Gesang. Léon Boucher stellte die Propeller auf halbe Kraft, sprang aus der Kanzel und schob eine neue Trage hinaus. Auf sie schnallte Bender den schlafenden Ali und hob ihn dann neben Cathérine in den Hubschrauber. Der alte Kebir segnete zum letzten Mal den Kranken.

»Allah wird dir helfen!«, schrie er in die Glaskanzel.

»Und der Chirurg Dr. Lafont!«, schrie Bender zurück. Er saß auf einem Klappschemel zwischen den beiden Tragen, eingeklemmt fast, wie umklammert von den beiden Sterbenden. Boucher zog die Tür zu, die Rotorflügel kreischten auf und wirbelten durch die Luft, den alten Kebir riss der Windstoß von den Beinen, er rollte über den Sand und kroch dann auf allen vieren davon, umwirbelt von einer Staubwolke.

Senkrecht stieg der Hubschrauber in die Höhe, überflog dann den Garten Alis und schwirrte wie ein Rieseninsekt davon, nach Norden, quer über die einsamste Wüste dieser Welt... nach Algier, der weißen Stadt am Meer.

Léon Boucher sah sich um, als sie über den trostlosen Erg Tifernine flogen. Unter ihnen tauchten die Außenstellen der Bohr-Camps auf... Suchbohrungen mitten im Sand. Ein Bohrturm, ein paar Zelte, Lastwagen unter Planen, eine Handvoll Männer in glühender Hitze. Der härteste Job dieser Erde.

»Noch nicht die Nase voll von der Wüste, Doktor?«, rief er Dr. Bender zu. »Navrimont hat mir mit wenigen Worten erzählt, was man mit Ihnen angestellt hat. Serrat ist ein Schwein! Man sollte ihn aufhängen! Glauben Sie, Navrimont hat von allem nur die Hälfte gewusst. Er ist ein versoffenes Wrack. Nehmen Sie ihm nichts übel –«

»Ich nehme keinem etwas übel.« Bender beugte sich über Cathérine. Sie hatte ein Kindergesicht bekommen, schmal, klein, erbärmlich klein. In ihre Armvene tropfte Plasma... der kleine Italiener hielt die Flasche hoch, als sei sein Arm aus Eisen. Aber nutzte es noch etwas?

»Serrat ist reif für lebenslänglich!« Boucher zeigte auf Cathérine. »Wenn sie stirbt, gibt es mindestens 70 Männer, die ihn mit dem Kopf zuerst in den Sand graben.«

»Ich auch!«, sagte der kleine Italiener hinter Bender. »Cathérine gehörte uns allen. Nur Ihnen hätten wir sie gegönnt, dottore. Aber auch nicht gern. Für uns war Cathérine die Heimat, verstehen Sie das, dottore?«

Dr. Bender nickte. Er blickte auf das vergehende, schmale Gesicht und war zum erstenmal in seinem Leben bereit, wider alle medizinische Vernunft zu bitten: »Herrgott, lass sie leben...«

»Was hat Serrat mit ihr zu tun?«, rief er dann in den Motorenlärm hinein. »Er war doch längst weg, als sie mit dem Gepard kämpfte.«

»Er hatte die Weiber gegeneinander aufgehetzt.« Der kleine Italiener knirschte laut mit den Zähnen. »Er hat Raubtiere aus ihnen gemacht! Und alles Ihretwegen, dottore. Ich mag Sie gern... aber wären Sie doch nie in die Wüste gekommen! Sie gehören nicht hierher! Solange die Hölle eben eine Hölle ist, fühlt sich alles wohl in ihr! Aber was geschieht, wenn ein Engel in die Hölle kommt? Können Sie das verstehen, dottore?«

»Ich verstehe euch sehr gut.« Dr. Bender nahm die schlaffe Hand Cathérines und tastete nach ihrem Puls. Er war kaum noch fühlbar. »Und ich verspreche euch, nicht mehr in die Wüste zurückzukommen, wenn ich Saada gefunden habe und Cathérine überlebt.«

»Und wenn sie stirbt?«, fragte Boucher ahnungsvoll.

»Dann komme ich wieder... dann habt ihr mich für euer ganzes Leben lang! Cathérine kann ich euch nicht ersetzen... aber zu euch werde ich gehören. Nicht als Engel, mein kleiner Sizilianer... sondern als Verfluchter in der Hölle!«

Boucher grinste verlegen. »Sie haben sich verändert, Doktor«, sagte er heiser. »Denken Sie noch daran, was ich Ihnen beim ersten Flug sagte? Kehren Sie sofort mit mir um... dieses Land frisst Sie auf. Ich sage es jetzt wieder: Bleiben Sie in Algier... noch ist es Zeit genug.«

»Nein, Léon.« Bender schüttelte heftig den Kopf. »Die Zeit ist um! Wir belügen uns ja alle! Wir wissen jeder, wie es steht. Ich bin ein Teil der Wüste geworden –«

Der Hubschrauber zog brummend nach Norden, über unendliche Sanddünen, Geröllhalden, kahle, gelbbraune Berge, Wadis und Schotts.

In der Nacht landeten sie auf dem Militärflughafen von Algier. Boucher hatte per Funk alles organisiert... als sie auf dem Boden aufsetzten, wartete bereits ein Ambulanzwagen der Armee auf sie. Mit heulenden Sirenen raste er davon zum Hospital. Dr. Bender ließ man auf dem Flugfeld stehen, als sei er ein Teil des Hubschraubers. Die Sanitäter hatten ihn nicht einmal begrüßt. Sie hatten die beiden Tragen aus der Glaskanzel geholt, in den Wagen geschoben, und nur dem kleinen Italiener gelang es, mitzukommen, weil er mit einem Satz neben Cathérine in den Ambulanzwagen sprang, bevor die Tür zufiel.

Léon Boucher bot Dr. Bender eine Zigarette an.

»Auch das ist Afrika«, sagte er bitter. »Es bleibt ein ewiges Rätsel. Wir bohren das Öl, wir bringen ihnen Milliarden, wir haben ihre Städte gebaut, ihre Krankenhäuser, ihre Industrie, ihre Hygiene, wir haben saniert und alles, wirklich alles für sie getan, wir haben die Häfen ausgebaut, den Handel angekurbelt, Straßen durch die Wüste gelegt, Brunnen erbohrt mit bestem, klarem Wasser, wir haben ihnen unsere Architekten gegeben, unsere Wissenschaftler, alle Fachleute, unsere Ärzte… und doch bleiben wir gehasst, weil wir Weiße sind. Mein Gott, was müssen unsere Väter und Vorväter getan haben, um dieses Gebirge von Hass aufzutürmen?!«

»Vielleicht nur das, dass sie Menschen nach ihrem Muster schaffen wollten. Das ist immer ein Fehler, Léon. Immer will der Mensch erziehen und umerziehen… er will den Einheitsmenschen. Den Superstar seiner Rasse!«

»Da haben Sie Recht, Doktor.« Boucher sah dem Rauch seiner Zigarette nach. »Ich rufe Ihnen eine Taxe. Fahren Sie zum Krankenhaus. Dort wird man Sie anders behandeln.«

»Ja, zum Krankenhaus.« Bender wischte über sein Gesicht. Es war dreckverkrustet und knirschte, als er darüberfuhr. »Und dann suche ich Serrat –«

Boucher hob die Schultern. Ihm war plötzlich eiskalt im Rücken.

»Ich bleibe bei Ihnen, Doktor«, sagte er frostig. »Gegen Serrat sind Sie allein verloren.«

»Jetzt nicht mehr.« Dr. Bender atmete tief auf. »Lassen Sie mich das allein besorgen, Léon. Ich habe schon zu viel mit hineingerissen. Eine Taxe... das ist alles, was Sie noch für mich tun können.«

Und dann saß er in dem alten Renault, ein algerischer Fahrer grinste ihn an und sagte auf Französisch: »Wohin, Monsieur? Schöne Mädchen? Weiß ich ganz schöne Mädchen! Oder hübsche Jungen? Was Sie wollen, Monsieur...«

»Zum Krankenhaus der Armee.« Dr. Bender beugte sich vor.

»Und du bekommst fünf Dinare extra, wenn du jetzt den Mund hältst, mein Junge –«

Wie eine Rakete schoss der kleine Wagen durch die nächtlichen Straßen Algiers. So wie er fuhr, war es fast Mord. Dr. Bender schloss die Augen und lehnte sich zurück.

Niemand hätte sagen können, dass Ali Hadschar seine Tanz- und Liebesmädchen in Höhlen aufbewahrte, ihnen nichts zu essen gab oder dass sie sonst wie Ungeziefer leben mussten. Das Gegenteil war der Fall.

Der Komplex, den Hadschar für seine Barbetriebe gekauft und ausgebaut hatte, umfasste einen ganzen Häuserblock mitten in Annaba. Von der Eingangsseite sah man nicht, wie weit verzweigt sich die Gebäude nach hinten fortsetzten. Zur Straße hin leuchteten die riesigen Neonreklamen, die ein Vergnügen an Tanz und schönen Mädchen versprachen; in großen Schaukästen waren die herrlichsten Mädchenkörper abgebildet, nackt natürlich, aber um der öffentlichen Sittlichkeit zu genügen, trugen die Fotos schwarze Balken über Brüsten und Unterleib. Jeder wusste, dass die Mädchen in Hadschars Räumen diese Balken nicht trugen, man flüsterte sich Erlebnisse besonderer Art zu, die in bestimmten Hinterzimmern gegen Aufpreis verabreicht wurden, und es schien überhaupt nichts zu geben, was Hadschar nicht mit seinem Personal möglich machte, von der einfachen, schnellen Seemannsliebe bis zum ausgefallensten Wunsch eines reichen, perversen Gastes.

Ab und zu fanden Polizeikontrollen statt, – man war dazu verpflichtet, denn Algerien sollte ein sauberes Land sein, nur die Franzosen hatten den sexuellen Sumpf hineingetragen. Aber Hadschar hatte keine Angst vor den Beamten. Die Kontrollen endeten immer in seinem Büro, bevor die Polizisten überhaupt den verschachtelten Häuserblock erreicht hatten, der hinter der bunten Fassade begann. Hier, in tiefen Sesseln, bekamen die Polizeioffiziere und seine Mannen herrlichen Kaffee serviert; aber nicht der Kaffee begeisterte sie, sondern wie er aufgetragen wurde… von nackten, besonders schön gewachsenen Mädchen, die bei den Besuchern sitzen blieben, bis der letzte Tropfen getrunken war.

In diesem für Fremde undurchdringlichen Dschungel von in- und übereinander gebauten Häusern, Gängen, Zimmern, Terrassen, Dächern und Kellern wohnten die Mädchen Hadschars. In Zimmern, die prunkvoll waren, wenn man an die Hütten in den heißen, staubigen Oasen dachte, an die Höhlen in den Atlasbergen, an die schwankenden Zelte in der Wüste.

Hier gab es weiche, breite Betten, nicht, um in ihnen das Geld zu verdienen – dazu hatte Hadschar andere Zimmer, raffinierte Liebeshöhlen mit Spiegelwänden und Spiegeldecken, indirekter Musik und verborgenen Kameras, denn hier lag ein anderes Geschäft des dicken Glatzkopfes, das ihm mehr einbrachte als alle Bars – nein, diese schönen Zimmer gehörten allein den Mädchen zum privaten Gebrauch, zur Ruhe und dem Gefühl, sich ein bevorzugtes Leben zu erkaufen durch die Darbietung ihres Körpers. Je drei Mädchen hatten ein eigenes Badezimmer, in einem Innenhof befand sich ein großer Swimming-Pool für alle, umgeben von einer säulengetragenen Liegehalle. Das Essen kochten die Barköche mit, es war reichlich und auserlesen. Fruchtsäfte aller Art standen zur Verfügung, nur im »Dienst« wurde Alkohol getrunken, aber auch hier gab es gewisse Tricks, die der liebestolle Gast nicht merkte.

Für die meisten Mädchen, die als »Pilgerinnen« ihre Dörfer und Elendshütten verlassen hatten, öffnete sich bei Hadschar das wahre Paradies. Dass sie ihre Körper dafür opfern mussten… es war kein allzu hoher Preis! In der Wüste wäre der schöne Körper verdorrt und ausgetrocknet, man wäre die Frau eines Bauern geworden und hätte von morgens bis in den Abend arbeiten müssen, mehr als ein Kamel und weniger gut behandelt als dieses. Und die Kinder wären gekommen wie die Feldfrüchte, jedes Jahr, bis der Schoß unfruchtbar wurde gleich einem nie gedüngten Acker, und dann wäre eine andere, jüngere Frau ins Haus gekommen, und man hätte als lästiger Mitesser in der Ecke gehockt, abgeschoben, weggeworfen wie eine alte Schaufel, denn eine Frau ist nur dann etwas wert, solange sie arbeiten und Kinder gebären kann.

Welch ein Zaubergarten war da das Reich Hadschars. Mit welcher Liebe genoss man dort die Körper. Wie viele Dinare flossen in die Hände der Mädchen, von denen Hadschar keine Ahnung hatte. Wie wunderbar war das Leben in den Gärten, in den Zimmern mit den Klimaanlagen, in dem Schwimmbad, in dem man nur nackt herumschwamm, in der Sonne glänzend wie ein Goldfisch.

Ali Hadschar zeigte das alles Saada mit einer großen, fast königlichen Gebärde. Sie standen auf einem Balkon über dem Innenhof und sahen hinunter auf das blaue schimmernde Wasser des Schwimmbeckens. Die Mädchen, die mit Saada neu ins Haus gekommen waren, rannten bereits nackt durch den Garten und warfen sich mit hellem Jauchzen in das Wasser. Es war ein schönes Bild, und Hadschar grunzte zufrieden.

»Sie sind glücklich«, sagte er und streichelte Saadas Nacken. Wie eine Katze fuhr sie herum und schlug seine fette Hand weg. »Für sie bin ich ein kleiner Gott. Von einem solchen Leben haben sie nie zu träumen gewagt... nun gehört es ihnen. Auch du solltest das einsehen, Saada.« Hadschar lehnte sich an die Brüstung und betrachtete wohlgefällig die schwimmenden, hübschen, fröhlichen Mädchen. In drei, vier Jahren werden sie nicht mehr lachen, dachte er, aber es war nichts Schwermütiges oder gar Moralisches in seinen Gedanken. Sie werden verbraucht sein wie ein Scheuerlappen, und was macht man mit einem alten Tuch? Man wirft es weg, in den Müll. Für Hadschar war der Müll, auf dem die verbrauchten Mädchen landeten, das weite, unergründliche, schweigsame und alles aufnehmende Mittelmeer. So gesehen, war Hadschar ein Massenmörder von unvorstellbaren Ausmaßen. Seit zwanzig Jahren betrieb er seine Bars, und wenn man ausrechnet, wie oft er in dieser Zeit seine Mädchen ausgewechselt oder einzeln ausgetauscht hatte, war Hadschar der direkte Abkomme des Satans. Um keine Zeugen zu haben, besorgte er die Beseitigung des »Mülls« allein. Er lud das Opfer zu einer Bootsfahrt ein, betäubte es auf dem Schiff, tötete es human mit Gas und versenkte es dann in einem neutralen Nylonsack, zerreiß- und verrottungsfest, gefüllt mit schweren Steinen, im Meer. Es war in den zwanzig Jahren noch kein Sack wieder an die Oberfläche gekommen. Zu den Gästen aber sagte Hadschar: »Fatima? Sie ist zurück zu ihren Eltern. Ein süßes Mädchen, wirklich. Aber sie hatte nur einen Vertrag über vier Jahre, und Geld hatte sie genug verdient. Warum soll sie jetzt nicht eine ehrbare Mutter und Hausfrau werden?«

Wer ihn so hörte, betrachtete Hadschar als einen Wohltäter der armen Mädchen.

»Komm mit –« sagte er jetzt zu Saada, die bockig neben ihm stand. »Ich will dir auch noch etwas anderes zeigen.«

Er führte sie über viele Treppen und Flure wie durch ein Labyrinth in ein Zimmer, das wie ein Büro aussah. Dort öffnete er einen Panzerschrank und entnahm ihm ein Kuvert mit Fotos.

»Sieh sie dir an!«, sagte er und setzte sich. »Es war deine Vorgängerin, die schöne Fatma. Sie war wirklich schön –«

Schon das erste Bild ließ Saada erstarren. Es zeigte ein wunderbar gewachsenes Mädchen, dunkelhäutig, mit einer Haut wie Seide. Ein Körper wie aus der Vision eines verliebten Malers ... aber das schmale, stolze Gesicht war entstellt, breite Streifen hatten beide Wangen aufgeschlitzt, das Blut lief in Bächen über Schultern und Brüste.

»Mit einem Rasiermesser«, erklärte Hadschar gemütlich. »Es werden Narben, die nie vergehen. Fatma weigerte sich, mit Hussein zu schlafen. Zugegeben, Hussein ist ein Schwein. Er ist alt und stinkt, aber er ist reich. Als Mensch konnte ich Fatma verstehen, aber nicht als meine Angestellte. Ungehorsam breche ich! Und ich musste ihn auch bei Fatma brechen.«

»Du Hund!«, knirschte Saada. Sie zerknüllte das Foto in ihrer Hand und schleuderte es Hadschar in das dicke Gesicht. »Du Krüppel von einem Hund! Ich habe keine Angst vor deinem Rasiermesser! Jeden Schrei, den ich ausstoße, wirst du eines Tages wiederholen! Und ich werde daneben stehen und jeden Schrei mit einem Jauchzen begrüßen.«

»Das sind fromme Wünsche.« Hadschar warf das zerknüllte Foto in den Papierkorb. Er hatte noch mehr davon, sie waren immer das letzte Mittel, störrische Mädchen davon zu überzeugen, dass das Paradies gleich neben der Hölle liegt, etwas, das Mohammed verschwiegen hat. »Ich mahne dich zum letzten Mal zur Vernunft, Saada. Ich habe ein Vermögen für dich bezahlt, aber ich werfe dieses Vermögen auch mit der gleichen Ruhe weg, wenn es den Gang der Dinge hemmt. Du verstehst mich?«

»Genau!« Saada warf die langen Haare in den Nacken. Ihre Augen funkelten wie bei einem Tiger. »Wo hast du dein Messer?«

Hadschar zog den kugeligen Kopf zwischen die Schultern.

»Warum?«, fragte er dumm zurück.

»Du kannst mit dem Aufschlitzen der Wangen beginnen. Ich werde nie, nie vor deinen Gästen tanzen –«

Mut ist etwas Seltenes … meist zerbricht er an der Verzweiflung oder am Schmerz.

Auch Saada erging es nicht anders, als der Abend ihres ersten Auftritts gekommen war. Was sie nicht wusste, waren die großen propagandistischen Vorbereitungen, die Hadschar getroffen hatte. Er hatte von Saada heimlich Fotos anfertigen lassen, mit Kameras, die sie nicht gesehen hatte. Aber sie hielten alle ihre Bewegungen fest … ihr Aus- und Anziehen, ihr Baden, ihr Kämmen, ihre intimsten Stunden, und es waren Fotos, die Hadschar selbst mit einer Wonne betrachtete, die ihm sonst fremd war. Diese Bilder hingen in keinem seiner Schaukästen, sondern er zeigte sie selbst an den Tischen herum wie verbotene, schweinische Fotos. Er nannte auch keinen Namen, sondern sammelte ohne große Worte Vorbestellungen auf Saada.

»Morgen wird sie tanzen«, sagte er bloß. »Es ist wie in einer Lotterie, Freunde. Gebt eure Stimme ab, ich werde sie mit den anderen mischen und dann auslosen. Eine solche Frau verkauft man nicht für lumpige Dinare! Eine solche Frau will erobert sein vom Glück!«

Aber Hadschar wäre kein Halunke gewesen, wenn er nicht doch auf die Dinare gesehen hätte. Sieger in der Lotterie wurde der steinreiche Bauunternehmer Amar ben Fezzan, ein schöner Mann mit Spitzbart, der Hadschar nicht nur sein Los, sondern auch 500 Dinare in die Tasche schob. Bei diesem Preis weiß Fortuna im Voraus, wer gewinnt.

»Du Glücklicher!«, rief Hadschar nach der Verlosung und umarmte Amar ben Fezzan. »Morgen ziehst du ein in das Paradies.«

Nun war der Abend gekommen, und die beiden »Hausdamen« Hadschars, so vornehm ging es bei ihm zu, dass er die Wärterinnen Hausdamen nannte – hatten Saada eingekleidet.

Man hatte sie ganz ausgezogen, in einem Bad, dessen Wasser nach Rosen duftete, gebadet und dann mit einer stark nach süßen Blüten riechenden Salbe eingerieben. Dann brachte man die Gewänder, goldbestickte Seiden, geschnitten im Stil der alten orientalischen Märchen; Ketten aus echtem Gold und mit schweren Goldmünzen, die das Kleid wie hundert Glöckchen umgaben. Um die Stirn legte man Saada ein Band aus bunten, glitzernden Steinen, während man die herrlichen langen Haare frei über den Rücken fließen ließ.

Hadschar kam selbst in die Garderobe, um Saada zu begutachten. Er war ein paar Sekunden sprachlos vor dieser

Schönheit. »Alles ist echt«, sagte er dann. »Das Gold der Ketten, der Münzen, der Armreifen. Und die Steine auf dem Stirnband sind auch echt. Weißt du, was es kostet?« Und als Saada keine Antwort gab, fuhr er fort: »Vierzigtausend Dinare! Ich habe zehn starke Männer im Saal stehen, die auf den Schmuck aufpassen. Sie schießen sofort auf jeden, der den Schmuck anfasst. O Allah, welch schöne Menschen lässt du wachsen.«

Er ging um Saada herum und betrachtete sie von allen Seiten. Sein Besitzerstolz war grandios. Er machte ihn blind für die Blicke Saadas, vor allem vor ihrer Sanftmut, mit der sie jetzt alles über sich ergehen ließ.

»Der Abend wird Amar ben Fezzan gehören«, erklärte Hadschar nach seiner Besichtigung. »Er war der Glückliche, der dich gewann.« Hadschar senkte den dicken Kopf. »Für Schwierigkeiten hat er kein Ohr. Er ist ein reeller Händler... er hat gezahlt und will die Ware. Es hat keinen Sinn, ihm dein Leid zu klagen. Er ist der beste Mann, um dich in dein neues Leben einzuführen. Und nun los... auf die Bühne...«

Willig ließ sich Saada durch einen engen Gang bis zu einer Tür führen, hinter der gedämpfte Musik erklang. Aber als sie sich jetzt öffnete, erdrückte sie der Lärm, der ihr wie eine Woge entgegenprallte. Vor ihr standen Kulissen, dahinter ahnte sie das Podium der Bühne, auf der gerade vier Bauchtänzerinnen ihr Können zeigten. Rechts von der Bühne saß das Orchester, eine geballte Masse kreischender und bumsender Instrumente, Trommeln dröhnten dumpf, dazwischen das aufreizende, helle Schreien eines Waldes von Flöten und Klarinetten. Im Saal wogten Tabakwolken über die Bühne, ein Stimmengewirr übertönte sogar die Musik. Dann wurde geklatscht, die Musik schwieg, heisere Rufe begleiteten die abgehenden Tänzerinnen.

»Nun du!«, sagte eine der »Hausdamen«. Hadschar war längst verschwunden, er saß vorne in der ersten Reihe am Tisch von Amar ben Fezzan und wischte sich die Glatze mit einem großen Taschentuch.

»Was soll ich denn tun?«, fragte Saada. Das Orchester setzte wieder ein, leise, schmeichelnd, süß. Hadschar hatte diese Melodie extra für Saada einstudieren lassen… ein Tanz auf Rosen, hatte er auf dem Programm stehen.

»Geh hinaus und bewege dich. Wie, das ist gleichgültig. Mach es so, wie du es auf dem Schiff geübt hast. Es ist ohne Bedeutung, wie du dich bewegst… sie fressen dich immer mit den Augen.«

»Und wenn ich nicht auf die Bühne gehe?«

»Denke an Fatma.« Die »Hausdame« schüttelte den Kopf, als Saada sie anstarrte. »Er wird es auch mit dir machen, er kennt kein Erbarmen. Es ist ein Felsblock! Geh jetzt –«

Saada hatte keine Zeit, sich von ihrer Verwunderung zu erholen. Sie bekam einen Stoß und taumelte auf die Bühne. Als sie hinaustrat in die Scheinwerfer, die rotes Licht über die Dekoration gossen und Saadas Auftreten wie aus einem roten Nebel zauberten, klang kurz und hell ein Gong auf.

Das Wunder, von dem Hadschar gesprochen hatte, wurde Wirklichkeit. Die schönste Frau der Wüste tanzte.

Amar ben Fezzan saß bewegungslos neben Hadschar auf seinem gepolsterten Stuhl. Er wirkte wie eine Statue… nur die Augen lebten und verfolgten die ersten Schritte Saadas. Im Saal war es jetzt ganz still, – das Stimmengewirr war verebbt, ein irischer Seemann, der an der Bar gerade laut einen Whisky bestellte, bekam einen Schlag auf den Mund.

Was Saada auf der Bühne bot, war kein Tanz, es war ein Abschreiten der Bühnenfläche, ein Hin- und Hergehen wie ein Raubtier hinter seinen Gittern. Das Licht der Scheinwerfer wechselte ständig, von Rot zu Grün, von Grün zu Blau, von Blau zu Silberweiß, von diesem zu einem satten Gold und von Gold zu einem herrlichen Violett.

Saada blieb stehen. Von dem weiten Saal mit den vielen Menschen erkannte sie kaum etwas, nur die erste Reihe mit Amar ben Fezzan neben Hadschar. Alles andere verschwamm im Licht der Scheinwerfer, das auf sie herunterprallte wie heiße Fäuste. Sie sah alles nur durch einen Schleier, denn sie weinte, lautlos, ohne die große klagende Gebärde, sondern unmerklich im Gehen und Heben der Arme und Drehen der Hüften, die so etwas wie einen Tanz andeuten sollten. Die Tränen rannen ihr über die Schminke und lösten die schwarzen Augenumrandungen auf, zwei schwarze Bäche flossen ihr über die Wangen zum Mund und zerstörten das Ebenmaß ihres Gesichts.

Dort sitzt er, dachte sie. Amar ben Fezzan. Er hat für mich bezahlt. Ein Stück Ware bin ich jetzt, für ein paar Dinare ausgeliehen wie eine Wasserpfeife. O mein Liebster, mein weißer Doktor… das ist das Ende unserer Liebe. Ich werde unter den Leibern anderer, fremder Männer liegen, ihre schweißigen Hände ertragen und dann ein paar Scheine mit dem entweihten Schoß auffangen, Trinkgeld für eine Verdurstende. O mein Liebster, ich werde dich nie, nie mehr lieben können. Mein Leib wird zu einem Sumpf werden…

Sie tanzte weiter, mit eckigen Bewegungen, und betrachtete den großen schlanken Mann neben Hadschar. Er sah nicht aus, als ob er Mitleid kannte.

Amar ben Fezzan sah genau, dass Saada weinte. Er saß ganz nahe an der Bühne und erlebte das Entstehen der schwarzen Bahnen über ihren Wangen. Auch Hadschar sah es natürlich und nahm sich vor, Saada bei nächster Gelegenheit mit der Peitsche zu erziehen.

»Vierzigtausend«, sagte Fezzan plötzlich. Hadschar zuckte zusammen. Die Zahl kam zu plötzlich und vor allem ungeahnt.

»Was vierzigtausend?«, fragte er zurück.

»Für sie. Ich kaufe sie dir ab.«

Hadschars Gesicht wurde zu einem glänzenden Mond. Er will sie ganz haben, dachte er glückselig. Wenn Fezzan so etwas bietet, habe ich den Kauf meines Lebens getan. Lass dich umarmen, ferner Jussuf ben Rahman!

»Sie ist unverkäuflich«, sagte er leise. Seine Stimme bebte dabei.

»Alles ist käuflich. Sechzigtausend.«

»Nicht für Hunderttausend.«

»Gut. Du sagst es, Ali. Hunderttausend.«

»Ich sage gar nichts!« Ali sprang auf. »Ich verkaufe sie nicht! Man verhökert keine Wunder, und sie ist ein Wunder!«

Amar ben Fezzan erhob sich abrupt. »Man sollte darüber in Ruhe sprechen, Ali«, sagte er und legte Hadschar seine Hand auf die Schulter. »Es gibt gute Wunder, und es gibt böse Wunder. Das hier ist für dich ein böses Wunder, glaube es mir.«

»Sie ist ein Wunder der Houris im Paradies«, widersprach Hadschar. »Allah hat ein Auge auf mich geworfen.«

»Ein Auge, das dich zermalmt!«

Hadschar begriff langsam. Er wurde ernst und steckte die Hände in die Taschen seines Maßanzuges. In der rechten Tasche umfasste er den Kolben eines kleinen Brownings. »Soll das eine Drohung sein?«

»Freunde sollten sich helfen.« Fezzan blieb an der Tür des Saales stehen und blickte zur Bühne zurück. Noch immer bewegte sich Saada hin und her, ein weinendes, verstörtes Wesen im Wirbel von Scheinwerferlicht. »Ich will dir helfen zu überleben, Ali. Weißt du, wie ein Mensch aussieht, der unter flüssigem Beton begraben wird?«

»Es kommt darauf an, wer schneller von uns beiden ist.«

»Ich, mein liebster Ali. Sieh dich um.« Hadschar fuhr herum. An der Bar, neben den Türen, vor dem Orchester lehnten gut gekleidete, fast vornehme Herren an der Wand und blinzelten ihm zu. Fezzan lächelte mild.

»Du bist ein Schuft!«, knirschte Hadschar. »Aber auch ich habe zehn Männer herumstehen.«

»Vier, mein Guter. Sechs habe ich vorhin gekauft.« Fezzan legte wieder den Arm um Hadschar, als sei er sein bester Freund. »Ärgere dich nicht«, sagte er dabei. »Ich habe ihr Bild gesehen, und es fiel Feuer in mein Herz. Weißt du, was das bedeutet, wenn das Herz eines Fezzan brennt? Hunderttausend, ein ehrliches Geschäft… oder dein Fuchsbau wird ausgeräuchert, wie es ihm zukommt! Ich gehe nicht von deiner Seite, bis wir uns einig sind.«

»Allah verfluche dich!«, stammelte Hadschar. Er spürte die Todesangst in seinem Nacken. Er kannte Fezzans unüberwindliche Kälte. »Selbst die Hölle soll dich ausspucken!«

»Sie wird es, mein Freund, ich bin unverdaulich.« Er verstärkte den Druck seiner Finger auf Hadschars Schulter. Die Fingernägel gruben sich durch den Anzugstoff in das Fleisch. »Gehen wir zu ihr, nicht wahr?«, sagte er leise. »Wie heißt sie?«

»Saada –« keuchte Hadschar. Er sah sich Hilfe suchend um, aber wo er hinblickte, erkannte er nur die Leute Fezzans. Sie kamen hinter die Bühne, und Hadschar lehnte sich zitternd an die Wand. »Du bist kein Mörder, Amar«, stammelte er. »Denk doch darüber nach… für eine Frau morden, das ist das Widersinnigste überhaupt.«

»Saada ist ein Wunder, du hast es selbst gesagt.« Fezzan

gab Hadschar einen Stoß. »Wunder erlebt der Mensch nicht mehr… nur ich erlebe es noch! Soll ich es nicht festhalten, und wenn ich es an mich klebe mit Blut? Los, führ mich zum Zimmer Saadas –«

Im Saal erklangen die letzten Töne der Musik. Saada schwankte von der Bühne. Die »Hausdame« fing die Taumelnde auf und hüllte sie in einen Seidenmantel.

»Fezzan wartet schon auf dich«, sagte sie und wischte die Tränenspur aus Saadas Gesicht. »Er ist in deinem Zimmer.«

»Ich möchte sterben.« Saada lehnte den Kopf an die Schulter der alten, dicken Frau. »Verrate mir, wie man schnell sterben kann. Jetzt, hier auf der Stelle –«

»Warte erst das Leben ab!« Die »Hausdame« führte Saada weg zu den Zimmern mit den Spiegelwänden und Spiegeldecken. Nummer 5 stieß sie auf und schob Saada hinein. Dann schloss sie die Tür wieder und legte beide Hände auf ihre Brüste. Was man durch das Kleid nicht sehen konnte: Sie waren zerschnitten, breite Narben zogen sich über jede Brust. Alte, schon verblichene Narben. Spuren aus den Gründerjahren Hadschars vor zwanzig Jahren –

Suleima war das erste Mädchen, das gegen Hadschar aufbegehrt hatte. Damals, vor zwanzig Jahren. Heute sah sie aus wie fünfzig und war erst fünfunddreißig. Aber sie lebte, wenn auch mit zerschnittenen Brüsten. Der Weg in die Tiefe des Meeres war ihr erspart geblieben. Doch auch das hatte einen Grund. Suleima hatte Hadschar einen Sohn geboren, den einzigen. Er studierte in Paris Jura.

Es war ein Geheimnis, das niemand in dem weiten Häusergewühl kannte, nicht einmal Feisal, der Sohn. Ihm hatte Hadschar gesagt, seine Mutter sei bei seiner Geburt gestorben, aber Suleima sei seine Tante, die Schwester seiner Mutter.

»O wenn er sie wirklich liebt«, sagte sie leise, als sie wegging in den Wohntrakt. »Sie könnte ihn überreden, Ali den Schädel einzuschlagen –«

Amar ben Fezzan saß auf dem Bett. Von allen Seiten wurde seine Gestalt durch die Spiegel zurückgeworfen. Ein Heer von Fezzans erwartete Saada.

Sie blieb an der Tür stehen und raffte den Mantel vor der Brust. Ihre Lippen waren zusammengepresst zu einem Strich. Noch wusste sie nicht, was sie tun würde, aber sie war sicher, dass es einen Kampf geben würde, den sie zwar verlor, aber in dem sie völlig zerbrach und endlich von dieser Schmach befreit wurde.

»Komm näher, Saada«, sagte Fezzan. Er hatte eine schöne, dunkle Stimme. Hadschar war nicht mehr im Zimmer… vier Männer Fezzans hatten ihn in ihre Mitte genommen und zu seinem Büro begleitet. Dort hockte er jetzt, kaute an den Nägeln und sann auf einen Ausweg.

Saada rührte sich nicht. Ihre dunklen Augen starrten Fezzan an mit einer Entschlossenheit, die er sofort als gefährlich erkannte. Er winkte ab und schüttelte den Kopf.

»Du hast geweint. Ich habe es gesehen. Ich weiß nicht, wer du bist und woher du kommst… ja, ich habe fünfhundert Dinare bezahlt, um mit dir allein zu sein. Aber du sollst keine Angst haben. Ich will nichts weiter von dir, als dass du dich zu mir setzt und mir erzählst, wie du zu Hadschar gekommen bist. Ich weiß, woher er seine Mädchen nimmt… er kauft sie in Tunis. Aber mir ist es ein Rätsel, wie du unter die Ware kommst! Man kauft eine Tüte Äpfel und findet unter den anderen einen goldenen, – das wundert einen doch. Komm her, hab keine Angst… erzähle mir, woher du kommst.«

»Warum?« Saada blieb stehen, gespannt wie eine Sehne. »Du hast mich von Ali gewonnen… ich weiß die Wahrheit.«

»Es stimmt, ich habe dich gewonnen. Und ich habe Ali sogar hunderttausend Dinare für dich geboten!«

»Zuviel Geld für eine Tote.«

»Ich sehe, du lebst.«

»Bis morgen… bis nach deiner Umarmung. Dann werde ich gestorben sein.«

»Warum hasst du mich so? Du kennst mich doch gar nicht.« Fezzan zog die Knie an und umfasste sie. Dann stützte er das Kinn darauf und blickte Saada nachdenklich an. »Erzähl mir von dir«, sagte er wieder, und in seiner Stimme war etwas, das Saada Vertrauen eingab. »Sei eine neue Scheherazade… nur erzähle dein eigenes Leben.« Er winkte und zeigte auf das Bett neben sich. »Setz dich.«

Aber Saada blieb an der Tür stehen. Das Bett, von den Spiegeln umgeben, in denen sich Fezzan unzählbar vervielfältigte, war ihr wie ein Totenbett. Auf ihm werde ich vergehen, wenn er mich unter sich zwingt, dachte sie. Und ich werde meinen Tod sehen, überall… an den Decken, an den Wänden, einen Tod in geschändeter Nacktheit.

»Ich komme aus Bou Akbir –« begann sie. »Ich bin die Tochter des Scheichs Ali ben Achmed. Ich liebe einen Mann, einen deutschen Arzt –«

Sie sah über Fezzan hinweg wie in die Weite des Landes. In ihren Augen lebte wieder die Wüste.

Amar ben Fezzan faltete die Hände über seine Knie und hörte ihr zu.

Einen deutschen Arzt liebt sie.

Wie wertlos sind jetzt meine Millionen.

Cathérine lag noch zwischen Leben und Tod, als Dr. Bender das Militärkrankenhaus wieder verließ. Der Chefchirurg, der Franzose Dr. Bandeaux, konnte Bender auch nicht mehr sagen, als er schon selbst wusste.

»Wir werden die Wunden noch einmal öffnen, tief ausschneiden und mit Antibiotika behandeln«, sagte er. »Können wir sie retten, wird sie einen hohen Preis dafür bezahlen… ihr Körper wird für immer entstellt sein. Wir müssen viel Muskelfleisch, das schon bedenklich septisch aussieht, wegschneiden. Und wir werden in die Tiefe müssen. Das hinterlässt nicht nur Narben, sondern auch Höhlen. Ihre Schönheit ist hin –«

»Ich weiß es.« Bender senkte den Kopf. Das Schuldgefühl übermannte ihn wieder. Wie hatte der kleine Italiener gesagt? Wären Sie doch nie in die Wüste gekommen – »Aber trotzdem, Kollege… tun Sie alles, um sie zu retten!«

»Hinterher wird sie mich verfluchen.«

»Nein. Das verspreche ich Ihnen.« Bender streckte die Hand aus, und Dr. Bandeaux nahm sie mit Zögern. »Wenn Cathérine überlebt, werde ich mich um sie kümmern – für immer…«

Anders stand es um Achmed. Benders Diagnose bewahrheitete sich – es war nicht die Hadjar-Krankheit, das sichere Todesurteil, sondern ein Magendurchbruch. Alte Geschwüre waren aufgebrochen. Das Magnesiumpulver des Sanitäters Jussuf war nur Betrug gewesen… es überdeckte die Gefahr der Krankheit. Achmed lag bereits auf dem OP-Tisch, als Dr. Bender von Dr. Bandeaux zurückkam. Algerische Chirurgen, ausgebildet in den USA, der Schweiz und in Frankreich, hatten den Leib Achmeds geöffnet und nahmen eine Magenverkürzung vor. Wenn keine Komplikationen dazwischenkamen, würde er überleben… das wusste man, als man seinen Magen gespalten hatte.

Allein, ein Einsamer in dieser großen, von Menschen wimmelnden Stadt am Meer, stand Dr. Bender später auf der Straße, in der die Hauptverwaltung der »Sahara-Petrol« lag.

Die Adresse Pierre Serrats war schnell erfahren… in einem ordentlichen Büro weiß man alles.

»Hotel de l'Oasis«. Ein gutes Haus unter den Kolonnaden am Hafen. Rue Kerrar Smaine, Ecke Boulevard de la République. 52 Zimmer, viele mit Blick zum Hafen.

Und in einem wohnt Pierre Serrat.

Dr. Bender winkte eine Taxe und ließ sich zum Hafen fahren. Vor dem Hotel de l'Oasis stieg er aus und sah an der Fassade empor. Hohe, schmale Fenster, mit grünen Klappläden. Kleine Balkons mit Eisengitter. In der Bar hinter dem Eingang lärmten amerikanische Matrosen… ein Zerstörer lag draußen auf Reede. Drei algerische Huren warteten an der Straßenecke auf die Seemänner… Amerikaner zahlen immer gut in besten Dollars. Vier Zuhälter lagen wie Katzen auf der Lauer.

Dr. Bender betrat das Hotel und fragte nach Serrat.

»Nummer 12, erster Stock, Monsieur«, sagte der Portier, ein pockennarbiger Kerl in weißer Uniform. Er fragte nicht lange… in Afrika ist Neugier in solchen Dingen unbekannt.

Nummer 12.

Bender fuhr mit dem Fahrstuhl hinauf. Im Zwischenstock lag das berühmte Restaurant, ein Schlemmerlokal. Es war um diese Tageszeit noch leer… Bender sah auf seine Uhr und stellte erstaunt fest, dass es erst neun Uhr morgens war. Natürlich, dachte er. Die Nacht habe ich ja im Krankenhaus abgesessen, vor dem OP, in dem man Cathérine ganze Stücke aus dem schönen Körper schnitt –

Zimmer 12.

Eine weiße hohe Tür.

Dr. Bender trat ein, ohne anzuklopfen. Er hätte es tun müssen, denn Serrat lag nackt im Bett und spielte mit einer ebenfalls nackten, weißhäutigen und rothaarigen Hure. Sie quiekte auf und riss die weggetretene Decke über sich. Serrat setzte sich auf... ein schwarzbehaarter Bär. Kein Erstaunen lag in seinem Blick, keine Überraschung, nicht einmal Verblüffung. Er zog bloß das breite Kinn an und gab seiner Gespielin einen Klaps auf die dicken Brüste.

»Zisch ab, Püppchen«, sagte er mit seiner dunklen Stimme. »Nimm die Klamotten und zieh dich auf dem Flur an. Verdammt... jetzt müssen Männer reden. Ich ruf dich wieder, wenn's nötig ist.«

Die Hure sprang aus dem Bett, raffte ihre Kleider und rannte aus dem Zimmer. Als sie an Bender vorbeilief, roch es nach ranziger Butter. Serrat schob die Beine aus dem Bett und legte die Hände auf die dicken Oberschenkel.

»Unser Doktor –« sagte er gedehnt. »In Algier! Es ist also doch bloß eine Übertreibung, dass die Wüste jeden Idioten frisst! Sie hat Sie wieder ausgespuckt... Unverdaulich waren Sie immer, das stimmt.« Serrat senkte den Kopf wie ein angreifender Stier. Sein nackter, gewaltiger Körper erhob sich vom Bett. »Was gibt's, Doktor? Los... sagen Sie es schon! Stellen Sie die Frage –«

Dr. Bender nickte. »Wo ist Saada?«, fragte er. »Serrat... ich stelle sie nur noch einmal: Wo – ist – Saada –?«

Pierre Serrat war kein Mensch, den man mit einer harten Frage aus dem Gleichgewicht kippen konnte. Ein Riesentier wie er, aus Mut, Muskeln und Gewissenlosigkeit, war nicht zu überrennen mit ein paar hart gesprochenen Worten. Dr. Bender hatte es auch nicht anders erwartet, und als er jetzt die Augen Serrats sah, kleine, glitzernde, helle Bärenaugen, in denen keine Regung lag, nur eben dieses kalte Leuchten der Erbarmungslosigkeit, wusste er, dass die kommenden Minuten auch eine Entscheidung in seinem Leben sein würden.

Merkwürdigerweise hatte er keine Angst. In ihm war es so kalt, als ständen sie sich in einem Kühlhaus gegenüber und nicht in einem afrikanischen Hotelzimmer, in dem trotz der Ventilation noch eine Decke von Hitze und klebenden Gerüchen lag.

»Saada –« Serrat dehnte den Namen wie einen Kaugummi. »Ich weiß es nicht.«

Das war die Wahrheit, aber nur eine halbe. Dr. Bender wusste es genau. »Sie haben Saada aus Camp XI mitgenommen«, sagte er rau.

»Ja.«

»Wohin?«

»Nach Ouargla.«

»Und dann?«

»An die Grenze nach Tunis, in die Schotts Djerid.«

Dr. Bender hatte manche Antwort erwartet… aber nicht diese. In die Schotts? Was hatte Serrat in den Salzseen zu suchen? Das verwirrte ihn und ließ neue Angst in ihm hochquellen.

»Reden Sie nicht herum, Serrat!«, schrie er plötzlich. »Sie haben Saada mitgenommen, und seitdem ist sie verschwunden.«

»Das glaube ich gern.« Serrat grinste breit. Er kam langsam auf Bender zu, ein behaarter Riesenaffe, nackt und lautlos. Es war, als berühre der schwere Körper nicht den Boden. »Ich habe sie verkauft…«

»Was haben Sie?« Bender stockte der Atem. Das Ungeheuerliche war nicht begreifbar. »Erzählen Sie keinen Blödsinn, Serrat.«

»Ich habe sie auf einem Sklavenmarkt in den Schotts Djerid verkauft. Für gute harte Francs.« Serrat zog das Kinn an.

»Ich kann Ihnen sogar eine Quittung darüber geben… ich habe das Geld einem Waisenhaus in Algier vermacht. Fragen Sie mich bloß nicht, warum. Aber das ist die reinste Wahrheit… Saada schwirrt als Sklavin irgendwo herum. Vielleicht ist sie sogar schon in Saudi Arabien in einem Harem. Da geht's ihr gut… besser als in dem Stinkloch Bou Akbir.« Serrat stand einen Meter vor Dr. Bender. »Es steht Ihnen jetzt die Frage frei, warum ich Ihnen das alles erzähle! Nach dem Gesetz habe ich Ihnen zehn Jahre Zuchthaus gestanden. Sie nehmen doch nicht an, dass ich so blöd bin und sie absitze?«

»Nein.« Benders Herz war wie mit einem Eisenpanzer umgeben. Verkauft auf einem Sklavenmarkt! Irgendwohin transportiert, zur Liebe gezwungen, vielleicht mit Peitschen geschlagen, bis ihr Widerstand zerbrochen war. Er schrak zusammen vor einem fremden Laut. Auch Serrat hob die buschigen Augenbrauen. Erst da merkte Bender, dass er mit den Zähnen geknirscht hatte. »Sie Schwein –« sagte er tonlos. »Sie elendes Schwein! Was wären zehn Jahre Zuchthaus…«

Er duckte sich, denn Serrat griff mit beiden Händen nach ihm. Und dann war es, als fiele ein Berg über ihn. Doch Dr. Bender hatte diesen Angriff einkalkuliert. Zum erstenmal in seinem Leben wandte er als Selbstverteidigung das an, was er in Köln auf der Karate-Schule gelernt und an seinen Partnern nur simuliert hatte. Mit einem blitzschnellen Handkantenschlag in den Magen Serrats hieb er den Riesen zurück, bevor noch dessen tellergroße Hände seinen Kopf umfassen konnten.

Serrat war es, als schnitt man ihn mittendurch. Ein unbeschreiblicher Schmerz durchzuckte ihn, er taumelte zurück, fiel auf das von der Hure zerwühlte Bett und drückte beide Hände in den Leib. Feuer durchbohrte seinen Magen, das

Zimmer löste sich auf in tanzende, grellfarbene Punkte. Aber das war nur ein paar Sekunden lang, dann sprang Serrat wieder auf, dumpf knurrend wie ein Löwe. Er taumelte auf Bender zu und warf sich dann über ihn.

Doch auch dieses Mal lief Serrat nur in einen Schlag, der seinen Kopf fast vom Rumpf trennte. Heulend und zitternd fiel er auf die Knie und umklammerte seinen Hals, ließ sich dann nach hinten fallen und lag so, ein Fleischgebirge, durchzittert von innerem Beben, auf den Dielen, mit weiten Augen, in denen völliges Nichtverstehen noch über dem Schmerz stand.

Bender kniete sich neben Serrat und hieb mit der Handkante auf den rechten Oberschenkel des Riesen. Serrat stöhnte auf... seine Augen färbten sich rot. Er keuchte und klapperte mit den Zähnen. Er hat mir das Bein abgeschlagen, dachte er. Es ist gefühllos, abgetrennt, tot. Er hat Handkanten aus Stahl. Und ich habe gedacht, er sei ein in Milch gebadeter akademischer Idiot.

»Wo ist Saada?«, fragte Dr. Bender rau. Er wusste, welche Schmerzen Serrat jetzt durchlitt, aber er war unfähig, auch nur einen Gedanken an Mitleid zu verschwenden. Auf einem Sklavenmarkt verkauft... Er hob die Hand und schlug noch einmal auf den Oberschenkel. Es war, als knacke innen der Knochen. Serrat heulte auf.

»Ich weiß es nicht...« stöhnte Serrat. »Doktor... ich schwöre es Ihnen... Sie ist abtransportiert worden...«

»Ein Teufel hat mehr Seele als Sie!«, sagte Bender dumpf. »Serrat, ich zerstückle Sie, wenn Sie keine anderen Auskünfte geben.« Er schlug mit der Handkante auf den linken Oberschenkel. Serrat verdrehte die Augen. Speichel lief aus seinen Mundwinkeln. Jetzt bin ich beinlos, dachte er. Er hat mir beide Beine abgeschlagen. O Gott, mein Gott... Ein neuer Schlag erzitterte seinen Riesenleib. Es war, als zerplatze der Brustkorb. Serrat verdrehte die Augen, versuchte, die Arme zu heben, und kam sich vor, als bade er in einem See aus brennendem Öl.

»Ich habe sie einem Händler übergeben...« röchelte er. »Jussuf ben Rahman heißt er. Ich habe seine Adresse von dem Händler Amar ben Habadra in El-Oued. Die Kerle treffen sich im Schott, im Gebiet von El Matmahira. Das ist alles.« Er sank zurück und schloss die Augen. Dass kein neuer Schlag erfolgte, machte ihn fast glücklich. »Was nun?«, fragte er, als er besser Luft bekam.

Dr. Bender saß auf dem Bett und starrte auf den nackten Serrat. Was nun, das war wirklich eine Frage. Nachdem es sicher war, dass Serrat die Wahrheit gesagt hatte, eine unbegreifliche Wahrheit, denn in Bender sträubte sich alles dagegen, zu glauben, dass Saada jetzt irgendwo als menschliches Tier hinter verschlossenen Türen lebte, elender als jeder Hund, der herumstreunt, denn ihm ist wenigstens die Freiheit geblieben, blieb eigentlich nur ein Weg übrig: zur Polizei. Aber schon im Voraus wusste er, wie es dort sein würde. Man würde ein Protokoll aufnehmen, Serrat in ein muffiges Loch stecken und dann die Schultern zucken.

Tunis... was können wir da machen? Natürlich kann man in El-Oued den Amar ben Habadra verhaften, wenn der Name überhaupt stimmt. Aber wo soll man zum Beispiel den Jussuf ben Rahman suchen? Wenn Mädchen aus der Wüste verschwinden, dann ist es meistens endgültig... oder sie melden sich nach einiger Zeit, und es geht ihnen gut. Sie sind Tänzerinnen, Bardamen, Hausmädchen, Huren... aber immer sind sie zufrieden. Anzeigen... die hat es nie gegeben.

»Ziehen Sie sich an, Serrat!«, sagte Bender heiser. »Los, schnell! Wir gehen zum Kommissariat –«

Serrat kroch über den Boden wie eine Riesenkröte. Dann

schob er sich an der Wand empor und wunderte sich, dass seine Beine doch noch am Körper waren und ihn trugen. Mit zitternden Fingern zog er sich an und beobachtete dabei Dr. Bender. Aber so günstig manchmal die Gelegenheit war... er hatte plötzlich keinen Mut mehr, sich auf ihn zu stürzen. Als er fertig angezogen war, räusperte er sich. Bender hob den Kopf.

»Gehen wir...«

Sie verließen das Zimmer, Serrat schloss es ab und gab den Schlüssel unten beim Portier ab. Im Eingang des Hotels blieb er stehen und sah noch einmal zurück. »Das Logis bezahlt die Firma«, sagte er. »Gepäck brauche ich wohl nicht, was?«

»Nein.« Bender trat hinaus auf die Straße. Das Gewimmel der Menschen saugte ihn auf wie der Schwamm einen Wassertropfen. Die Mittagshitze prallte gegen ihn, vom Hafen erklangen Sirenen und dröhnte das rhythmische Hämmern von Pressluftbohrern. Hunderte Stimmen wirbelten durcheinander, aus einem Café gegenüber dem Hotel tönte laute orientalische Musik.

Serrat trat hinter Dr. Bender.

»Sie sind doch ein Idiot, Doktor –« sagte er. »Aber das macht, weil Sie immer noch den Glauben an den Menschen haben. Das ist ein Luxus, an dem Sie noch zugrunde gehen wie andere am Roulett oder an einer teuren schönen Frau. Der Mensch ist ein Stück Dreck... merken Sie sich das.«

Er gab Bender einen mächtigen Stoß, der Arzt flog zwischen die Tischreihen des Cafés, Stühle und Geschirr klirrten auf das Pflaster, zwei Kellner erschienen und rissen Bender hoch und schleppten ihn in das Lokal. Im Nu war er umgeben von schreienden, gestikulierenden Algeriern, die ihn an den Armen rissen, bespuckten und bedrohten. Erst ein Polizist, der unter den Kolonnaden gestanden hatte und durch den Lärm herangelockt wurde, befreite Bender aus der schreienden Menge und nahm ihn mit zum nächsten Revier. Serrat war längst in den Gassen untergetaucht... noch im Fallen hatte Bender gesehen, dass er die Richtung zur Kasbah nahm, zu dem uralten Viertel Algiers, in dessen miteinander verschachtelten Häusern ein Mensch sicherer war als ein Fuchs in seinem Bau.

»Zu Ihnen wollte ich«, sagte Bender, als er dem Polizeikommissar der großen Wache am Hafen gegenübersaß. »Ich höre, Sie sprechen gut Französisch. Lassen Sie mich alles der Reihe nach erzählen... Sie werden es sonst nicht begreifen –«

Von dieser Stunde an wurde Dr. Bender weitergereicht wie ein besonders erfolgreiches Call-Girl. Nur ging ihm nicht der Ruf besonderer Liebeslust voraus, sondern der Geruch eines Menschen, der überall nur Mühe, Arbeit und Unbequemlichkeiten macht. Aber es war notwendig, ihn anzuhören, denn schließlich war Algerien jetzt ein geordneter, demokratischer Staat.

Dr. Bender durchlief alle Instanzen einer perfekten Verwaltung, die ihm geradezu erschreckend deutsch vorkam. Wie in der Heimat war keiner, dem er die Geschichte Saadas erzählte, zuständig, so wie es kaum einen Beamten gibt, der sich für unangenehme Dinge kompetent erklärt. Es war ein Weg quer durch Algier, den Bender an diesem Tag zurücklegte. Von der Polizeiwache am Hafen zur Polizeikommandantur, von der Kommandantur zur Staatsanwaltschaft, von dort zu einem Ministerialrat, der sich Notizen machte, in der kehligen Sprache der Araber mit jemandem durchs Telefon sprach und Bender weiterreichte an einen

Ministerialdirektor. Auch dieser hörte sich alles an, telefonierte und brachte Bender in ein Zimmer, in dem zwei hohe Offiziere und ein schmaler, kleiner Mann auf ihn warteten. Den kleinen Mann nannte man Minister. Bender war bereits so müde, dass es ihm gleichgültig war, welcher Minister es war. Er sank auf einen rot gepolsterten Stuhl und rief flehend:

»Jetzt erzähle ich die Sache zum neuntenmal! Begreift denn das keiner? In Algerien wurde ein Mädchen auf einem Sklavenmarkt verkauft –«

»In Tunis, Monsieur«, sagte der kleine Minister steif.

»Von algerischen Händlern.«

»Das werden wir nachprüfen. Einheiten der Luftwaffe sind bereits unterwegs nach El-Oued. Auch wird der Scheich Ali ben Achmed im Hospital verhört. Stellt es sich heraus, dass Ihre Anzeige wahr ist, werden wir alles tun, um diesen Lumpen das Handwerk zu legen.«

»Und Saada? Wer sucht Saada?« Bender sprang auf. Er erkannte plötzlich, dass Saada hier gar nicht so wichtig war, dass keinen ihr Schicksal rührte, dass es nur um die Jagd nach diesem rätselhaften Jussuf ben Rahman ging.

»Das ist eine schicksalshafte Frage.« Einer der Offiziere trat an Dr. Bender heran. »Wie wollen Sie ein Mädchen suchen und finden, das bereits verkauft worden ist? Wenn es sich nicht von allein meldet, werden wir nie mehr etwas von ihm hören. Auch wenn wir Rahman finden … er kann immer sagen, er wüsste die Namen seines Käufers nicht, was auch meistens der Fall ist. Von der Stunde an, wo Saada verkauft wurde, erlischt sie für uns alle wie eine ausgeblasene Kerze. Wo, Monsieur, wollen Sie suchen? Verraten Sie uns das.«

»Von Matmahira aus –« Bender wischte sich über das Gesicht; es war überzogen mit kaltem Schweiß. »Jemand muss sie doch gesehen haben –«

»Jemand –« Der Offizier lächelte schief. »Finden Sie diesen Jemand erst einmal! Wir sind hier nicht in Europa, wo man durch Radio und Fernsehen suchen kann, wo die Zeitungen Aufrufe bringen. Die Bauern und Viehtreiber an der Grenze werden lieber hundertmal zu Allah beten, als ein Wort der Polizei aussagen. Ihr Jemand, Monsieur, bleibt ein Phantom –«

»Und Pierre Serrat?«

»Den haben wir schnell. Alle unsere Spitzel in der Kasbah sind alarmiert. Glauben Sie nicht, wir hätten in den Stunden nichts getan. Es ist eine der größten Aktionen ausgelöst worden, die Algerien je gesehen hat. Wir erwarten in der nächsten Stunde die ersten Meldungen aus El-Oued und von der Grenze.«

»Wir haben auch die befreundete Regierung von Tunis unterrichtet«, sagte der kleine Minister mit heller Stimme. »Tunesische Militäreinheiten sperren die Schotts bereits ab und verhören die Grenzposten. Wir arbeiten mit der gleichen Präzision wie die Europäer.«

Dr. Bender nickte schwach. Da war sie wieder, die immer schwellende Angst, weniger zu sein als die Weißen. Dieses Trauma der Farbigen, weniger zu leisten als die Europäer. Dieser Minderwertigkeitskomplex der Afrikaner, Menschen zweiter Geistesordnung zu sein.

»Und wer sucht nach Saada?«, fragte er wieder. Die Männer um ihn herum sahen ihn mitleidig an. Ihre Blicke gaben allein die stumme Antwort.

Keiner.

Ein verkauftes Mädchen ist wie eine verkaufte Dattel… irgendeiner frisst sie auf…

Die algerischen Behörden waren an diesem Tag rührend um Dr. Bender besorgt. Sie luden ihn zum Essen im feudalen Hotel Aletti ein, der Minister und ein General waren seine Begleiter, zu denen sich am späten Abend noch der Direktor der »Sahara-Petrol« gesellte, ein dicker Franzose, laut, beweglich, Playboy im Endstadium, man rauchte und trank Sekt und überspielte die Nervosität, die alle beherrschte. Gegen 23 Uhr kamen die ersten Meldungen ins Hotel Aletti... Kuriere der Armee brachten sie in den kleinen Salon, in den sich die Herren zurückgezogen hatten.

»Aha!«, sagte der General zufrieden und sah Bender bedeutungsvoll an. »Den Hund von Amar ben Habadra haben wir. Er wird zur Zeit verhört. Die Vernehmung gestaltet sich etwas langweilig, denn Habadra wird immer ohnmächtig...«

Dr. Bender hob schaudernd die Schultern. Er ahnte, was zur Stunde in El-Oued vorging, aber er hatte kein Mitleid mit dem Mann. Wer Menschen verkauft, hat kein Recht auf Humanität.

»Und Saada? Hat man etwas über Saada erfahren können?«

»Nichts.« Der Minister sah in die Glut seiner Zigarre. »Auch Scheich Achmed lässt stündlich aus dem Hospital anrufen. Es geht ihm übrigens nach der Magenoperation gut. Erstaunlich, wo sie erst knapp vierundzwanzig Stunden her ist. Die Freunde in der Wüste haben eine eiserne Gesundheit.« Er beugte sich zu Bender vor und sah auf dem Wege dorthin demonstrativ auf seine Armbanduhr. »Sie sollten sich hinlegen, Monsieur docteur. Ich befürchte, Sie brechen uns sonst noch zusammen. Hier im Haus ist für Sie ein Appartement reserviert worden...«

»Danke, Exzellenz.« Bender lehnte sich zurück und legte den Kopf nach hinten auf die hohe Sessellehne. »Wer könnte jetzt schlafen –«

»Ich. Ich muss.« Der Minister erhob sich. »Monsieur, ich habe morgen eine Kabinettsitzung. Glauben Sie mir, es hat keinen Sinn, sich hier mit stundenlangem Warten die Nerven zu ruinieren. Es wird alles getan, was man tun kann. Sie müssen mich entschuldigen.«

Bender nickte. Der Minister verabschiedete sich, der General folgte, dann ging auch gegen 3 Uhr früh – der Direktor der »Sahara-Petrol«.

Er verließ Dr. Bender ratlos.

Bevor er ging, hatte er Bender vorgeschlagen, ihn aus dem Arztvertrag der Gesellschaft zu entlassen.

»Ich kann verstehen«, sagte der Direktor – er hieß Jacque Prillier – und legte freundschaftlich den Arm um Benders Schulter, »wenn Sie die Schnauze von der Wüste voll haben. Wir sind keine Unmenschen, wir entbinden Sie natürlich von Ihrem Zweijahresvertrag, ab sofort. Wer konnte solche Komplikationen ahnen? Aber, seien wir ehrlich... Sie auch, Doktor... ein wenig Schuld an dem ganzen Schlamassel haben Sie auch. Sie haben das erste Gebot der Europäer in Afrika verletzt: Hände weg von Eingeborenen-Schönheiten! Mensch, Doktor... da haben Sie die Cathérine in der Baracke, gefüllt mit Dynamit bis unter die Haarwurzeln... und gehen mit einem Berbermädchen ins Bett!«

»Nicht nur –« sagte Bender leise.

Monsieur Prillier bekam glänzende Augen. »Die Cathérine auch? Also beide? Und da wundern Sie sich, wenn die Wüste um Sie herum brennt? Doktor, – was haben Sie sich eigentlich dabei gedacht?«

»Nichts. Ich bin einfach zerrissen worden von diesen beiden Frauen. Es waren zwei Welten, zwei Elemente, und ich ging in dem Sog unter. Natürlich weiß ich heute, dass alles verkehrt war... aber haben Sie jemals Saada gesehen?«

»Nein.« Prillier schnippte die Asche von seiner Zigarre. Seine in Fettwülsten gebetteten Äuglein glitzerten. »Aber wie wird sie schon sein? Schwarzhaarig, mit Brüsten wie aus Alabaster, und Feuer zwischen den Schenkeln wie ein Vulkan. Aber so sind sie alle, docteur, alle. Nicht nur Ihre Saada. Als ich hierherkam, vor zehn Jahren, und die Weiber sah, diese Glutaugen, diese schwingenden Hüften... ich sage Ihnen, immer war ein Wüstenkätzchen bei mir im Zimmer. Bis ich's am Herzen bekam. Ich sage Ihnen, docteur... plötzlich kam das. Atemnot, Schwindel, rumm, lag ich da. Völlig entkräftet war ich. Mein Rückgrat war wie Gummi. Da wurde ich vernünftig, schmiss die Berberweiber hinaus und erinnerte mich an meine Frau in Marseille. Seitdem geht mir's besser. Diese Araberinnen sind Vampire... sie saugen das Rückenmark aus. Für uns Europäer ist das zu gewaltig, wir gehen dabei vor die Hunde. Docteur... reißen Sie sich los von Ihrer Saada... fahren Sie nach Köln zurück, heiraten Sie dort ein Mädel vom Rhein und machen Sie irgendwo eine Praxis auf. Das bekommt uns viel besser.«

»Erst muss ich Saada finden«, sagte Dr. Bender.

»Hier? In Afrika? Oder gar drüben in Arabien? Docteur... lassen Sie mich nicht glauben, dass Ihr Gehirn in der Wüste ausgetrocknet ist. Der Scheich, ihr Vater, ist da vernünftiger... er kennt seine Landsleute. Er hat im Krankenhaus den Priester kommen und für seine Tochter ein Gebet sprechen lassen. Verstehen Sie, was das heißt? Für ihn ist sie tot –«

»Aber nicht für mich!« Dr. Bender sprang auf und lief in dem kleinen, prunkvollen Salon hin und her. Prillier beobachtete ihn wie ein großer, fetter, breitmäuliger Fisch. »Ihr Angebot, mich aus dem Vertrag zu entlassen, ist gut gemeint, Prillier. Aber ich bleibe. Ich bleibe so lange in Afrika, bis ich Saada gefunden habe!«

»Dann haben Sie jetzt eine Lebensstellung –« sagte Prillier sarkastisch.

»Irgendwo gibt es eine Spur – ich spüre es. Auch in Afrika kann ein Mensch nicht einfach zum Nichts werden.«

»Sie ahnen gar nicht, was in Afrika alles möglich ist. Wenn Menschen sich in nichts auflösen, dann nur hier.« Prillier hielt Bender fest, als dieser an ihm vorbeilief. »Seien Sie doch vernünftig, docteur… Wenn Sie wirklich eine Spur finden und sie führt nach Saudi Arabien… was soll das? Eher leben auf dem Mond hochentwickelte Lebewesen, als dass Sie auch nur einen Schritt nach Saudi Arabien tun, wenn die dortigen Behörden es nicht wollen. Und sie wollen nicht, das weiß ich im Voraus. Dort ist die Welt nicht unsere Welt, und wir werden das nie verstehen. Eine Frau suchen… jeder Orientale wird Sie für einen Verrückten halten! Nein. Docteur… ein Vorschlag. Heiraten Sie Cathérine. Dann haben Sie eine Frau, vor der der Teufel ausreißt –«

»Das weiß ich.« Bender sah über den runden Kopf Prilliers hinweg gegen die seidenbespannte Wand. »Cathérine ist ein Naturereignis… aber Saada muss ich finden! Ich habe die moralische Pflicht dazu –«

Kopfschüttelnd verließ auch Prillier den unüberredbaren Dr. Bender. In der Bar traf er einen anderen Abteilungsleiter der »Sahara-Petrol«. Er saß dort mit einem blonden Mädchen und stopfte Salzstangen in den Ausschnitt ihres Kleides. Prillier blieb stehen.

»Was Neues, Henri?«

»Sie haben Serrat gesehen. In der Kasbah. Aber er ist ihnen entwischt.«

»Ein verdammt unangenehmer Fall, Henri.« Prillier trank das Glas Henris leer und beachtete die kichernde Blondine mit keinem Blick. So etwas kostet 40 Francs, dachte er. Henri hat einen ordinären Geschmack. »Ich würde ihm gönnen, durchzukommen.«

»Und wohin?«

»Nach drüben, nach Frankreich. Dann gäbe es keinen Prozess.« Er schob sich zwischen Henri und die Blondine und sagte leise zu Henri: »Kannst du dir den Prozess denken, den sie machen? Einen Sensationsprozess. Franzose verkauft Sklavinnen! Alle Ressentiments gegen die Weißen kommen wieder hoch. Fensterscheiben werden eingeschlagen, die Volkswut wird toben. Und dann unsere Gesellschaft im Mittelpunkt – scheußlich, sage ich. Man sollte Serrat verschwinden lassen.«

»Wir?« Henri begriff endlich. »Prillier... das ist ein glühendes Eisen.«

»Wir müssen es anpacken, Junge. Ein Prozess Serrat wirft uns um Jahre zurück. Mademoiselle –« Prillier griff in die Tasche, stopfte der Blondine einen 50-Francs-Schein in den Busen und wedelte dann mit der Hand. »Sie verzichten heute auf eine Reitstunde. Bon soir...«

Er zog Henri, der zuerst widerstrebte, vom Barhocker, fasste ihn unter und schleifte ihn aus der Bar.

Von dieser Stunde an war Pierre Serrat kein Flüchtling mehr, sondern eine wichtige Person der »Sahara-Petrol«, die man hegen und pflegen musste, bis das berühmte Gras über die Affäre gewachsen war.

Man vergaß nur, dass in der Wüste selten Gras wächst –

Am nächsten Morgen besuchte ein Polizei-Offizier Dr. Bender auf seinem Zimmer. Bender schlief noch, als durch das Telefon der Besuch angekündigt wurde. Er war erst seit vier Stunden im Bett... bis zum Morgengrauen hatte er gewartet und jede Stunde in der Polizeikommandantur angerufen. Auch im Hospital rief er an... Scheich Achmed hatte seine Tochter wirklich aufgegeben und eine

Totenfeier in der Moschee von Algier bestellt. Cathérine war aus ihrer Bewusstlosigkeit erwacht und hatte hohes Fieber. Aber man glaubte, alles unter Kontrolle zu haben. Einen Wundbrand erwartete man nicht mehr; allerdings sah ihr Körper schrecklich aus, entstellt durch die tiefen Operationswunden; faustgroße brandige Fleischstücke waren herausgeschnitten worden. Man hatte es Cathérine noch nicht gesagt... die Ärzte waren froh, dass sie überhaupt erwacht war und ihre Umwelt erkannte.

Bender ließ einen großen Blumenstrauß bestellen und an ihr Bett schaffen. »Ich komme gegen Mittag«, sagte er zu dem Nachtarzt.

Der Polizeioffizier hatte eine schmale Mappe bei sich und setzte sich an den Tisch am Fenster, während Dr. Bender schnell ins Bad eilte, sich das Gesicht und die Hände wusch und die Haare kämmte. Etwas Außergewöhnliches war geschehen, das spürte er... nicht ohne Grund besuchte ihn ein Offizier am frühen Morgen.

»Der Herr Minister hat uns angewiesen, Ihnen über den Stand unserer Aktionen genauen Bericht zu geben«, sagte der schlanke schwarzäugige Offizier und klappte seine Mappe auf. Er könnte ein Bruder von Saada sein, dachte Dr. Bender. Prillier hat recht... ihre Augen sind alle gleich. Nur lag über Saadas Blick ein Schimmer wie Samt – Er schrak hoch, als der Offizier weitersprach.

»Wir haben in der Nacht noch den Händler Amar ben Habadra verhaftet. Er sagte nach drei Stunden Verhör aus, dass er einem Europäer mit einem jungen Mädchen den Weg zum Schott Djerid erklärt habe. Der Beschreibung nach waren es Serrat und Saada. Nach vier Stunden Verhör kannte Habadra auch einen Händler Jussuf ben Rahman, wohnhaft in Biskra. Rahman wurde ebenfalls verhaftet. Er ist ein angesehener reicher Mann, der für alle Zeiten Alibis hat und nie etwas mit Sklavenhandel zu tun hat. Er organisiert im Gegenteil Pilgerfahrten zum Heiligen Grab in Mekka ... eine sehr lobenswerte Tätigkeit. An der Grenze kennt man seine Pilgerbusse sehr gut ...« Der Offizier hob den Kopf. »Die Spur zu Jussuf ben Rahman war also falsch. An dem Tag, an dem Serrat Saada verkauft haben will, hat Rahman eine große Karawane über die Grenze nach Tunis gebracht.«

Dr. Bender spürte in seinem Körper ein heißes Flimmern. Die Spur, dachte er. Da ist sie. Die Nadel im Heuhaufen. Sie erkennen es noch nicht, sie sind blind ... aber die Spur ist da ... Nach Tunis –

»Und ... und das fällt Ihnen nicht auf?«, fragte er mit belegter Stimme.

»Was soll hier auffallen?«, fragte der Offizier erstaunt zurück.

»Die Pilgerfahrt!« Bender schrie es heraus. »In dem Bus war auch Saada –«

»Als Pilgerin? Dann war sie ja freiwillig auf Reisen.«

»Sie wurde gezwungen.«

»Monsieur –« Der Offizier lächelte mokant. »An der Grenze werden die Busse genau untersucht. Sie hätte nur einen Ton von sich geben müssen ... und das ganze Unternehmen wäre in die Luft gegangen. Oder bezichtigen Sie Rahman, seine Pilgerfahrten seien Sklavenhandel?«

»Genau das sind sie!«

»Monsieur!« Der Offizier sprang auf und klappte seine Mappe zu. »Ihre Erregung ist verständlich, aber hier geht es um die Religion, die nie ein Außenstehender begreifen wird. Eine Pilgerfahrt zu Allah nach Mekka ist das Höchste, was einem Moslem im Leben geschehen kann. Es ist eine Beleidigung Allahs, daran zu zweifeln.« Er knallte die Hacken zusammen, was anscheinend alle Militärs auf der Welt als besonders forsch ansehen, und verließ das Zimmer. Dr. Bender blieb keine Zeit mehr, sich zu entschuldigen.

»Sie wollen es nicht sehen!«, rief er, als er allein war, und presste die Fäuste gegen die Stirn. »Das ist die raffinierteste Sklavenkarawane, die es gibt: Pilgerfahrt nach Mekka! Mein Gott, sind denn alle hier blind?!«

Er zog sich an und fuhr zum Armeekommando von Algier. Der General, mit dem er gestern im Salon gegessen hatte, war unterwegs im Atlasgebirge zur Besichtigung von Truppeneinheiten. Der Minister war in einer Kabinettsitzung, der Polizeipräsident hatte einen Empfang von Leuten der INTERPOL, Monsieur Prillier war weggefahren... Alle anderen konnten keine Auskunft geben oder scheuten sich, sie zu übernehmen. Nur ein junger Beamter in der Polizeipräfektur half Dr. Bender weiter. Er zeigte ein Foto.

Dr. Bender blieb der Atem stehen.

Saada.

»Das ist sie...« sagte er schwach. Er musste sich setzen und ergriff mit zitternden Händen das kleine Foto. Es zeigte Saada mit windzerzausten Haaren in einer trostlosen, unter der Sonne glühenden Landschaft. Es war das Funkbild eines Originals. »Das ist Saada... Wo haben Sie das Bild gefunden?«

»Vor zwanzig Minuten in der Villa Jussuf ben Rahmans. Das Funkbild kam vor vier Minuten hier an. Rahman wird zur Zeit verhört.«

»Also doch, also doch...« Dr. Bender starrte auf das Bild, sein Herz hämmerte wild gegen die Rippen. »Weiß man schon, wo es aufgenommen wurde?«

»Der Umgebung nach glaubt man in den Schotts Djerid... Sie wissen, in den Salzsümpfen – Aber das werden wir noch erfahren. Rahman wird ja gegenwärtig verhört...«

Er lächelte dabei, und dieses Lächeln hieß: keine Sorge.

Es kann nicht mehr lange dauern. Unsere Verhöre sind berühmt, da lernen selbst die Hyänen menschlich sprechen, und die Menschen heulen wie die Hyänen – Die Wahrheit kann sich nur noch für Stunden verstecken...

Vorsichtig nahm der Beamte das Bild aus Benders Händen und legte es in die Mappe zurück. Es war eine Kuriermappe, die nach einem Druck auf einen Klingelknopf sofort von einem Bürodiener abgeholt wurde. Auf dem schnellsten Wege wurde sie zu dem Polizeipräsidenten gebracht. Er unterbrach den Empfang der INTERPOL-Leute und kam herunter in das kleine Büro, wo noch immer Dr. Bender saß.

»Ist sie das?«, fragte der Polizeipräsident. »Sie erkennen sie genau?«

Dr. Bender lächelte schwach. »Ich sollte Saada nicht aus tausenden Mädchen herausfinden?«

»Es gibt verblüffende Ähnlichkeiten.«

»Sie ist es. Bei Gott, sie ist es!«

»Wir werden das Bild auch dem Scheich zeigen. Bedenken Sie, Sie bringen einen geachteten Mann wie Rahman an den Galgen...«

»Hängen Sie ihn auf, hängen Sie ihn, nur finden Sie mir auch Saada wieder!« Dr. Bender war am Ende seiner Kraft. Er schluchzte und sank mit dem Kopf auf die Tischplatte. »Wenn das Foto nicht Saada ist, dann hängen Sie m i c h auf.«

Von dieser Stunde an wurde selbst die Wüste klein, schrumpfte Afrika zusammen, war eine Spur kein Weg mehr ins Nichts.

Von Algier flog ein Funkbefehl nach Biskra.

Verhör von Jussuf ben Rahman bis zur völligen Wahrheit.

Nur wer Afrika kennt, weiß, was das heißt.

Für Jussuf ben Rahman brach die Hölle auf –

Pierre Serrat lebte in den Gassen der Kasbah zwei Tage, bis er die Möglichkeit sah, aus Algier wegzukommen. Zweimal war er den Polizeistreifen entwischt, tauchte unter in das Gewirr von Gäßchen und unterirdischen Gängen, jagte über Treppen die Hügel hinauf und hinab und versteckte sich schließlich bei einem Fischbrater in der Nähe der Großen Moschee. Der alte Mann, dessen Geschäft es war, minderwertige Fische, die kein Restaurant mehr kaufte, so zuzurichten und zu braten, dass man sie noch essen konnte, verbarg Serrat in einem Verschlag unter dem Dach und kassierte dafür gute 100 Francs.

Hier lebte Serrat wie ein wildes Tier, aß die merkwürdig riechenden Fische seines Gastwirtes und trank Sprudelwasser, das er, die Flasche für einen Franc, kaufen musste.

»Die letzte Flasche zerschlage ich auf deinem Schädel, du Gauner!«, brüllte er den Araber an, aber der Mann grinste nur und zeigte auf die Tür. Da schwieg Serrat und verkroch sich wieder in dem Verschlag.

Nach zwei Tagen wagte er sich wieder auf die Straße, stahl vom Boulevard de République ein Auto und fuhr mit ihm durch das Atlas-Gebirge zur ersten großen Wüstenoase Bou Saada. Niemand hielt ihn an, keiner beachtete ihn. Er tankte in Ain Aissa, kaufte sich in Bou Saada eine Autokarte, aß im Hotel Sahara einen Hammelbraten und studierte dann die Autokarte.

Zurück zum Camp, dachte er. Dort ist meine Heimat. Von dort holt mich keine Kompanie Soldaten weg. Dort wird mich auch keiner suchen. Wo soll ich auch anders hin? Die Wüste ist mein Vaterland, nicht das Frankreich, das ich nur als Kind kenne. Was soll ich in Marseille oder Paris? Ich würde ersticken in den Steinhaufen.

Gegen Abend fuhr er weiter. Er hatte sich zwei neue Kanister gekauft und mit gutem Wasser gefüllt. Die Fahrt durch das Gebirge der Ouled Nails war eine Fahrt durch trockenes, gebleichtes, einsamstes Land. Serrat hatte sich entschlossen, nicht die schnellere Route über Biskra zu nehmen – denn in Biskra, das ahnte er, würde er in Kontrollen hineinkommen –, sondern er wandte sich erst nach Südwesten, nach Djelfa, und von dort direkt nach Süden, um über Laghouat und Ghardaia in einem Bogen nach Osten Ouargla zu erreichen, die Wüstenstadt, in der Serrat zu Hause war, in der er jedes Haus kannte, jedes Mädchen, jede Kneipe.

Serrat fuhr drei Stunden auf der holperigen Straße nach Djelfa, vorbei an der heiligen Stadt El Hamel, wo der Marabu seinen Palast hatte und eine Schule für Priester eine Elite von algerischen Nationalisten ausbildete, dann rastete er und lenkte den Wagen ein paar Meter von der Straße ab in die Felsen, zog eine Decke über den Kopf und schlief sofort ein.

Die Morgensonne weckte ihn. Er sah auf seine Uhr und warf die Decke ab, griff nach hinten zu den Kanistern, um etwas zu trinken, und griff ins Leere.

Mit einem Schwung fuhr Serrat herum. Die Rücksitze waren leer. Die neuen Kanister waren verschwunden.

»Sauhunde!«, brüllte Serrat. In sinnloser Wut hieb er auf die Polster und verfluchte alles, was Araber war. Dann studierte er wieder die Karte. In El Hamel konnte er kein Wasser bekommen… kein Ungläubiger durfte die heilige Stadt betreten. Bis Djelfa waren es noch 70 km heiße, staubige Geröllstraße. 70 Kilometer, das hört sich wenig an, aber sie bei 50 Grad Hitze zu fahren, ohne einen Schluck Wasser in der trockenen Kehle, ist eine große Leistung.

Serrat blieb nichts anderes übrig als dieser Weg nach vorn. Spuren um seinen Wagen herum sagten ihm, dass drei Reiter auf Kamelen ihn in der Nacht besucht und die Kanister gestohlen hatten.

Drei Stunden später erreichte er Djelfa, aber er hatte keine Zeit, neue Kanister zu kaufen, sondern musste einen Umweg über elende Wüstenpisten machen und um die kleine Stadt herumfahren. Die Durchgangsstraße nach Laghouat war von Polizisten gesperrt, die jeden kontrollierten, sogar die Eseltreiber, die Baumaterial zu den Baustellen schleppten.

Ohne Wasser fuhr Serrat weiter und tauchte erneut in das wilde Gebirge der Ouled Nails ein.

Die Sonne glühte. In einer Staubwolke, die sich ätzend über ihn legte, fuhr Serrat durch eine Wildnis, in der nicht ein Funken von Leben zu sehen war. Die nackten, bleichen Felsen waren wie riesige Gerippe und warfen die Hitze zurück auf den einsamen Menschen, der mit dem völlig wüstenuntauglichen Auto sich durch Sonnenglut und Staub quälte.

Aber Serrat kannte die Wüste. Er hatte sie durchzogen mit Kamelen und Eseln, auf dem Rücken der Pferde und in schnellen Jeeps. Er wusste: Durchhalten, – das ist das Einzige! Nicht stehen bleiben, nicht verschnaufen, nicht dem Drang nachgeben, ein wenig auszuruhen. Jede Minute Stillstand konnte lebensgefährlich sein. Solange die Räder sich über das Geröll quälten, wurde Meter um Meter besiegt, und jeder Meter brachte ihm das Wasser näher.

Laghouat, die alte Wüstenfestung. 107 Kilometer entfernt.

Dort gab es Wasser. Reines, klares, wunderbares Wasser. Dort gab es ein Hotel mit Schwimmbecken, dort konnte man sich eintauchen in Wasser. Es war ein Gedanke, der in Serrat eine Freude erzeugte wie bei einem Kind eine Weihnachtsbescherung.

Wasser! Welch ein köstliches Wort.

Ein heiliges Wort in der Wüste.

Nach abermals vier Stunden war Serrat so weit, dass er vor Durst die Schattenseite der Felsen hätte ablecken können, wenn sie nur kühl gewesen wären. Wider besseres Wissen hielt er an, stieg aus dem Auto und setzte sich unter einen Felsvorsprung in den Schatten. Er riss ein Stück Hemd ab und stopfte es in seinen Mund und kaute darauf, um die Nässe des Speichels zu spüren. Aber seine Mundhöhle blieb trocken, der Hemdfetzen drehte sich wie Blei auf seiner Zunge... da spuckte er ihn aus und schwankte zum Wagen zurück.

Drei Berber fanden ihn später auf der Straße. Er lag auf dem Rücksitz seines Wagens und war halb bewusstlos. Sie holten von ihren Kamelen drei Wassersäcke, wuschen Serrat das Gesicht und die Brust und flößten ihm Wasser zwischen die zitternden Lippen. Er trank wie ein Schwamm, pumpte sich mit Wasser voll und erhielt mit jedem Schluck mehr von seiner alten Kraft wieder.

Die Berber sahen sich an, als Serrat wieder sitzen konnte und kräftig genug war, um zu fluchen. Dann gingen sie zu ihren knienden Kamelen zurück, saßen auf und ritten wortlos davon.

Serrat sprang aus dem Wagen und schrie ihnen nach.

»Soll ich mich auch noch bedanken?«, brüllte er. »Erst klaut ihr mir die Kanister, und dann soll ich eure Füße küssen? Geht zum Teufel!«

Er steckte sich eine Zigarette an, rauchte sie zur Hälfte und warf sie dann weg. Sie schmeckte ihm nicht. In seinem Mund war der Geschmack von Schwefel. Die Kerle haben ihre Wassersäcke verdrecken lassen, dachte er. Aber ich hätte Jauche geschluckt, nur um etwas Flüssiges zu haben.

Serrat setzte sich wieder hinter das Steuer, ließ den Wagen an und fuhr weiter.

Um es vorwegzunehmen: Serrat erreichte tatsächlich Ouargla und einen Tag später das Camp XI.

Ingenieur de Navrimont starrte ihn wie einen Geist an und sagte bloß: »Pierre... sind Sie verrückt? Hier gibt es keinen, der Sie nicht aufhängen will! Warum sind Sie nicht in Algier geblieben?«

Serrat zog den Kopf ein. Er brauste sich, trank drei Gläser Pernod, zog seine umgeänderte verblichene Legionärsuniform an, setzte das weiße Käppi auf und ging durchs Lager.

Eisige Ablehnung schlug ihm entgegen. Keiner begrüßte ihn, keiner gab ihm die Hand. Niemand antwortete ihm, als er sie ansprach.

»Seid ihr alle verrückt?«, brüllte er mit seiner gewaltigen Stimme. »Was ist denn hier los? Wo ist Cathérine?«

Es war der kleine Ungar Molnar, der als Einziger und auch nur kurz mit Serrat sprach.

»Cathérine ist in Algier. Bete zu Gott, dass sie weiterlebt. Stirbt sie, dann ist die Wüste nicht groß genug für dich, das sagen wir dir! Du bist das größte Miststück, das herumläuft –«

Serrat wurde rot und hob die Faust. Ein Hieb auf den Kopf Molnars bedeutete, dass dessen Hirnschale zerplatzte wie ein Ei. Aber die hochgeschleuderte Faust blieb in der Luft hängen... auf dem Platz vor den Baracken standen stumm zehn Arbeiter von der Frühschicht und starrten Serrat an.

»Ihr Idioten!«, knurrte Serrat und ließ den Arm fallen. »Was spielt ihr euch so auf? Sind wir nicht alle aus dem Dreck gekommen?« Er drehte sich um und stampfte in die Verwaltungsbaracke zurück. Es war, als sei er allein auf der Welt. Niemand kümmerte sich um ihn. Da warf er sich auf sein Bett und legte die Hände flach über das Gesicht.

Er spürte mit seinem Raubtierinstinkt, dass er freiwillig in einen Käfig gelaufen war.

Sechs Tage suchten Polizei und Militär die Spuren Saadas. Jussuf ben Rahman hatte nach zehn Stunden Verhör alles gestanden ... er war am Ende seiner Kräfte, als der Polizeileutnant ihn endlich vom Bock schnallte, auf den man ihn gelegt hatte, um jede Frage durch einen Hieb mit der Nilpferdpeitsche zu begleiten. Der Körper Rahmans sah schrecklich aus. Dicke blutige Striemen überzogen jeden Teil der Haut, in der letzten Stunde hatte man aus dem Verstockten die wichtigsten Informationen herausgeholt, indem man seinen Unterleib peitschte. Ein Funker saß daneben und gab sofort durch, was Rahman hinausschrie. Die Zentrale in Biskra verfügte dann die Einsätze.

Neun Händler wurden verhaftet, die Jussuf genannt hatte ... aber Saada hatten sie nicht gesehen. Da half keine Bastonade, keine Androhung neuer Quälereien ... sie schworen beim Barte des Propheten, und das ist nicht zu übertreffen.

Endlich, am sechsten Tag, gab es einen Lichtblick. Was Rahman trotz aller Schmerzen nicht preisgegeben hatte, schrie einer der Händler heraus, als man ihn auf dem Bock festband.

»In Annaba ist ein Käufer!«, brüllte er, bevor noch die Schläge auf ihn niederprasselten. »Ali Hadschar heißt er! Er braucht Mädchen für seine Bars und Tanzlokale – O Allah!«

Er bekam trotzdem zehn Schläge über den Rücken, aber dann banden die Soldaten ihn los und schleiften ihn zurück in die Zelle. Der Händler weinte vor Glück und küsste die Erde.

Der Stadtkommandant von Annaba wurde durch Funk verständigt. Das war um 11 Uhr nachts. Der Fall »Pilgerfahrten« war mittlerweile hochpolitisch geworden, der Staatspräsident selbst forderte laufend Berichte an. Drei ausländische Zeitungen hatten trotz strengster Nachrichtensperre Wind von der Sache bekommen und berichteten groß über den Skandal in der Wüste.

»Das Ansehen unseres jungen Staates steht auf dem Spiel«, sagte der Minister bei der Besprechung in Algier zu den anwesenden Militärs. »Sklavenhandel im 20. Jahrhundert! Und dann bei uns! Meine Herren, ich verlange, dass rücksichtslos der gesamte Komplex dieser Schweinerei bereinigt wird! Rücksichtslos!«

Es war ein Befehl, der einigen Männern den Kopf kostete.

Zunächst war es Ali Hadschar, der mit seinen Bewachern in seinem Büro überrascht wurde. Ein Kommando der Armee drang wie im Kriegseinsatz in den Gebäudekomplex der Bars und Tanzhallen ein, stürmte die Säle, blitzschnell und ohne Warnung, dass niemand mehr Zeit hatte, sich in dem Labyrinth der Gänge, Zimmer und Treppen zu verbergen. Mit weiten Augen starrte Ali Hadschar die vier Soldaten an, die die Tür seines Büros aufrissen... es war sein letzter Blick, denn gleich darauf ratterten die Maschinenpistolen, und Ali Hadschar hatte für ein paar Sekunden das Gefühl, ein glühendes Sieb zu sein, ehe er vornüber fiel und ein Schuss in den Kopf alles Denken für immer auslöschte. Auch die Wächter Amar ben Fezzans fielen um wie gefällte Bäume, Staunen in den Augen, Nichtbegreifen, warum sie so plötzlich sterben mussten. Aber in diesen Minuten gab es kein Fragen mehr, nur ein Aufräumen großen Stils, ohne Rücksicht, ob auch Unschuldige unter den Opfern waren. Allahs Wille, das Schicksal, schlug zu.

Amar ben Fezzan saß neben Saada auf dem großen Bett

und hörte ihre Lebensgeschichte an, als im Hause die große Unruhe begann. Noch waren keine einzelnen Töne zu erkennen, nur ein Rennen auf den Gängen und zweimal das Aufkreischen eines Mädchens.

»Ich habe hunderttausend Dinare für dich geboten«, sagte Fezzan, als Saada schwieg und verwundert auf den Lärm im Haus lauschte. »Hadschar, der alte Narr, weigerte sich. Nun überzeugen meine Leute ihn, dass er verkaufen muss!« Er lächelte, als ganz deutlich Schüsse zu hören waren. »Keine Aufregung, Saada... es gibt Menschen, die man zu ihrem Glück zwingen muss. Ich bin sicher, dass es dir bei mir gefallen wird.«

Saada sprang auf und wich wieder an die seidenbespannte Wand zurück.

»Du willst mich wirklich kaufen? Jetzt, nachdem du weißt, wer ich bin? Du bist nicht anders als Hadschar. Du bist genau so ein Lump wie er!«

»Man sollte nicht den beschimpfen, der dich aus diesem Haus befreit.« Fezzan senkte den Kopf und blickte Saada von unten herauf an. »Du bist schön –«

»Aber nur für einen Mann!«, schrie sie zurück.

»Für den Deutschen?«

»Ja.«

»Welche Illusion!« Fezzan schüttelte den Kopf. Elegant schlug er ein Knie über das andere und holte eine goldene Zigarettendose aus der Tasche. Im Haus verstärkte sich das Geschrei. Mit ruhiger Hand steckte sich Fezzan die Zigarette an. Sie räumen auf, meine Jungs, dachte er. Anscheinend hat Hadschar seine Leute aufgehetzt... das hätte er nicht tun dürfen – »Und du glaubst, dass du mit dem Deutschen glücklich geworden wärst?«

»Ja!«, rief Saada. Sie drückte sich an die Wand. »Es gibt keine größere Liebe als zu ihm –«

»Ein fremdes Land, kalt und feindlich... ein weißer Mann, der unser Wesen nicht versteht... Menschen, für die du immer eine Fremde bleibst, eine Farbige, eine Außenstehende. Überall wirst du das spüren... schon wenn du ihnen die Hand gibst... sie werden zögern... ist sie sauber, stinkt sie nicht, kleben ihre Finger... man weiß das ja nie bei den Wilden... Nie wirst du wirklich glücklich sein. Nie! Du bist ein Kind der Wüste, und da musst du bleiben. Was willst du ohne Palmen und Tamarisken, ohne die Wadis und bleichen Felsen, ohne den Sand und den Wind und ohne den Himmel voller Sterne über den bleichen Dünen... ? Du würdest sterben vor Heimweh...« Fezzan hob die Hand... er streckte sie Saada hin wie zu einem Pakt. »Du bist frei. Du kannst zurückkehren in deine Oase Bou Akbir.« Er sah zur Tür. Über den Gang näherten sich schnelle Schritte. »Hadschar wird dich nicht mehr festhalten... ich nehme an... es gibt ihn nicht mehr. Ich bewundere dich, Saada... und meine Bewunderung ist, dass ich dich gehen lasse. Ich schenke dir die Wüste wieder... aber nur sie. Was starrst du mich so an?« Fezzan sprang vom Bett. »Benehme ich mich wie ein Irrer?« Er sah Saada mit einem Blick an, in dem fast väterliche Güte lag. »Ich habe dich weinen gesehen... auf der Bühne – und da wusste ich, dass Hadschar dich nie behalten durfte. Du findest das merkwürdig?« Fezzan zerdrückte die Zigarette in einem großen Aschenbecher neben dem Bett. Seine Stimme wurde dunkler. »Ich hatte einmal eine Tochter... Saida hieß sie... sie war zehn Jahre jung, als sie starb, an einer unheilbaren Krankheit. Die besten Ärzte ließ ich kommen, ich versprach ihnen ein Vermögen... sie konnten Saida nicht retten. Als sie starb, saß ich an ihrem Bett. Sie wusste, dass es zu Ende ging, und sie weinte in den letzten Minuten, bis das Herz aussetzte...«

In diesem Augenblick wurde die Tür aufgetreten. Drei

Soldaten stürmten ins Zimmer, die Maschinenpistolen im Anschlag. Verblüfft starrte Fezzan sie an... er hatte seine Leute erwartet und wusste nun keine Erklärung mehr.

»Allah sei mit euch!«, sagte er und hob die Hand. »Was ist passiert, Freunde?«

Die Soldaten blickten auf Saada, die noch immer an der Wand stand, etwas verkrümmt, als habe sie sich gerade gegen den Mann im Zimmer gewehrt. Das genügte. Wie auf ein Kommando hoben die Soldaten ihre Waffen. Fezzan trat einen Schritt vor, ungläubiges Staunen sprang auch in seine Augen wie vor wenigen Minuten bei Ali Hadschar.

Mit einem wilden Sprung stieß sich Saada von der Wand ab. »Nein!«, schrie sie. »Nein! Nicht er! Nein!«

Es war zu spät. Die Garben aus den Maschinenpistolen ratterten schon los, bevor Saada den Mund aufriss, und zerpflügten den Körper Fezzans. Ganz langsam, mit traurigen Augen, sank Fezzan in sich zusammen und fiel auf das Gesicht. Er lag vor Saada, als wolle er sie anbeten.

»Warum habt ihr das getan?«, stammelte Saada. »Warum habt ihr nicht gefragt?«

Sie starrte auf das Blut, das unter Fezzans Körper hervorrann und von dem dicken Teppich aufgesaugt wurde. Sie wollte noch etwas rufen, aber ihre Stimme war wie weggeweht. Dann wurde es dunkel um sie... sie griff um sich, fühlte, dass jemand sie stützte, und fiel in Ohnmacht.

Eine halbe Stunde später tickte in der Kommandantur in Algier der Fernschreiber. Ein Kurier brachte das Schreiben sofort zum Regierungspalast.

»Die Aktion ist beendet«, sagte der General, der dem Staatschef den Bericht vorlas. »Wir haben neunundvierzig Mädchen befreit und den Ring der Mädchenhändler zerschlagen. Es gab neunundzwanzig Tote... meistens Personen, die sich wehrten –«

Der kleine Minister winkte ab. »Uninteressant. Was ist mit unserem Parademädchen Saada?«

»Sie ist mit einem Hubschrauber unterwegs nach Algier.«

»Allah sei Dank.« Der Minister sah glücklich um sich. »Das wird für alle Welt ein Beweis sein, wie gut unser Rechtsbewusstsein funktioniert. Es fehlt nur noch dieser Pierre Serrat.«

»Er ist verschwunden, Exzellenz.«

»Das gibt es nicht!« Der kleine Minister klopfte mit der Faust auf den Tisch. »Verschwunden! Er muss gefunden werden! Ich brauche seinen Prozess! Er ist Franzose –«

Im Krankenhaus lief Ali ben Achmed wie ein Verrückter herum und betete laut. Ein Sanitäter hatte ihm die Nachricht überbracht.

»Sie lebt!«, schrie er immer wieder. »Sie lebt. O Allah, Allah deine Güte ist unbeschreiblich.«

Dann fing er einen lauten Streit mit den Ärzten an, die ihm nicht erlauben wollten, dass er das Krankenhaus verließ. »Man hat dir den halben Magen weggenommen!«, schrien sie Achmed zu. »Drei Wochen musst du noch hierbleiben.«

»Drei Wochen?«, brüllte Achmed zurück. »O Allah, hier haben sie alles halb … selbst die Ärzte laufen mit halben Gehirnen herum!«

Dr. Bender holte man aus dem Hotel Aletti zum Generalkommando. Aber erst im Vorzimmer erfuhr er, dass Saada auf dem Wege nach Algier war. Mit bebenden Fingern nahm er die Zigarette an, die ihm der General anbot.

Saada. Sie kam zurück aus der Hölle. Aber wohin ging ihr Weg? Wieder nach Bou Akbir? Oder nach Europa? Die Entscheidung, das wusste er, lag nun allein bei ihm. Es war eine Entscheidung, die ihm keiner abnehmen konnte.

Stumm rauchte er und schämte sich nicht, dass seine

Hand dabei zitterte. Der General beobachtete ihn eine Zeit lang, ehe er sagte: »Saada ist nun gefunden. Kehren Sie jetzt nach Europa zurück, docteur?«

Dr. Bender hob die Schultern. »Ich weiß es wirklich nicht... Es hat sich in den letzten Tagen so viel verändert...«

Er rauchte hastig weiter.

Er hatte Angst. Angst vor der Begegnung mit Saada, Angst vor seinen Gefühlen, Angst vor den Konsequenzen. Und er dachte daran, was er gestern zu Cathérine gesagt hatte, als er an ihrem Bett saß und ihre noch immer blutleeren Hände hielt.

»Ich werde dich nicht verlassen – Wir bleiben zusammen, Cathérine –«

Und sie hatte ihn glücklich angelächelt aus dem weißen Gebirge von Verbänden, die ihren Körper umschlossen. Ein Lächeln voll erfüllter Träume.

Und in einer halben Stunde landete Saada in Algier.

Warten ist eine Kunst, die nur wenige beherrschen. Warten und die Zeit arbeiten lassen, ist eine der großen Fähigkeiten der orientalischen und asiatischen Völker. Für sie ist eine Uhr nur ein tickendes Spielzeug, der Kalender eine Orientierungseinrichtung... Sklave der Zeit, auch wenn sie sichtbar verrinnt, sind sie nie. Selbst das Schicksal, von Allah oder Buddha vorbestimmt, warten sie ab... warum den Stunden weg- oder vorherlaufen? Warum sich unterordnen dem sich langsam drehenden Zeiger? Es kommt doch alles so, wie das Schicksal es entschieden hat –

Dr. Bender war kein Orientale oder Asiate... ihm brannte die Zeit unter der Hirnschale wie ein Feuer. Als er sich bewusst wurde, dass das Wiedersehen mit Saada anders sein würde, als es sich Saada erhoffte, als er innerlich die Entscheidung getroffen hatte, die sein künftiges Leben bestimmte, eine Entscheidung, gegen die sich sein Herz wehrte, aber bei der dieses Mal der Verstand und die Vernunft stärker waren, wurde die Uhr, die vor ihm auf dem Schreibtisch des Generals tickte, zu einer Höllenmaschine.

Er rauchte noch eine Zigarette, hastig, wie ein Süchtiger, mit zitternden Fingern, dann sprang er auf und zerdrückte den Rest in dem großen Aschenbecher.

»Wann kann Saada in Algier landen?«, fragte er heiser. Der General hob die Schultern.

»Vielleicht in einer halben Stunde, ich sagte es schon. Dann wird sie in die Stadt gebracht... sie kann in 45 Minuten hier sein.«

»Und sie bleibt vorerst bei Ihnen?«

»Warum fragen Sie, docteur? Wir werden sie zunächst noch einmal verhören, – aber dann ist sie endlich wieder ein freier Mensch. Sie können Saada mitnehmen zu ihrem Vater –«

Dr. Bender sah an dem General vorbei. Ob er bemerkt, wie feig ich bin, dachte er. Ob er mich durchschaut? Er würgte an den Worten, aber er sagte sie.

»Ich möchte vorher noch Scheich Achmed sprechen... ich fahre sofort in die Klinik und hoffe, schon wieder zurück zu sein, bevor Saada hier eintrifft. Sollte ich später kommen –«

»– dann grüße ich sie von Ihnen, docteur, und bitte sie, ein paar Minuten länger mein Gast zu sein.«

»Ja, tun Sie das, General. Ich danke Ihnen –« Dr. Bender benahm sich wie ein unbeholfener Junge. Er warf beim Umdrehen den Stuhl zu Boden, stieß gegen die Schreibtischecke und verließ dann schnell das Zimmer. Der General sah ihm nach, mit einem leichten Kopfschütteln, und verständigte die Wache am Tor, dass der deutsche Arzt das Haus verlassen dürfe.

Die Nacht in Algier ist laut und bunt. Aus Hunderten Lokalen dringt Musik, das Gewimmel auf den Straßen ist nicht anders als am Tag, nur mischen sich jetzt die Uniformen der Matrosen der zu Gast im Hafen liegenden Schiffe unter die Eingeborenen. Es ist die große Zeit der »Tanzlokale«, in deren Hinterzimmern die Liebe gegen klingende Dinare oder Dollars verkauft wird. Es ist die Nacht, von der man später träumt… weil man das andere Algier nicht sieht. Die Bettler, die in den Haustüren liegen, die Obdachlosen, die an der Kaimauer des Hafens schlafen, zugedeckt mit Zeitungen wie ihre Kollegen, die Clochards in Paris. Die kleinen Jungen und Mädchen, die jetzt an den Straßenecken stehen und den europäischen Besuchern Fotos mit nackten Mädchen verkaufen oder sich an sie herandrängen und flüstern: »Mister, schöne Schwester… dreizehn Jahre… für 20 Dollar… du mitkommen –«

Wenn es Nacht wird über Algier, beginnt der große Bazar des Fleisches.

Bender sah das alles nicht… er raste mit einem Taxi zum Militärkrankenhaus und hatte dort große Mühe, mitten in der Nacht eingelassen zu werden. Erst als er den wachhabenden Arzt kommen ließ und sich selbst als Kollege auswies, kapitulierte die resolute algerische Krankenschwester, die die Pforte hütete wie ein Höllenhund.

Im Zimmer Scheich Achmeds brannte noch Licht. Ali saß im Bett und schlief, vor sich ein aufgeschlagenes Buch. Als die Tür klappte, wachte er aber sofort auf und schrak hoch.

»Saada!«, rief er im ersten Moment. »Meine Sonne –« Dann erkannte er Dr. Bender und ließ die ausgebreiteten Arme sinken. »Sie? Um diese Zeit?« Achmeds Augen wurden klein vor Angst. »Doktor, wenn Sie kommen, ist es immer etwas Schlechtes. Sagen Sie nicht, Saada sei etwas geschehen. Ich würde wahnsinnig –«

»Ich komme ganz privat zu Ihnen, Ali.« Bender setzte sich auf die Bettkante. »Ich muss mit Ihnen sprechen, bevor Saada kommt.«

»Also doch etwas Schlechtes.« Achmed seufzte. »Erst nehmen Sie mir mein Kind, dann lassen Sie mir den halben Magen wegoperieren... nur Unangenehmes.«

»Das Letztere hat Ihnen das Leben gerettet, Ali.«

»Aber das andere hat mich zu einem Greis gemacht.«

»Ich – ich bedaure es jetzt...« sagte Bender stockend. Achmed schob sich im Bett hoch. Seine Hände kratzten über die Bettdecke.

»Was soll das heißen?«, fragte er. »Doktor!« Er packte Bender mit einer ungeahnten Kraft an den Schultern und schüttelte ihn. »Doktor! Machen Sie mich nicht zu einer Hyäne! In den Tagen, die ich hier mit einem halben Magen liege, hatte ich Zeit genug, an die Zukunft zu denken. Nun gut, habe ich mir gesagt, Allah hat es vorbestimmt, dass mein einziges Kind einen Weißen heiratet. Gehorche Allah, Ali, und finde dich damit ab. Die Wüste wird dadurch nicht anders werden, und wenn sie sich lieben, können sie sogar glücklich werden. Und ein Hakim ist er auch. In ein paar Jahren wird man nicht mehr sehen, dass er ein Weißer ist... die Wüste wird ihn aufgesaugt haben, und er wird so sein wie wir. Von da ab konnte ich wieder schlafen.«

Bender nickte. Er vermied es, Ali anzusehen. Wie furchtbar ist das, dachte er. Wie ausweglos, wenn man nicht den Mut hat, hart gegen sich selbst und gegen die Umwelt zu sein. Aber kann ich das? Ich liebe Saada, und ich liebe – bei Gott, ich gestehe es –, ich liebe auch Cathérine. Nicht, weil ich eine moralische Verpflichtung habe, nicht, weil sie ein wunderbarer Mensch ist, trotz ihrer Härte, die nur gespielt ist, trotz der umgeschnallten Pistole, hinter der sie ihr sehnsuchtsvolles Herz schützt, trotz ihrer Rauheit, die nur ein widerlicher Pelz über einer zitternden Zartheit ist. Ja, und ich liebe Saada, weil sie wie ein Märchen ist, ein Zauberwesen, das mich verwandelte, ein Stern, den ich vom Himmel holen konnte. Sie ist wie die Wärme der Wüste und die Kühle der Nacht, sie ist ein Wunder.

Aber kann man ein Leben lang mit Wundern leben?

Bender beugte sich nach vorn und starrte auf den Fußboden. Wie kann man anderen etwas erklären, wenn man es selbst nicht versteht, dachte er. Aber irgendwie muss es getan werden... in einer halben Stunde wird Saada hier im Zimmer stehen –

»Saada wird zu Ihnen zurückkommen, Ali«, sagte er langsam. Der Griff an seiner Schulter verstärkte sich.

»Doktor – was heißt das? Sie... Sie geben mir Saada zurück?«

»Ja.«

»O Allah!« Die Stimme Achmeds wurde laut. »Gib mir die Kraft, ihn zu töten! Er stößt meine Tochter weg, weil sie nicht weiß ist.«

»Bei Gott, nein!« Bender sprang auf. Aber Ali hing an ihm wie eine Katze. »Das ist es nicht, glauben Sie mir!«, schrie Bender und schüttelte Achmed ab. Er fiel auf das Bett, stöhnte und ballte die Fäuste. »Wenn Sie wüssten, was diese Minuten aus mir machen. Aber es ist besser, jetzt gegen sein Gefühl zu kämpfen, als später der gnadenlosen Wahrheit zu unterliegen. Ich... ich werde Cathérine heiraten –«

»Das wollten Sie schon immer... immer...« keuchte Achmed.

Er wälzte sich auf den Rücken und drückte beide Hände gegen die Operationswunde. »Und trotzdem haben Sie Saada –«

»Nein! Ali, versuchen Sie doch, mich zu verstehen. Zuerst sah ich Cathérine, eine Wilde, vor der die Männer flüchteten... und ich war fasziniert von ihr. Dann sah ich in Bou Akbir das Bild einer anderen Welt, ein Zauberbild – Saada. Und ich verlor mein Herz. Was dann folgte, war wie eine grausame Marter... ich wurde zerrieben, lag zwischen den Mahlsteinen der Liebe von zwei Frauen... ich war wehrlos vor so viel Feuer und Glut.«

»Sie haben Saada zur Frau gemacht.«

»Ja. In einem Rausch –«

»Und in einem Rausch werde ich Ihnen eines Tages den Kopf abschlagen.« Ali ben Achmed streckte sich, als wolle er in strammer Haltung sterben. »Wo Sie auch sein werden, ich finde Sie, Doktor. Sie können sich nicht verstecken, kein Loch ist so einsam, dass ich Sie nicht aufstöbere. Man kann die ganze Welt überblicken, wenn man hasst... und ich hasse Sie. Ein Vater hasst Sie, verstehen Sie das? Ein Vater, dem man die Tochter geschändet hat. Gibt es außer Allahs Zorn etwas Schrecklicheres? Oh, ich hasse dich!« Er ballte die Fäuste und schüttelte sie gegen Bender.

Langsam rückwärts gehend, Schritt um Schritt, verließ Bender das Zimmer. Die bebende Gestalt auf dem Bett, das wusste er, sprach keine tönenden orientalisch blumigen Worte. Dort lag ein Mensch, der ab heute, eine halbe Stunde später, wenn Saada bei ihm war, kein anderes Ziel mehr kannte, als den deutschen Arzt Dr. Bender zu töten.

»Wenn Sie Kraft genug haben, stehen Sie auf, Ali, und gehen Sie hinüber ins Zimmer 45. Sehen Sie sich Cathérine an... und wenn Sie dann noch meinen Tod wollen... ich laufe Ihnen nicht weg, ich komme sogar zu Ihnen nach Bou Akbir.«

Achmed wartete ein paar Minuten, bis er sicher war, dass Dr. Bender mit dem Fahrstuhl nach unten gefahren war. Dann klingelte er, die Nachtschwester erschien und schimpfte sofort, als sie Ali auf der Bettkante sitzen sah.

»Sei still, weiße Taube«, sagte Achmed höflich. »Hol den rollenden Stuhl. Ich will zu Zimmer 45.«

»Ins Bett gehen Sie!«, rief die Schwester. »Soll ich den Arzt rufen?«

»Oh bitte, bitte. Er wird mir erlauben, was ich will... er wird mich verstehen... Rufen Sie den Arzt.«

Zehn Minuten später saß Achmed in einem Rollstuhl, und der Stationsarzt selbst rollte ihn über den Flur zu Zimmer 45. Mit offenem Mund starrte die Schwester ihnen nach.

Leise öffnete der Arzt die Tür von Nr. 45 und schob Achmed ins Zimmer. Der Raum war dunkel bis auf eine kleine Nachttischlampe, die einen fahlen Schein über das Bett warf.

In den Kissen lag ein vermummtes, verbundenes, unkenntliches Wesen. Neben ihm an einem Galgen hing noch die leere Tropfflasche, mit der man neue Kraft in den ausgebluteten Körper Cathérines laufen ließ.

Ali ben Achmed blieb in der Tür stehen und umklammerte die Räder des Rollstuhles. Der Stationsarzt beugte sich über ihn.

»Was tut sie?«, flüsterte Ali.

»Sie schläft –«

»Aber sie wird weiterleben?«

»Wenn Allah gnädig ist.«

»Es war mein Gepard –« sagte Ali.

»Ich weiß es.«

»Und sie hat ihn erwürgt –«

»Eine einmalige Frau, Scheich Achmed.«

»Das ist sie. Ich werde zu Allah beten.«

Ali nickte. Der Arzt drehte den Rollstuhl herum und fuhr ihn wieder auf den Gang zurück. Erst in seinem Zimmer sprach Achmed wieder, als der Arzt das Bett aufdeckte und ihm zuwinkte.

»Nein, lassen Sie mich im Stuhl sitzen«, sagte er. »Ich werde noch einmal herumfahren müssen... wenn Saada kommt. Bringen Sie sie sofort zu mir.«

»Natürlich.«

»Wo ist Dr. Bender?«

»Im Ärztekasino. Er ist mit den Nerven am Ende.«

»Sorgen Sie dafür, dass er Saada nicht begegnet. Machen Sie ihn betrunken, wenn es sein muss. Ich muss mit meiner Tochter allein sein...«

Eine halbe Stunde später traf Saada im Militärkrankenhaus ein. Ein junger Offizier von der Kommandantur begleitete sie. Dr. Bender saß mit zwei Ärzten zusammen und trank Bier... er sah Saada nicht kommen, denn das Kasino ist weit von der Pforte entfernt.

»Wo ist Dr. Bender?«, fragte Saada, als der wachhabende Arzt sie in Empfang nahm und zum Fahrstuhl führte. »Sie haben mir gesagt, er erwartet mich hier. Warum sehe ich ihn nicht? Warum sind alle so geheimnisvoll? Ist etwas geschehen? Belügen Sie mich alle?« Sie fuhr herum, ihre schwarzen Augen glühten. Sie war wie eine Raubkatze in einer Falle. »Wo ist Dr. Bender?«, schrie sie.

»Ich führe Sie ja zu ihm.« Der Arzt fasste sie unter, schob sie in den Aufzug, schloss die Tür und drückte auf den Knopf 1. Etage. Als der Aufzug hielt, stürzte Saada aus der Kabine wie aus einem Käfig.

»Wo?«, rief sie.

»Zimmer 10.«

Saada rannte den Gang entlang, von Tür zu Tür... vier... sechs... acht... neun... zehn... Der Arzt blieb zurück, und er hielt auch die Nachtschwester fest, die aus ihrem Zimmer stürzte, als sie die fremde Gestalt an der offenen Tür vorbeirennen sah.

»Kümmern wir uns nicht darum«, sagte der Arzt leise

und drückte die Schwester in den Wachraum zurück. »Wir sind hier eine chirurgische Station... was da geschieht, ist etwas für die Seelenärzte. Also, nicht drum kümmern, Schwester. Nicht unser Fall –«

Saada riss die Tür von Nr. 10 auf und stürzte hinein. Dann blieb sie stehen und atmete tief auf.

Ali ben Achmed empfing sie in seinem Rollstuhl, die Hände auf den Knien. »Allah segne dich –« sagte er mit bebender Stimme. »Und Dank sei ihm. Ich habe meine Sonne wieder.«

Saada sah sich um. Ihre Augen suchten und wurden zu einer einzigen großen Frage.

»Wo ist er? Vater... wo... wo...«

»Komm mit mir, Tochter.« Ali setzte seinen Rollstuhl in Bewegung. »Folge mir... ich will dir etwas zeigen und erklären. Und wenn du auch glaubst, es geschehe... es ist nicht so: Der Himmel stürzt nicht ein! Die Sterne bleiben dort, wo sie funkeln, und morgen früh scheint wieder eine Sonne. Komm mit –«

Er rollte an ihr vorbei auf den Gang und dann durch die langen, halbdunklen Flure bis zu Zimmer 45.

Saada folgte ihm, die Fäuste gegen den Mund gepresst –

Eine Stunde später fuhr Dr. Bender hinauf zu Scheich Achmed. Die Zeit, die er im Kasino gewartet hatte, war grausamer gewesen als das Grab, in das ihn Achmed einmal eingeschlossen hatte. Und plötzlich war er aufgesprungen und hatte den beiden übermüdeten Ärzten, die ihm Gesellschaft leisteten, in die erstaunten Gesichter geschrien: »Ich bin kein Feigling! Nein. Ich bin es nicht!«

Scheich Achmed war allein, als Bender ins Zimmer

stürzte. Er lag wieder im Bett und aß dicke, blaue Trauben. »Was wollen Sie noch hier?«, fragte er, als Bender das Bettgestell umklammerte. »Rütteln Sie nicht so… ich kann das nicht vertragen.«

»Wo ist Saada?«, keuchte Bender. »Ali, ich muss mit ihr sprechen. Ich will alles erklären! Wo ist sie?«

»Fort.« Achmed betrachtete die halb abgegessene Traube und hielt sie hoch. »Sie lässt Ihnen sagen, dass sie Sie nie wieder sehen will –«

»Das ist nicht wahr!«, brüllte Bender. »Ali, ich vergesse, dass ich Arzt bin, und schlage Sie so lange, bis Sie mir sagen, wo Saada ist!«

»Was hätte das für einen Sinn? Ich habe sie zu Cathérine geführt… und nun ist sie weg. Verschwunden für immer… für Sie! Wollen Sie es lesen? Dort liegt etwas.« Er zeigte mit der Traube auf den Tisch an der Wand. Bender riss einen Zettel von der Decke und trat unter die Lampe.

Es war Saadas kleine, kindliche Schrift, und sie hatte französisch geschrieben, mit sichtlicher Mühe, aber mit einer erschütternden Tapferkeit.

»Adieu – mon cœur –«

Bender faltete den Zettel und steckte ihn stumm in seine Tasche. Plötzlich war alles um ihn herum wie ein leerer Raum, wie eine Welt ohne Wesen, ohne Laute und ohne Formen. Er senkte den Kopf und ging hinaus und tappte durch das große, nachtstille, leere Haus, über Flure und Treppen, bis ihn der Nachtarzt anhielt und in eine Richtung zeigte.

»Dort, Dr. Bender –«

Er gehorchte, ging in das Zimmer und setzte sich an das Bett. Dann nahm er die bleiche Hand, die auf der Bettdecke lag, zwischen seine Finger, und so blieb er sitzen, bis der Morgen in das Zimmer flutete und sich die Hand in seiner Hand rührte.

»Du bist da –« sagte eine schwache Stimme durch die Verbände.

»Ich bin immer da«, antwortete er leise und beugte sich über den verbundenen Kopf. »Immer, Cathérine –«

Nach zwölf Wochen wurde Cathérine entlassen.

Ihr Gesicht war hübsch wie immer, nur zwei Narben im Nacken und über der Stirn störten, aber sie würden in einem Jahr kaum noch sichtbar sein. Wie ihr Körper unter dem Kleid aussah, das wussten nur die Ärzte und Dr. Bender… aber auch hier würde die Zeit helfen, gab es Transplantationen, konnte die kosmetische Chirurgie vieles wieder ausgleichen.

Auch die seelische Krise Cathérines war vorüber. Als sie sich zum erstenmal wieder nackt im Spiegel des Badezimmers gesehen hatte, wollte sie sich aus dem Fenster stürzen. Dann zerschlug sie ihren kleinen Kosmetikspiegel und versuchte sich mit den Scherben die Pulsader aufzuschneiden. Ihr Drang zur Selbsttötung wurde so wild, dass Dr. Bender Tag und Nacht bei ihr im Zimmer blieb und alle Kraft brauchte, sie über diese Krise zu führen.

»Was willst du hier?«, schrie ihn Cathérine an und schlug auf ihn ein. »Ich brauche kein Mitleid! Ich bin ein Krüppel! Willst du in Fleischhöhlen liegen, wenn du mich liebst? Lass mich sterben, du Hund, lass mich doch sterben! Ich spucke dich an, wenn du mich anfasst! Ich brauche deine Moral nicht! Ich weiß, wie ich aussehe, warum ekelt es dich nicht, eine Ruine zu lieben? Bist du so pervers, dich an einem zerhackten Körper aufzugeilen?«

Es half alles nichts… nach diesen Ausbrüchen weinte sie wie ein kleines Kind und verkroch sich in die Arme Benders. Für Stunden war sie glücklich, dass er bei ihr saß, bis es wieder aus ihr herausbrach, vulkanhaft, und ihr Elend sich über ihn ergoss wie glühende Lava.

Aber auch dieser Zustand ging vorüber. Die großen Wunden heilten ab, die Transplantate wuchsen ein, und wenn sie ein hochgeschlossenes Kleid trug, war sie hübsch und wohlgeformt, denn ihre Brüste waren unverletzt geblieben und die tiefen Kratzer in den schlanken Beinen schimmerten nur noch als dünne, helle Narben.

Bender war in diesen Wochen zu einem Organisator geworden. Er hatte das gesamte Krankenwesen der »Sahara-Petrol« umorganisiert, drei Zentralapotheken gegründet, drei fahrbare Operationssäle – deutsche Klinomobils – eingeführt und in den einzelnen Bohrcamps die Lazarettbaracken modernisiert. Er ließ aus Frankreich ausgebildete Sanitäter kommen und holte sich von Korsika ausgediente Fremdenlegionäre zurück in die Wüste. Die meisten kamen sofort, als das Werbeschreiben verlesen wurde… wer einmal die Wüste lieben lernte, dem bleibt sie eine lebenslange Geliebte.

Nach drei Monaten kam Direktor Prillier von der »Sahara Petrol« zu Dr. Bender und überreichte ihm einen Vertrag über fünf Jahre als Chefmediziner der Gesellschaft in Algerien. »Gratuliere –« sagte er dabei mit saurer Miene. »Ihr Umfunktionieren hat uns bis jetzt 1 Million Francs gekostet. Trotzdem fesseln wir Sie an die Sahara, docteur. Und Sie Idiot lassen sich auch noch fesseln. Warum sind Sie nicht zurück an Ihren Rhein und machen dort eine Praxis auf? Fünf Jahre Wüste… denn glauben Sie nicht, Sie könnten hier in Algier vom gepolsterten Stuhl aus reformieren! Ihr neuer Chefplatz liegt in Hassi-Messaoud. Schön, was? Mitten in der Hölle! Aber Sie wollten es ja nicht anders, Sie dämlicher Menschenfreund.«

»Nein. Und ich werde nach fünf Jahren noch einmal fünf Jahre bleiben... das weiß ich jetzt schon.«

»Wenn Sie bis dahin nicht verdorrt sind.«

»Das werden Sie nicht erleben, Prillier.« Dr. Bender nahm den Vertrag und unterzeichnete ihn, ohne ihn durchzulesen. Was auch darin stand, – es war gleichgültig. Wichtig war nur: Er kam zurück zu seinen harten und doch im Inneren butterweichen Jungs, zu den Ölbohrern an den einsamen Türmen mitten im Sand, zu den Kindern der Hölle, zu den Männern, die abends zu ihm ins Krankenrevier kamen, sich in die Ecke drückten und zu erzählen begannen... von ihrem Leben, von ihren Wünschen, von ihren ewig unerfüllbaren Träumen... Menschen am Rande der Menschheit, aber Menschen, die nach einem Menschen suchten wie nach dem verdammten Öl unter der brennenden Wüste.

Und Cathérine war dabei, seit einer Woche Madame Bender. Cathérine, die wieder lachen konnte, die sich in Algier einen neuen Gürtel kaufte und eine neue Pistole, und die am Tage des Abflugs in die Wüste erschien wie damals, als Bender sie in der Tür der Lazarettbaracke traf... in alten Blue Jeans, eine verwaschene Mütze auf dem Kopf... und um die Hüfte Gürtel und Pistole.

»Das war ein langer Urlaub«, sagte sie burschikos und lachte über den ratlosen Piloten, der ihr nachstarrte, als sie die Gangway hinaufstieg wie ein Cowboy. »Fast vier Monate. Junge, werden die Kerle verwildert sein. Wir müssen ganz von vorn beginnen, Ralf... vor der Behandlung ein Schlag unters Kinn, dann sind sie still –«

Prillier, der sie zum Flugzeug begleitete, aber in Algier blieb, klopfte Bender auf die Schulter und lachte dröhnend.

»Blödheit muss bestraft werden«, rief er. »Das habe ich mir immer gesagt, wenn ich an Sie dachte, docteur. Ein Kerl wie Sie geht in die Wüste! Soviel Dummheit ist selbst nicht mehr Gott gefällig. Aber nun sehe ich… alles ist gut. Sie müssen ein ganzes Leben mit Cathérine verbringen… jetzt ist Ihnen mein Mitleid sicher.«

»Komm!«, rief Cathérine oben in der Tür des Flugzeuges. »Lass den fetten Eber stehen, Ralf. Oh, ich hätte Lust, ihm ein Ohr abzuschießen –«

So flogen sie ab… fröhlich, in ausgelassener Laune, voll von Plänen.

Und sie kamen an auf einem Platz voll heißen Sandes, unter einer Sonne, die keine Gnade kannte, und umrauscht von einem Wind, der den Staub in die Poren drückte.

Hassi-Messaoud.

Sie kannten es ja, und sie kannten auch den Mann, der sie am Flugzeug abholte und umdirigierte zu einem schon wartenden Hubschrauber. Dr. Blerioth, ein alter Arzt, von der blendenden Wüstensonne fast erblindet, legte die Arme um die Hüften von Bender und Cathérine.

»Es tut mir Leid«, sagte er, »dass ich Flitterwöchlern nicht ein Bett anbieten kann, aber ihr müsst hinaus in den Dreck. Navrimont hat angerufen… er braucht einen Arzt… nein, nicht für sich, der konserviert sich schon zu Lebzeiten in Alkohol… Für Serrat. Da staunt ihr. Ja, Serrat ist da. Kam allein durch die Wüste, mit einem uralten Auto. Mehr tot als lebendig traf er bei Camp XI ein. Auf dem Zahnfleisch kroch er. Nun liegt er seit einer Woche herum und kotzt und wird immer dünner. Da wurde es Navrimont unheimlich. Ein dünner Serrat… da geht ja die Welt unter. Es tut mir Leid… ihr müsst sofort weiter zum Camp. Morgen fliegt ihr wieder zurück… und dann beginnen die Flitterwochen.« Bletioth hob Cathérine in den Hubschrauber und hielt Dr. Bender zurück. »Bist du verrückt?«, sagte er leise. »Gibt es keinen anderen Platz für Ehepaare als dieses Mistland? Wir haben vierundzwanzig neue Hadjar-Fälle –«

»Was?« Bender fuhr herum. »Davon weiß man in Algier gar nichts!«

»Wir haben auch die Schnauze gehalten, weil es immer hieß, du kommst zurück. Aber keiner glaubte daran. Nun bist du da, und wir werden nächste Woche einen fröhlichen Abend in Hassi veranstalten, mit einer Verlosung. Erster Preis: Besichtigung eines Vollidioten. Und da stellen wir dich auf! Bis morgen –«

Bis morgen... es wurde nichts daraus.

Auf dem großen Platz in Camp XI stand Ingenieur de Navrimont allein und winkte, als der Hubschrauber niederschwebte. Die Schichten waren an den Bohrtürmen, die Nachtschicht schlief noch. Nur in der Küchenbaracke war schon Betrieb... dort rauchte der Kamin. Fetter, dunkler Qualm. Rohöl. Man hatte ja genug davon.

»Willkommen –« sagte Navrimont und umarmte Bender und Cathérine. »So versoffen ich meinen Geist auch habe... ich habe gewusst, dass Sie wiederkommen. Fragen Sie mich nicht, warum. Man spürt so etwas. Auch wenn es gegen alle Logik ist... aber die Wüste frisst auch die Logik.«

Sie gingen durch den Sand zur Krankenbaracke, über der wieder die zerfetzte Fahne mit dem Roten Kreuz wehte. Am Fenster der Schreibstube stand der kleine Ungar Molnar und grinste breit und glücklich.

»Wie geht es Serrat?«, fragte Bender.

»Gut –« antwortete Navrimont kurz.

»Das freut mich.«

»Er ist tot.«

Bender blieb ruckartig stehen. »Wann?«

»Vor einer Stunde. Es musste so sein... es war schrecklich, wie er sich auflöste... er floss weg in Blut, Kot und einer schwarzen, bestialisch stinkenden Soße. Sie erkennen ihn kaum wieder, Doktor er ist schmal wie ein Jüngling.«

Dr. Bender und Cathérine betraten allein die Krankenbaracke. Navrimont blieb zurück... er konnte den Gestank, den Serrat im ganzen Haus hinterließ, nicht mehr ertragen.

Serrat lag im Zimmer 2. Allein, lang hingestreckt auf einem Bett, über das man zwei Gummimatten gezogen hatte. Er hatte die Hände über der Brust gefaltet und sah wirklich wie ein Junge aus. Bevor der Tod ihn erlöste, musste er Schreckliches durchgestanden haben. Im Zimmer lag ein Geruch wie aus einer Kloake.

»Die Hadjar-Krankheit«, sagte Bender leise und schob Cathérine aus dem Zimmer. »Es ist wie damals, als ich ankam... ich fange wieder von vorn an.«

»Aber jetzt ist es anders.« Sie lehnte sich an ihn und legte den Arm um seinen Rücken. »Damals wünschten wir dich in die Hölle... jetzt bin ich bei dir, und gnade Gott dem, der dich auch nur schief ansieht...«

»Du würdest ihn erschießen.«

»Sofort.«

»Das wird ein Massenmord.«

»Die Wüste wird auch das ertragen –«

Sie kamen aus dem Haus und trafen Navrimont, der an der Verwaltungsbaracke schon mit einer Flasche lauerte. Es war unmöglich, den Willkommenstrunk zu umgehen... Navrimont freute sich wie ein Kind, das ein guter Onkel besucht.

Als die Nacht über die Wüste fiel, ohne lange Dämmerung, ohne Abschied von dem Tag, denn plötzlich wird der Himmel fahl, dann dunkel, dann klar und mit Sternen übersät, und die Kälte bricht herein, die Hyänen klagen von Bou Akbir her, die Geier auf den Barackendächern schlagen mit den Flügeln, von den fündigen Bohrtürmen III und V leuchten die Flammen des brennenden Erdgases, und die Dünen der Wüste sind silberüberhauchte Berge, schön geschwungen wie Brüste von Riesenweibern, und man spürt, wie wahr es ist, von der Mutter Erde zu sprechen... als diese Nacht kam, in der die Sahara zu einer großen Wiege wird, saßen Bender und Cathérine wie damals auf der Bank vor dem Haus und blickten über die Wüste, die »Große Schweigende«, wie der Araber sie nennt.

»Saada ist in El Goléa –« sagte Bender plötzlich.

»Ich weiß.« Cathérine lächelte ihn an. »Navrimont hat es auch mir gesagt, sofort, als ich allein war.«

»Sie ist bei ihrer Tante und soll den Sohn des reichsten Händlers von El Goléa heiraten.«

Dann schwiegen sie wieder und sahen hinauf in die Sterne, die nirgendwo so herrlich und blank sind wie über der Wüste. Es war kalt, Cathérine hob die Schultern, und Bender zog seine Jacke aus und legte sie ihr um.

»Weißt du, woran ich denke?«, fragte sie.

»Nein.«

»Ein dummer Gedanke. Ich habe mir eben gesagt: Du bist endlich zu Hause...«

»Sind wir das nicht?«

»Ich hasse die Wüste.«

»Ich auch. Aber wir sind zu Hause –«

»Das ist schön, Ralf.« Sie lehnte den Kopf gegen seine Brust. Sie war nicht mehr dreißig Jahre, sondern ein kleines Mädchen, das zum erstenmal sein Herz spürt. »Zu Hause sein... wer kann das begreifen! Eine Heimat haben! Wissen, hier gehörst du hin, dein ganzes Leben lang... und was auch geschieht... hier, nur hier bist du zu Hause! Es war immer mein größter Wunsch: ein Zuhause zu haben. Und jetzt geht er in Erfüllung... in der Wüste! O Gott, welch ein Leben führen wir –«

»Ein herrliches Leben, Cathérine«, sagte Bender laut und drückte sie an sich. »Ein herrliches Leben, das ich mit niemandem tauschen möchte.«

Den Sandhügel vor ihnen hinunter schlichen drei Hyänen. Lautlos, huschende Schatten. Sie glitten zur Küchenbaracke, wo der Koch jeden Abend die Kübel mit Abfall in einen Schuppen sperrte. Über ihnen klatschte Flügelschlag. Ein Geier, der die Hyäne gesehen hatte, strich hinüber zur Küche, den scheußlichen, nackten Hals weit vorgestreckt.

Zu Hause –

Die Wüste schlief, versilbert vom Schein des Mondes.

»Morgen werde ich Serrat sezieren«, sagte Dr. Bender. »Ich glaube, er bringt die Forschung ein schönes Stück voran –«

JEFF LONG

Zehn Männer und zwei Frauen wollen ihren Traum wahr machen – die Bezwingung des Mount Everest. Aber in eisigen Höhen ist der Grat zum Alptraum schmal...

»Eine großartige Darstellung menschlicher Schicksale vor der majestätischen Bergwelt des Himalaya.«
Publishers Weekly